Dan Simmons

Dan Simmons, né en 1948 dans l'Illinois, aux Etats-Unis, a eu très jeune la vocation de l'écriture. Diplômé de littérature, il a été instituteur pour enfants précoces pendant plus de quinze ans.

En 1982, Dan Simmons fait des débuts très remarqués en littérature. Fasciné par le mal et la souffrance, il est souvent présenté comme un spécialiste de la terreur. C'est pourtant la science-fiction qui lui a inspiré son chef-d'œuvre, *Les cantos d'Hypérion* (*Hypérion* en 1989 et *La chute d'Hypérion* en 1990), un grand cycle cosmogonique habité par les ombres de Keats et de Dante, qui se poursuit avec deux autres volets, *Endymion* (1996) et *L'éveil d'Endymion* (1997).

Il revient aujourd'hui à la science-fiction avec un diptyque magistral inspiré de l'*Iliade*, *Ilium* et *Olympos*.

LA CHUTE
D'HYPÉRION

II

SCIENCE-FICTION
Collection dirigée par Bénédicte Lombardo

DAN SIMMONS

LES CANTOS D'HYPÉRION

LA CHUTE D'HYPÉRION

II

traduit de l'américain
par Guy Abadia

ROBERT LAFFONT

Publié aux éditions Doubleday, New York
sous le titre original

THE FALL OF HYPERION

TROISIÈME PARTIE

31

J'ouvris les yeux, et regrettai aussitôt d'avoir été réveillé.

Roulant sur le côté, plissant les yeux, pestant contre la soudaine invasion de lumière, je vis Leigh Hunt assis au bord du lit, la seringue à instillations encore à la main.

— Vous avez pris assez de pilules pour vous faire dormir toute la journée, me dit-il. Debout, et haut les cœurs !

Je m'assis au bord du lit, massai ma barbe du matin sur mes joues, et jetai un regard de travers à Hunt.

— Qui vous a donné le foutu droit d'entrer dans ma chambre ? demandai-je.

L'effort me fit tousser, et cela ne cessa que lorsque Hunt revint de la salle de bain avec un verre d'eau.

— Buvez ça, me dit-il.

Je bus, tout en essayant vainement de projeter ma colère entre deux quintes. Les vestiges de mon rêve étaient en train de se diluer comme la brume du matin. Je me sentis gagné par un terrible sentiment de perte.

— Habillez-vous, me dit Hunt en se levant. La Présidente veut vous voir dans ses appartements privés dans vingt minutes. Beaucoup de choses se sont produites pendant votre sommeil.

– Quelles choses ?

Je me frottai les yeux et passai la main dans mes cheveux ébouriffés.

– Renseignez-vous auprès de l'infosphère, me dit Hunt en souriant. Et n'oubliez pas, vingt minutes, pas une de plus, Severn, ajouta-t-il en sortant.

Je fis ce qu'il m'avait conseillé. L'accès à l'infosphère ressemble un peu à la descente sur un océan à la surface diversement agitée. En temps normal, la houle est légère et n'offre pas beaucoup de résistance. Les jours de crise, il y a des moutons et quelques lames de fond. Aujourd'hui, c'était un véritable ouragan qui se déchaînait. Il fallait avancer à contre-courant, et la confusion la plus totale régnait sur les grandes voies d'accès aux données. La matrice de l'infoplan était surchargée de demandes de transfert. L'Assemblée de la Pangermie, qui n'émettait normalement qu'un bourdonnement multiplex d'informations et de débats politiques, était en proie à un vent de panique. Les votes interrompus et les rapports de situation caducs s'effilochaient comme des nuages chassés par la tempête.

– Mon Dieu ! murmurai-je.

Je voulus me retirer, mais la pression de toutes ces informations pesait sur mes circuits d'implant et sur mon cerveau. Guerre. Attaque surprise. Destruction imminente du Retz. Rumeurs de déposition de la Présidente Gladstone. Émeutes sur une vingtaine de mondes. Manifestations violentes des fidèles du gritche sur Lusus. La flotte de la Force abandonne le système d'Hypérion dans une tentative de repli désespérée, mais c'est déjà trop tard, beaucoup trop tard. Hypérion est déjà attaquée. On craint une invasion par les canaux distrans...

Je me levai, courus prendre ma douche et mes soniques en un temps record. Hunt ou bien quelqu'un d'autre avait disposé sur le dossier d'une chaise un complet gris et une cape. Je m'habillai à toute vitesse, me brossai les cheveux sans les sécher, de sorte que mes boucles mouillées tombaient sur mon col.

Il ne fallait surtout pas faire attendre la Présidente de l'Hégémonie humaine. Surtout pas.

– Il était temps que vous arriviez, me dit Meina Gladstone lorsque j'entrai dans ses appartements privés.

– Qu'est-ce que c'est que ce bordel que vous avez foutu? lui demandai-je.

Elle battit trois fois des paupières. De toute évidence, la Présidente de l'Hégémonie humaine n'avait pas l'habitude qu'on s'adresse à elle sur ce ton.

Putain de merde! ajoutai-je en mon for intérieur.

– N'oubliez pas qui vous êtes et à qui vous parlez, me dit Gladstone d'une voix glacée.

– J'ignore qui je suis. Et je suis peut-être en train de parler à la plus grande criminelle de toute l'histoire depuis Horace Glennon-Height. Pourquoi avez-vous laissé éclater cette fichue guerre?

Elle battit de nouveau des paupières et regarda autour d'elle. Nous étions tous seuls. Le salon était vaste et la pénombre agréable. Il y avait au mur des toiles de l'Ancienne Terre; mais je m'en fichais pas mal, sur le moment, même si c'étaient des Van Gogh originaux.

Je dévisageai la Présidente. Son visage réputé lincolnien n'était que celui d'une vieille femme qu'éclairait la lumière parcimonieusement filtrée par les stores. Elle soutint mon regard quelques instants, puis détourna la tête.

– Excusez-moi, lui dis-je sèchement, sur un ton qui démentait mes paroles. Mais vous n'avez pas *laissé* éclater la guerre, vous l'avez *fait* éclater, n'est-ce pas?

– Non, Severn. Je ne l'ai pas provoquée.

Sa voix était aussi faible qu'un chuchotement.

– Expliquez-vous, insistai-je en faisant les cent pas devant la haute fenêtre dont les stores dessinaient sur mes vêtements des bandes horizontales de lumière. Et sachez que je ne suis pas Joseph Severn.

Elle haussa un sourcil.

– Dois-je vous appeler H. Keats?

– Vous pouvez m'appeler Personne. De sorte que, lorsque les autres cyclopes viendront et vous demanderont qui vous a aveuglée, vous pourrez répondre : « Personne », et ils s'en iront en disant que c'était la volonté des dieux.

– Vous avez l'intention de m'aveugler?

– Je pourrais vous tordre le cou et m'en aller d'ici sans le moindre remords. Des millions d'êtres vont périr avant que cette semaine ne se termine. Comment avez-vous pu accepter cela?

Elle posa un doigt sur sa lèvre inférieure.

– L'avenir ne bifurque que dans deux directions, dit-elle d'une voix très douce. La guerre, avec incertitude totale, ou bien la paix, avec annihilation totale certaine. J'ai choisi la guerre.

— Et qui a décrété ces choses? demandai-je avec, maintenant, plus de curiosité que de colère dans la voix.

— Ce sont des faits, répliqua-t-elle en consultant son persoc. Dans dix minutes, il faut que j'aille prononcer la déclaration de guerre devant le Sénat. Donnez-moi des nouvelles des pèlerins d'Hypérion.

Je croisai les bras et la regardai dans les yeux.

— Je le ferai si vous me promettez de faire une chose.

— Si c'est en mon pouvoir, je le ferai.

J'attendis un instant, comprenant que rien dans l'univers ne pouvait obliger cette femme à engager sa parole sur un chèque en blanc.

— Très bien, déclarai-je. Je veux que vous communiquiez par mégatrans avec Hypérion, pour lever l'interdiction de décollage sur le vaisseau du consul. Il faut également envoyer quelqu'un en amont du fleuve Hoolie pour le retrouver. Le consul se trouve approximativement à cent trente kilomètres de la capitale, un peu plus haut que les écluses de Karla. Il est peut-être blessé.

Gladstone se frotta la lèvre d'un doigt replié puis hocha la tête.

— Très bien. J'enverrai quelqu'un à sa recherche. Quant à libérer le vaisseau, cela dépend de ce que vous allez m'apprendre. Les autres sont-ils encore en vie?

Je resserrai ma cape autour de moi et me laissai tomber sur un sofa en face d'elle.

— Certains le sont.

— La fille de Byron Lamia? Brawne?

— Le gritche l'a emportée. Elle est restée quelque temps dans une sorte de coma, reliée à une espèce de dérivation neurale de l'infosphère. J'ai rêvé... qu'elle flottait quelque part, unie à la personnalité sur implant du premier Keats. Elle pénétrait dans l'infosphère. La mégasphère, plutôt. Elle accédait au TechnoCentre par des voies et des dimensions dont je n'aurais jamais soupçonné l'existence.

— Est-elle actuellement en vie? demanda Gladstone en se penchant en avant.

— Je l'ignore. Son corps a disparu. On m'a réveillé avant que je ne puisse voir par où sa personnalité entrait dans la mégasphère.

— Et le colonel? demanda Gladstone en hochant lentement la tête.

– Kassad a été conduit quelque part par Monéta, cette fille qui semble résider dans les tombeaux et voyager dans le temps avec eux. La dernière fois que j'ai vu le colonel, il attaquait le gritche à mains nues. Les gritches, plutôt. Il y en avait des milliers.

– A-t-il survécu?

J'écartai les bras.

– Je l'ignore. Ce ne sont que des rêves. Des fragments de perception.

– Et le poète?

– Le gritche l'a pris; il l'a empalé sur l'arbre aux épines. Je l'ai revu, plus tard, lorsque j'ai rêvé de Kassad. Silenus était toujours vivant. J'ignore par quel miracle.

– L'arbre aux épines est donc une réalité, ce n'est pas une invention de l'Église gritchtèque?

– Il existe vraiment.

– Le consul est donc parti? Il essaie de rejoindre la capitale?

– Il a le tapis hawking de sa grand-mère Siri. L'engin a très bien fonctionné jusqu'à cet endroit dont je vous ai parlé, près des écluses de Karla. Mais il... il est tombé dans le fleuve. Je ne sais pas s'il est encore vivant, me hâtai-je d'ajouter, anticipant sa question.

– Parlez-moi du prêtre, le père Hoyt.

– Le cruciforme l'a ressuscité en tant que père Duré.

– C'est vraiment le père Duré, ou une copie sans cervelle?

– C'est Duré. Mais il est... diminué. Très déprimé.

– Il est toujours dans la vallée?

– Non. Il a disparu dans l'un des Trois Caveaux. J'ignore ce qu'il est devenu.

Gladstone consulta son persoc. J'essayai d'imaginer la confusion et le chaos qui régnaient dans le reste du bâtiment... du monde... du Retz tout entier. De toute évidence, la Présidente avait voulu se réfugier ici un quart d'heure avant d'affronter le Sénat. C'était peut-être le dernier moment de tranquillité relative qu'elle connaîtrait durant des semaines. Ou pour toujours.

– Et le commandant Masteen?

– Mort. Enterré dans la vallée.

Elle prit une profonde inspiration.

– Et Weintraub? Son enfant?

Je secouai la tête.

– Je n'ai pas rêvé les choses dans l'ordre chronologique. Il y a eu un décalage. Je crois que c'est ce qui s'est passé, mais je ne sais plus très bien où j'en suis.

Je regardai Gladstone. Elle attendait patiemment que je continue.

— Le bébé n'était plus âgé que de quelques secondes lorsque le gritche est apparu, poursuivis-je. Sol a donné sa fille au monstre. Je crois qu'il l'a emportée à l'intérieur du Sphinx. Les tombeaux étaient brillamment éclairés de l'intérieur. Partout, il y avait... d'autres gritches... qui en sortaient.

— Les tombeaux se sont donc ouverts?

— Oui.

Gladstone manipula son persoc.

— Leigh? Faites contacter Théo Lane et les responsables de la Force sur Hypérion. Qu'on lève la quarantaine sur le vaisseau du consul. Dites au gouverneur général que je lui transmettrai un message personnel dans quelques minutes.

L'instrument émit un grésillement. La Présidente se tourna de nouveau vers moi.

— Il n'y avait rien d'autre dans vos rêves?

— Des images. Des mots. Je ne comprends pas tout ce qui se passe. Je vous ai dit le principal.

Elle eut un petit sourire.

— Savez-vous que vos rêves ont une portée qui dépasse de beaucoup celle des autres sujets d'expérience de récupération de la personnalité Keats?

Je ne répondis pas, frappé de plein fouet par ce qu'elle venait de dire. Mes contacts avec les pèlerins avaient été rendus possibles par l'existence d'une connexion, au niveau du TechnoCentre, avec l'implant de personnalité contenu dans la boucle de Schrön de Brawne et avec l'infosphère rudimentaire ainsi créée. Mais la personnalité avait été libérée, et l'infosphère avait été détruite par la séparation et la distance. Même un récepteur mégatrans est incapable de recevoir un message quand il n'y a plus d'émetteur.

Le sourire de Gladstone disparut abruptement.

— Comment expliquez-vous cela? demanda-t-elle.

— Je ne l'explique pas, répondis-je en la regardant dans les yeux. Ce n'étaient peut-être que des rêves. De vrais rêves.

Elle se leva.

— Nous saurons peut-être la vérité quand nous aurons

éventuellement retrouvé le consul, ou quand son vaisseau arrivera dans la vallée. Il me reste deux minutes avant de me présenter devant le Sénat. Vous n'avez rien d'autre à me dire ?

– Juste une question. Qui suis-je ? Pourquoi suis-je ici ?

Elle sourit de nouveau.

– Nous nous posons tous les mêmes questions, H. Sev... H. Keats.

– Je suis sérieux. J'ai l'impression que vous connaissez mieux que moi la réponse.

– Le Centre vous a envoyé pour que vous me serviez de liaison avec les pèlerins. Et pour observer. Vous êtes, après tout, un poète et un artiste.

J'émis un grognement indistinct et me levai à mon tour. Nous nous dirigeâmes lentement vers la porte distrans privée qui la conduirait directement au Sénat.

– À quoi peut servir un observateur lorsque la fin du monde est là ? demandai-je.

– À vous de le découvrir. Allez assister à la fin du monde !

Elle me tendit une microcarte pour mon persoc. Je l'insérai dans le lecteur et lus ce qui s'affichait sur l'écran. Il s'agissait d'une plaque universelle donnant accès à tous les terminaux distrans, publics, privés ou militaires. Un passe pour la fin du monde.

– Et si je me fais tuer ? demandai-je.

– Dans ce cas, nous ne connaîtrons jamais les réponses à vos questions.

La Présidente me toucha légèrement le poignet, me tourna le dos et s'avança à travers la porte distrans.

Je demeurai quelques minutes de plus dans ses appartements, appréciant la pénombre, le silence et le décor artistique. Il y avait bien un Van Gogh accroché au mur. Il devait valoir plus que ce que la plupart des planètes du Retz auraient pu payer. C'était une peinture de la chambre de l'artiste en Arles. La folie n'est pas une invention récente.

Au bout d'un moment, je sortis à mon tour, laissant la mémoire de mon persoc me guider à travers le labyrinthe de la Maison du Gouvernement jusqu'au terminex distrans central. Je m'apprêtai alors à partir découvrir la fin du monde.

Il y avait dans le Retz deux itinéraires distrans à accès total : celui du Quartier Marchand et celui du fleuve

Téthys. Je me distransportai dans le Quartier Marchand, où l'esplanade de cinq cents mètres de Tsingtao-Hsishuang Panna était reliée à la Nouvelle-Terre et au court front de mer de Nevermore. Tsingtao-Hsishuang Panna se trouvait dans la zone de la première vague d'invasion, à trente-quatre heures des Extros. La Nouvelle-Terre faisait partie de la deuxième liste, encore en cours d'élaboration, et disposait d'un peu plus d'une semaine standard avant l'invasion. Nevermore était loin dans les profondeurs du Retz, à des années de distance de toute attaque.

Je ne voyais aucun signe de panique. Les gens se tournaient vers l'infosphère et la Pangermie plutôt que de descendre dans les rues. Parcourant les étroites allées de Tsingtao, j'entendis la voix de Gladstone, diffusée par des milliers de récepteurs et de persocs, étrange fond sonore aux cris des marchands ambulants et aux crissements des pneus sur les pavés mouillés tandis que les pousse-pousse électriques bourdonnaient au-dessus, dans les niveaux de transport.

— ... comme l'a dit un autre dirigeant à son peuple la veille d'un combat, il y a plus de huit siècles : « Je n'ai rien à offrir que du sang, du labeur, des larmes et de la sueur. » Vous me demandez quelle sera notre politique ? Je vous réponds : faire la guerre dans l'espace, sur terre, sur mer, faire la guerre de toutes nos forces et avec toute l'énergie que pourront nous donner la justice et le bon droit. Voilà quelle sera notre politique...

Il y avait des troupes de la Force stationnées près de la zone de translation entre Tsingtao et Nevermore, mais le flot des piétons semblait tout à fait normal. Je me demandai à quel moment les militaires allaient réquisitionner la voie pour piétons du Quartier Marchand pour leurs véhicules, et si ces derniers prendraient la direction du front ou la direction opposée.

Je passai sur Nevermore. Ici, les rues étaient sèches, à l'exception de quelques embruns qui montaient de l'océan, situé à trente mètres au-dessous des remparts de pierre du Quartier Marchand. Le ciel avait sa coloration habituelle à l'aspect menaçant, ocre et gris, et le crépuscule en plein jour créait une impression sinistre. De petites boutiques de pierre regorgeant de marchandises étaient faiblement éclairées de l'intérieur. Les rues étaient beaucoup moins fréquentées que d'habitude. Les gens étaient par groupes dans les magasins, ou assis sur des bancs de pierre ou des murets à l'extérieur, la tête baissée, écoutant le discours d'un air hagard.

– ... Vous demandez quel est notre objectif? Je vous réponds en un seul mot. La victoire. La victoire à n'importe quel prix, la victoire malgré toute la terreur, malgré la longueur et les difficultés de la route. Car, sans victoire, il n'est point de survie...

Les lignes, au terminex principal d'Edgartown, étaient peu nombreuses. Je programmai Mare Infinitus comme point de destination et franchis la porte.

Le ciel sans nuages avait sa couleur verte habituelle. Sous la cité flottante, l'océan était d'un vert plus foncé. Les exploitations de varech flottaient à l'horizon. La foule, ici non plus, n'était pas nombreuse, malgré la distance par rapport au Quartier Marchand. Les esplanades semblaient presque désertes. Quelques boutiques étaient fermées. Un groupe d'hommes se tenaient près d'un ponton, écoutant un vieux récepteur mégatrans. La voix de Gladstone résonnait, métallique, dans la riche atmosphère océanique.

– ... En ce moment même, de vaillantes unités de la Force font route vers leurs différents postes, résolues à protéger non seulement les mondes menacés mais également toutes les planètes de l'Hégémonie de la plus vile et de la plus abjecte tyrannie qui ait jamais souillé les annales de l'histoire...

Mare Infinitus se trouvait à dix-huit heures de l'invasion. Je levai les yeux vers le ciel, m'attendant presque à voir déjà un signe de présence de l'essaim ennemi, ou des indications de mouvements de troupes, ou encore de mise en place de défenses orbitales. Mais il n'y avait que le ciel à voir. La journée était chaude, et la cité flottante était doucement bercée par les flots.

Heaven's Gate figurait en tête sur la liste des mondes menacés d'invasion. Après avoir franchi la porte des officiels au terminal de Plaine des Boues, je contemplai, depuis les Hauts de Rifkin, la magnifique cité qui démentait son nom. La nuit était bien avancée, et les engins automatiques de nettoyage des rues étaient à l'œuvre. On entendait le bourdonnement des brosses et des soniques sur les pavés. Il y avait cependant pas mal de monde dehors. De longues files de personnes attendaient, silencieuses, devant le terminex public des Hauts de Rifkin, et des files encore plus longues étaient visibles aux alentours du portail de l'Esplanade. La police locale était présente, avec ses uniformes noirs anti-impact. Si des unités de la Force faisaient route de toute urgence pour renforcer les défenses de ce secteur, elles demeuraient, pour le moment, totalement invisibles.

Les gens qui faisaient la queue n'étaient pas des citoyens ordinaires de Rifkin, et les riches propriétaires du quartier avaient certainement leurs terminaux distrans privés. Ceux qui attendaient là ressemblaient plutôt à des travailleurs des chantiers d'aménagement ouverts à quelques kilomètres de là, après les grands parcs et les forêts de fougères. Il n'y avait pas de signes de panique, et les conversations étaient rares. Tout le monde attendait avec la patience stoïque des familles qui avancent pas à pas vers le guichet d'un parc d'attractions. Rares étaient ceux qui avaient avec eux plus qu'une valise ou un sac de voyage.

Avons-nous atteint un degré de sérénité tel que nous soyons devenus capables de nous comporter dignement devant une invasion? me demandai-je.

Heaven's Gate se trouvait à treize heures de l'heure H. Je réglai mon persoc sur l'Assemblée de la Pangermie.

– ... Si nous sommes capables de triompher de cette menace, les mondes que nous aimons pourront demeurer libres, et le Retz tout entier entrera dans un avenir radieux. Mais si nous échouons, c'est toute l'Hégémonie, tout l'univers que nous avons connu et aimé, qui sombrera dans l'abîme d'un nouvel âge noir rendu infiniment pénible et sinistre par les lumières d'une science pervertie et des libertés humaines annihilées.

« Unissons donc nos forces et notre courage dans l'accomplissement de notre devoir, et soyons persuadés que si l'Hégémonie humaine, ses protectorats et alliés devaient encore exister dans dix mille ans, l'humanité dirait : « Le meilleur de nous-mêmes, c'est *alors* que nous l'avons donné. »

Quelque part, dans le silence de la cité d'où montaient d'agréables senteurs de nuit, une fusillade éclata. Ce fut d'abord le crépitement des fusils à fléchettes, puis le grondement sourd des étourdisseurs anti-émeutes, puis le grésillement des lasers. Des cris s'élevèrent. La foule de l'esplanade se bouscula vers les terminex. La police anti-émeutes surgit du parc voisin, braquant de puissants projecteurs halogènes, et ordonna aux gens, aux moyen de mégaphones, de reformer les queues ou de se disperser. Il y eut un moment d'hésitation, puis la foule reflua d'avant en arrière et d'arrière en avant comme une méduse prise dans des courants capricieux. Mais lorsque les coups de feu devinrent plus forts et plus rapprochés, il y eut un nouveau mouvement de masse en avant, vers les plates-formes.

Les flics anti-émeutes tirèrent des gaz lacrymogènes et des grenades à nausée. Entre la foule et le terminex, des champs de confinement mauves apparurent. Une formation de VEM militaires et de glisseurs de la sécurité survola alors la ville à basse altitude, ses projecteurs en action. L'un des rayons lumineux me captura, et ne me lâcha pas jusqu'à ce que mon persoc se mette à clignoter en réponse aux demandes de renseignements. Puis il se mit à pleuvoir.

Autant pour la sérénité.

La police avait investi le terminex public des Hauts de Rifkin, et affluait par la porte privée que j'avais utilisée pour venir ici. Je décidai qu'il était temps d'aller voir ce qui se passait ailleurs.

Il y avait des commandos de la Force de garde dans tous les couloirs de la Maison du Gouvernement, vérifiant toutes les arrivées distrans, bien que cette porte fût probablement l'une des plus difficiles d'accès de tout le Retz. Je dus franchir trois postes de contrôle avant de pouvoir passer dans l'aile résidentielle où se trouvaient mes appartements. Soudain, des gardes firent irruption dans le corridor principal pour le vider et en garder tous les accès. Gladstone apparut, accompagnée de tout un cortège de conseillers, de collaborateurs et de chefs militaires. Chose étonnante, elle m'aperçut, arrêta tout le monde sur sa lancée, et me parla à travers une haie de *marines* en tenue de combat.

— Comment avez-vous trouvé mon discours, H. Personne?

— Très bien, répliquai-je. Particulièrement émouvant, quoiqu'un peu emprunté à Winston Churchill, si je ne me trompe.

Elle sourit, et haussa faiblement les épaules.

— S'il faut plagier, autant plagier les grands maîtres

oubliés. Quelles nouvelles du front rapportez-vous? demanda-t-elle, soudain plus grave.

– La réalité est à peine en train de commencer à pénétrer les esprits. Attendez-vous à un vent de panique.

– C'est la chose à laquelle je m'attends toujours. Et nos pèlerins?

Je fus pris au dépourvu.

– Les pèlerins? Je n'ait fait... aucun rêve.

La force du courant de son escorte et de l'actualité pressante l'avait fait dériver peu à peu vers l'autre bout du couloir.

– Vous n'avez peut-être plus besoin de dormir pour faire ces rêves, me cria-t-elle. Essayez!

Je la regardai s'éloigner. Puis on me laissa gagner mes appartements. J'ouvris la porte et me détournai, écœuré de moi-même. La peur et la hantise des horreurs qui étaient en train de s'abattre sur nous me poussaient à me réfugier au plus profond de moi-même. Je n'aspirais qu'à m'étendre sur ce lit, fuyant même le sommeil, les couvertures remontées jusqu'au menton, versant une larme pour le Retz, une autre pour l'enfant Rachel, et une pour moi-même.

Je repris le corridor en sens inverse, quittai le bâtiment résidentiel, et me rendis dans le parc en suivant le dédale des allées de gravier. Des dizaines de minidrones bourdonnaient comme des guêpes. L'un deux s'attacha à mes pas tandis que je traversais la roseraie pour arriver à un endroit où un chemin creux sinuait à travers une serre de plantes tropicales étouffante. Une fois parvenu dans la section de l'Ancienne Terre, près du pont, je m'assis sur le banc de pierre où Gladstone et moi avions bavardé un moment.

Vous n'avez peut-être plus besoin de dormir pour faire ces rêves. Essayez!

Je m'assis en travers du banc, les jambes repliées, les genoux sous le menton, les doigts sur les tempes, et je fermai les yeux.

32

Martin Silenus se tord et se débat dans les affres de la plus pure poésie de la douleur. Une épine d'acier de deux mètres de long le pénètre entre les omoplates, et la pointe, une terrible pointe, effilée, d'un mètre de long, ressort de l'autre côté. Ses bras, qui ne cessent de s'agiter, ne peuvent saisir l'épine. Elle est trop glissante. Ses doigts et ses paumes ne trouvent aucun point d'appui stable. Cependant, son corps ne glisse pas. Il est aussi fermement empalé qu'un papillon dans une vitrine de collectionneur.

Il n'y a pas une seule goutte de sang.

Dans les heures qui ont suivi le retour à la rationalité, à travers la brume insensée de la douleur, Martin Silenus n'a pas cessé de s'interroger là-dessus. Il n'y a pas de sang. Mais il y a de la douleur en abondance. Oui, de la douleur à profusion, plus que tout ce qu'il avait pu imaginer avant en tant que poète, de la douleur qui dépasse les limites de la torture et celles de l'endurance humaine.

Pourtant, Silenus souffre et endure.

Il hurle pour la millième fois. C'est un son déchiré, vide de contenu, libre de toute syllabisation, sans même un mot d'obscénité. La parole ne suffit pas à exprimer une telle douleur. Silenus gémit et se tord. Au bout d'un moment, il se laisse pendre mollement, la longue épine oscillant légèrement au gré de ses mouvements circulaires. D'autres humains sont empalés autour de lui, mais il passe peu de temps à essayer de les observer. Chacun est dans son cocon individuel de souffrance.

C'est bien ici l'enfer, pense Silenus, citant Marlowe, *et je ne suis pas au-dehors.*

Mais il sait que ce n'est ni l'enfer ni l'au-delà. Il sait aussi, cependant, qu'il ne s'agit pas de quelque soussection de la réalité. L'épine lui traverse vraiment le corps! Huit centimètres d'acier organique lui transpercent la poitrine. Mais il n'est pas mort. Son sang n'a pas coulé. Cet endroit correspond à quelque chose de réel, mais ce n'est pas l'enfer, et ce n'est pas la vie.

Le temps, ici, est étrange. Silenus a déjà eu souvent, dans sa vie, l'impression que le temps s'étirait et ralentissait. La torture d'un nerf à vif dans le fauteuil du dentiste, celle d'un calcul rénal dans la salle d'attente de la clinique... Le temps est capable de freiner son rythme, de sembler s'arrêter entre les aiguilles d'une horloge biologique indignée, encore sous l'effet du choc. Mais le temps, ici, ne bouge absolument pas. Le canal pulpaire a été traité, l'ultramorphine a fini par arriver et a fait son effet, mais ici l'air lui-même est figé par l'absence du temps. La douleur est le bord d'attaque et l'écume d'une vague *qui ne retombe jamais*.

Silenus hurle de colère et de douleur. Il se tord sur son pal.

— Bordel! réussit-il enfin à articuler. Bordel de putain d'enculé de merde!

Les mots sont des vestiges d'une autre vie, des artefacts issus du rêve qu'il a vécu avant la réalité de l'arbre. Silenus ne se souvient qu'à moitié de cette vie, de même qu'il ne se souvient qu'à moitié du gritche qui l'a porté ici pour l'empaler.

— Oh mon Dieu! gémit le poète en essayant d'empoigner l'épine à deux mains pour soulager le poids de son corps qui ajoute une dimension infinie à l'infini de sa douleur.

Il aperçoit le paysage au-dessous de lui. Il le voit sur des kilomètres. C'est un paysage figé, un diorama en papier mâché de la vallée des Tombeaux du Temps et du désert qui s'étend au-delà. Même la cité morte et les montagnes lointaines sont reproduites en une miniature stérile et plastifiée. Mais cela n'a pas d'importance. Pour Martin Silenus, seuls l'arbre et la douleur existent, et ils sont indivisibles. Le poète montre ses dents en un sourire fêlé par la douleur. Lorsqu'il était enfant sur l'Ancienne Terre, son meilleur ami, Amalfi Schwartz, et lui avaient visité une communauté de chrétiens dans la Grande Réserve d'Amérique du Nord. Ils s'étaient documentés sur leur théologie primitive, et avaient échangé par la suite de nombreuses plaisanteries sur la crucifixion. Le jeune Martin avait écarté grand les bras, croisé les jambes, penché la tête et murmuré:

— Super! On aperçoit toute la ville, de là-haut!

Amalfi avait rugi de rire.

Silenus hurle.

Le temps ne s'écoule pas vraiment, mais, au bout d'un moment, l'esprit de Silenus retourne à ce que l'on pourrait appeler un état d'observation linéaire. Quelque chose qui diffère des oasis de souffrance lucide et pure disséminées dans un désert de torture passivement subie. Et dans cette perception linéaire de sa propre souffrance, Silenus, peu à peu, impose le temps à cet endroit hors du temps.

Pour commencer, les obscénités ajoutent de la clarté à sa douleur. Hurler lui fait mal, mais la colère rend les choses plus nettes et plus distinctes.

Ensuite, dans les intervalles entre deux accès de hurlements ou de spasmes de pure douleur, Silenus se force à penser. Au début, ce n'est qu'un effort pour ordonner ses idées, pour se réciter les tables de multiplication, n'importe quoi pour séparer la souffrance d'il y a dix secondes de la souffrance à venir. Silenus s'aperçoit que, dans son effort de concentration, il arrive à atténuer légèrement la douleur. Elle est toujours insupportable, elle fait toujours voler ses pensées comme autant de feuilles mortes sous le souffle d'un ouragan, mais elle a tout de même diminué d'une quantité indéfinissable.

Silenus se concentre. Il continue de hurler et de se tordre, mais il se concentre. Et comme il n'a rien d'autre sur quoi se concentrer, il se concentre sur la douleur.

Le douleur, découvre-t-il, possède une structure. Elle a un plan, et une configuration plus complexe qu'un nautile avec ses cloisons. Elle a des ornements plus baroques que ceux de la plus raffinée des cathédrales gothiques. Même dans ses cris, Martin Silenus étudie la structure de sa douleur. Il s'aperçoit qu'elle équivaut à celle d'un poème.

Il arc-boute le dos et la nuque pour la millième fois, cherchant un soulagement là où tout soulagement est impossible ; mais cette fois-ci, son mouvement lui permet d'apercevoir, à cinq mètres au-dessus de lui, une forme familière, empalée comme lui à une épine de l'arbre, qui se tord sous le souffle irréel de la douleur atroce.

– Billy ! s'écrie-t-il, et c'est sa première pensée contrôlée.

Son ex-mécène et suzerain a le regard perdu dans des abîmes aveugles. La même douleur qui obnubilait l'esprit de Silenus l'obnubile en ce moment. Cependant, il tourne légèrement la tête, comme à l'appel de son nom, dans cet endroit situé au-delà des noms.

– Billy ! crie de nouveau Silenus.

Puis sa propre douleur lui fait perdre la vision et la concentration. Mais il se reconcentre sur la structure de la souffrance, il en suit les contours comme s'il dessinait le tronc, les branches et les ramifications de l'arbre aux épines lui-même.

– Seigneur !

Silenus entend une voix qui domine les hurlements, et il est stupéfait de s'apercevoir que les hurlements et la voix lui appartiennent.

... Tu es fait pour le rêve;
Tu es ta propre fièvre. Songe à la Terre.
Quelles joies, même dans l'espoir, peut-elle encore te
donner,
Quel havre? Toute créature a sa demeure,
Tout homme connaît ses jours de joie et de douleur,
Que ses accomplissements soient sublimes ou
modestes.
La douleur et la joie lui sont distinctes.
Seul le rêveur empoisonne tous ses jours,
Supportant plus d'affliction qu'il n'en mérite par tous
ses péchés.

Il connaît bien ces vers, qui ne sont pas de lui, mais de John Keats. Les mots contribuent à structurer davantage le chaos apparent de douleur qui l'entoure. Il comprend que la douleur, en réalité, est en lui depuis sa naissance. C'est le présent fait par l'univers à un poète. Un reflet physique de la douleur qu'il a ressentie dans sa vie et qu'il a futilement essayé de mettre en vers ou d'épingler dans sa prose durant toutes ces années de vie inutile. C'est plus grave encore que la douleur. C'est de l'affliction. La douleur, l'univers l'offre à tout le monde.

Seul le rêveur empoisonne tous ses jours,
Supportant plus d'affliction qu'il n'en mérite par tous
ses péchés.

Silenus crie ces vers, mais ne hurle plus. La rumeur de lamentations de l'arbre, plus psychique que physique, se calme, l'espace d'une fraction de seconde. Il s'établit un îlot de distraction au milieu d'un océan compact.

– Martin!

Silenus tord le cou, soulève la tête, essayant d'éclaircir sa vision au milieu de la brume de douleur. Le roi Billy le Triste le regarde. Oui, le *regarde*.

Le roi Billy le Triste émet une syllabe inarticulée et rauque dans laquelle, au bout d'un moment sans fin, le poète reconnaît : « Encore! »

Martin Silenus hurle de souffrance. Il se tord en un spasme physique de réponse aveugle; mais quand le spasme cesse et qu'il reste là suspendu, la douleur nullement allégée mais simplement chassée des zones motrices de son cerveau par les toxines de fatigue, il laisse hurler sa voix intérieure, qui sort comme une chanson :

Esprit, toi qui règnes ici,
Esprit qui fais mal!
Esprit qui brûles
Et qui portes nos deuils!
J'incline bas le front devant toi,
Esprit qui demeures dans l'ombre de tes ailes,
Et je plonge un regard passionné
Dans ton pâle domaine.

Le petit cercle de silence s'élargit pour inclure plusieurs branches voisines, une poignée d'épines chargées de malheureux humains à l'agonie.

Silenus lève la tête vers le roi Billy le Triste. Il voit son suzerain trahi qui ouvre les paupières de ses yeux tristes. Pour la première fois depuis plus de deux siècles, mécène et poète s'observent, et Silenus transmet le message qui l'a amené ici, qui l'a fait empaler à ces branches.

— Seigneur, je vous fais mes excuses.

Avant que Billy puisse répondre, avant que le chaos des lamentations ne noie toute réponse, l'atmosphère se *transforme,* l'impression que le temps est figé se brise, et l'arbre tremble, comme s'il s'était tout entier affaissé d'un mètre. Silenus hurle en même temps que les autres lorsque la secousse déchire ses chairs empalées, déjà meurtries par l'épine d'acier.

Silenus rouvre les yeux, et voit que le ciel est réel. Le désert est réel, les tombeaux luisent, le vent souffle et le temps a repris sa marche. La torture n'est en rien amoindrie, mais son esprit est redevenu clair.

Martin Silenus éclate de rire à travers ses larmes.

— Regarde, maman! s'écrie-t-il en gigotant, la pointe d'acier dépassant toujours d'un bon mètre de sa poitrine déchirée. On aperçoit toute la ville, de là-haut!

— H. Severn! Vous vous sentez bien?

Haletant, à quatre pattes, je me tournai vers la voix. Ouvrir les yeux était douloureux, mais aucune douleur ne pouvait se comparer à ce que je venais d'éprouver.

— Vous vous sentez bien, monsieur?

Il n'y avait personne à côté de moi dans le jardin. La voix provenait d'un minidrone qui bourdonnait à cinquante centimètres de mon visage, relayant probablement l'un des agents de la sécurité de la Maison du Gouvernement.

– Oui, réussis-je à dire en me relevant pour épousseter le gravier qui collait à mes genoux. Ça va bien. J'ai eu une... douleur subite.

– Nous pouvons vous fournir une assistance médicale en deux minutes, monsieur. Votre biomoniteur ne signale aucune difficulté organique particulière, mais...

– Non, non, c'est inutile. Je vais très bien. Laissez tomber. Et laissez-moi.

Le minidrone battit des ailes comme un colibri nerveux.

– Bien, monsieur. Si vous avez besoin de quelque chose, appelez. Les moniteurs du parc vous répondront.

– Allez-vous-en! m'écriai-je.

Je quittai les jardins. Je traversai le hall de la Maison du Gouvernement, où grouillaient les agents de la sécurité, puis sortis du Parc aux Daims.

Les docks étaient calmes. Le fleuve Téthys était plus paisible que je ne l'avais jamais vu.

– Que se passe-t-il? demandai-je à un homme de la sécurité qui se tenait sur le quai.

Il voulut d'abord vérifier mon persoc, pour confirmer l'existence de mon code prioritaire émanant de la Présidente, mais ne se pressa pas pour autant de répondre.

– Les portes ont été fermées sur TC^2, me dit-il de sa voix traînante. La circulation est détournée.

– Détournée? Vous voulez dire que le fleuve ne coule plus sur Tau Ceti Central?

– Exactement.

Il abaissa sa visière à l'approche d'un petit bateau, puis la releva lorsqu'il eut identifié les deux agents de la sécurité qui se trouvaient à bord.

– Est-ce qu'on peut sortir par là? demandai-je en indiquant l'amont, où les grandes portes formaient un rideau gris opaque.

Il haussa les épaules.

– Vous pouvez, mais il vous sera impossible de revenir par là.

– Ça ne fait rien. Est-ce que je peux prendre cette embarcation?

Le garde murmura quelque chose dans son micro-perle, puis hocha la tête.

– Allez-y.

24

Je montai avec précaution dans le petit bateau et m'assis à l'arrière en me tenant au plat-bord jusqu'à qu'il cesse de bouger. Puis je touchai le disque de guidage en disant :

– En route.

Les moteurs électriques se mirent à bourdonner. Le bateau défit ses amarres et pointa le nez vers le milieu du fleuve. Je le guidai vers l'amont.

Je n'avais jamais entendu dire qu'une partie du fleuve avait été isolée. Mais le rideau distrans constituait bel et bien une membrane semi-perméable à sens unique. Le bateau la franchit sans mal. Cela me laissa à peine une sensation de picotement, et je me tournai pour regarder autour de moi.

J'étais dans l'une des grandes cités de canaux, peut-être Ardmen ou Pamolo, sur le vecteur Renaissance. Ici, le Téthys était l'artère principale d'où partaient plusieurs canaux secondaires. En temps ordinaire, la seule circulation fluviale aurait été celle des gondoles promenant les touristes sur les chenaux extérieurs tandis que les yachts et les passe-partout des citoyens aisés emprunteraient les passages centraux. Aujourd'hui, c'était une véritable pagaille.

Des bateaux de toutes sortes et de toutes tailles encombraient les chenaux du centre, dans les deux sens. Certaines péniches d'habitation étaient remplies d'affaires entassées sur le pont. Les embarcations de petite taille étaient si lourdement chargées que la moindre vague aurait probablement suffi à les faire chavirer. Des centaines de jonques de plaisance de Tsingtao-Hsishuang Panna et des barges résidentielles de Fuji coûtant chacune plus d'un million de marks se disputaient le passage. La plupart avaient dû quitter leur quai pour la première fois aujourd'hui. Au milieu de cet enchevêtrement de bois, de plastacier et de perspex, les passe-partout se déplaçaient comme des œufs argentés protégés par leurs champs de confinement réglés au maximum de réflexion.

J'interrogeai l'infosphère. Le vecteur Renaissance était un monde de la deuxième vague, à cent sept heures de l'invasion. Il me semblait surprenant que les réfugiés de Fuji viennent encombrer les voies fluviales de cette planète, alors que leur monde avait encore plus de deux cents heures de répit avant que le couperet ne tombe. Mais je m'avisai que, à part TC^2 qui avait été retiré du fleuve, le

Téthys suivait toujours son cours à travers la série habituelle de mondes. Les réfugiés de Fuji avaient emprunté la voie fluviale à partir de Tsingtao, qui se trouvait à trente-trois heures des Extros, pour passer par Deneb Drei, à cent quarante-sept heures, puis par le vecteur Renaissance, qui leur permettrait de gagner Parcimonie ou Grass, encore exemptes de toute menace pour le moment. Je secouai la tête, cherchai un canal secondaire relativement à l'abri de toute cette folie pour observer ce qui se passait, et me demandai quand les autorités songeraient à modifier le cours du fleuve pour que *toutes* les planètes menacées puissent envoyer leurs ressortissants se mettre à l'abri.

Est-ce matériellement possible?

Le TechnoCentre avait configuré le fleuve Téthys à l'occasion du cinquième centenaire de l'Hégémonie, comme un présent à cette dernière. Mais Gladstone ou quelqu'un d'autre avait bien dû penser à demander l'aide du Centre pour organiser l'évacuation. Rien n'était moins sûr, en fait, me disais-je. Et il n'était pas sûr non plus que le Centre accepterait d'apporter son aide. Je savais Gladstone persuadée que certains éléments du TechnoCentre voulaient l'élimination pure et simple de l'espèce humaine, et que cette guerre, en l'occurrence, était son seul choix. Quelle occasion, pour les éléments antihumains du Centre, de réaliser leur programme en refusant simplement d'évacuer les milliards de personnes menacées par les Extros!

Je souriais, même si c'était un sourire jaune, mais mon sourire disparut bientôt lorsque je m'avisai que c'était également le TechnoCentre qui entretenait le réseau distrans sur lequel je comptais pour quitter les territoires menacés.

J'avais amarré mon embarcation au pied de l'escalier de pierre qui descendait dans les eaux saumâtres. Je remarquai la présence d'une algue verdâtre qui poussait sur les marches du bas. La pierre était peut-être originaire de l'Ancienne Terre, car des cités entières avaient été transférées par distrans dans les années qui avaient suivi la Grande Erreur. Les marches étaient usées par l'âge, et le fin réseau de craquelures reliant les points de mousse ressemblait à une carte du Retz.

Il faisait chaud. L'air était moite et beaucoup trop lourd. Le soleil du vecteur Renaissance était très bas au-dessus des toits à pignons. La lumière était trop rouge et trop visqueuse pour mes yeux. Le bruit du Téthys était assourdissant, même ici, cent mètres plus loin, dans ce bras qui était l'équivalent d'une ruelle étroite. Des pigeons tournoyaient dans un grand froissement d'ailes entre les murs sombres et les avancées des toits.

Qu'est-ce que je peux faire?

Tout le monde semblait se comporter comme si le monde se précipitait vers la destruction, et tout ce que je trouvais à faire, c'était me promener au hasard.

C'est ton travail. Tu es un observateur.

Je me frottai les yeux. Qui a dit que les poètes devaient être de bons observateurs? Je songeai à Li Po et à George Wu conduisant leurs armées à travers la Chine et écrivant quelques-uns des vers les plus sensibles de l'histoire pendant que leurs soldats dormaient. Au moins, Martin Silenus avait eu une longue vie, fertile en événements, même si une moitié de ces événements étaient obscènes et le reste à demi gaspillé pour rien.

À la pensée de Martin Silenus, je laissai échapper un gémissement.

Est-ce que l'enfant, Rachel, est empalée, elle aussi, aux épines de l'arbre?

Cette pensée m'était venue subitement, et je me demandai, l'espace d'une seconde, si un tel sort n'était pas préférable, tout compte fait, à l'annihilation instantanée causée par la maladie de Merlin.

Non.

Je fermai les yeux, m'efforçant de ne plus penser à rien, espérant contacter Sol d'une manière ou d'une autre pour avoir des nouvelles de l'enfant.

Le bateau dansait doucement sous l'action des vaguelettes créées par le passage lointain d'autres bâtiments sur le fleuve. Quelque part, au-dessus de ma tête, des pigeons s'envolèrent pour se percher sur une corniche en roucoulant.

— Difficile ou non, je m'en fiche! hurle Meina Gladstone. Je veux que la *totalité* de la flotte du système de Véga se porte à la défense d'Heaven's Gate. Vous pourrez transférer *ensuite* les éléments nécessaires sur le Bosquet de Dieu et sur les autres planètes en danger. Notre seul avantage, à l'heure actuelle, c'est la *mobilité*!

Le visage de l'amiral Singh est noir de frustration.

– Trop dangereux, H. Présidente! Si nous transférons directement la flotte dans l'espace de Véga, elle court le risque terrible de se retrouver coupée du Retz. Ils feront tout pour détruire la sphère de singularité qui relie ce système aux autres mondes de l'Hégémonie.

– Protégez-la! coupe Gladstone, glaciale. Nos coûteux vaisseaux de combat sont là pour ça, n'est-ce pas?

Singh se tourne vers Morpurgo et les autres galonnés comme pour quémander de l'aide, mais personne ne dit rien. Le mur est couvert de colonnes de tableaux de chiffres sans cesse modifiés. Personne n'y prête attention.

– Toutes nos ressources sont actuellement consacrées à la protection de la sphère de singularité du système d'Hypérion, reprend l'amiral Singh d'une voix moins forte, en espaçant soigneusement ses mots. Il est très difficile de se replier sous le feu de l'ennemi, particulièrement sous l'assaut d'un essaim entier, comme c'est le cas là-bas. Si cette sphère-là devait être détruite, notre flotte se retrouverait isolée, avec un déficit de temps de dix-huit mois par rapport au Retz. La guerre serait perdue avant leur retour.

Gladstone hoche rapidement la tête.

– Je ne vous demande pas de renoncer à défendre cette sphère de singularité *avant* le repli de notre flotte, amiral. J'ai déjà accepté l'idée de leur abandonner Hypérion avant l'évacuation de tous nos vaisseaux qui sont encore là-bas. Mais j'insiste pour que nous ne les laissions pas s'emparer d'autres planètes du Retz sans combat.

Le général Morpurgo se lève alors. Le Lusien a déjà l'air épuisé.

– H. Présidente, nous avons prévu de nous battre. Mais il nous paraît plus logique de fixer le départ de notre système de défense dans le secteur d'Hébron ou du vecteur Renaissance. Non seulement nous gagnons ainsi cinq jours pour nous préparer, mais...

– Mais nous perdons cinq mondes! interrompt Gladstone. Des *milliards* de citoyens de l'Hégémonie! Des êtres humains! La perte d'Heaven's Gate serait une chose terrible. Le Bosquet de Dieu représente un trésor culturel et écologique irremplaçable!

– H. Présidente, déclare Allan Imoto, le ministre de la Défense, nous avons des raisons de penser qu'il existe depuis de nombreuses années une collusion entre les Templiers et la soi-disant Église gritchtèque. La majeure partie du financement de cette dernière provient de...

Gladstone lève la main pour le faire taire.

— Tout cela ne m'intéresse pas. L'idée de perdre le Bosquet de Dieu est inadmissible. Si nous ne pouvons assurer la défense de Véga et d'Heaven's Gate, nous commencerons par la planète des Templiers. C'est mon dernier mot.

Singh s'efforce de sourire ironiquement, mais on dirait que de lourdes chaînes pèsent sur ses épaules.

— Cela nous laisse moins d'une heure, H. Présidente, murmure-t-il.

— Il n'y a pas à revenir là-dessus, fait Gladstone d'une voix ferme. Leigh, où en sont les émeutes sur Lusus ?

Hunt s'éclaircit la voix. Son allure est plus servile et plus mielleuse que jamais.

— H. Présidente, cinq ruchers au moins sont actuellement touchés. Des biens ont été détruits pour une valeur de plusieurs centaines de millions de marks. Des troupes de la Force ont été disttransportées depuis Freeholm, et semblent maîtriser plus ou moins les manifestations et le pillage. Mais nous ne sommes pas en mesure de dire à quel moment le service distrans pourra reprendre dans ces ruchers. Il ne fait pour nous aucun doute que l'Église gritchtèque porte la responsabilité de tout cela. La première émeute, dans le rucher de Bergstrom, a commencé par une manifestation de fanatiques de ce culte. L'évêque a fait irruption sur les programmes de TVHD, jusqu'à ce qu'il soit coupé par...

Gladstone baisse le front.

— Il s'est donc finalement manifesté au grand jour. Est-il actuellement sur Lusus ?

— Nous l'ignorons, H. Présidente, répond Hunt. L'Agence de Transit est en train d'essayer de retrouver sa trace et celle de ses principaux acolytes.

Gladstone se tourne vers un jeune homme que je mets plusieurs secondes à reconnaître. Il s'agit de l'ex-capitaine de frégate William Ajunta Lee, le célèbre héros de la bataille d'Alliance-Maui. La dernière fois que j'en avais entendu parler, le jeune homme avait été transféré dans les Confins pour avoir osé dire ce qu'il pensait en présence de ses supérieurs. Aujourd'hui, son uniforme de la Force est orné des galons émeraude et or de contre-amiral.

— Que pensez-vous de l'idée de nous battre planète par planète ? lui demande Gladstone, ignorant sa propre décision de ne plus revenir sur cette question.

– Je pense que c'est une erreur, H. Présidente, répond Lee. Les neuf essaims sont engagés dans cette offensive. Le seul dont nous n'ayons pas à nous soucier pendant trois ans – à supposer que nous puissions évacuer nos forces sans trop de casse – est celui qui attaque en ce moment Hypérion. Si nous concentrons nos forces – ne serait-ce que la moitié de notre flotte – pour faire face à la menace qui pèse sur le Bosquet de Dieu, il y a quatre-vingt-dix-neuf chances sur cent pour que nous soyons incapables, par la suite, de les utiliser à temps pour défendre les huit autres planètes de la première vague.

Gladstone se frotte la lèvre inférieure.

– Que recommandez-vous?

Le contre-amiral Lee prend une lente inspiration.

– Je recommande que nous réduisions nos pertes et que nous détruisions les sphères de singularité des neuf systèmes menacés afin de nous concentrer sur une attaque d'envergure contre les essaims de la deuxième vague *avant* qu'ils n'atteignent des systèmes stellaires habités.

Un tohu-bohu éclate autour de la table. Le sénateur Feldstein, du Monde de Barnard, s'est dressée comme un ressort, et hurle quelque chose.

Gladstone attend que la tempête se calme.

– Vous voulez dire porter la guerre chez eux? Contre-attaquer les essaims eux-mêmes au lieu d'attendre de mener un combat défensif?

– Exactement, H. Présidente.

Gladstone s'adresse à l'amiral Singh.

– Est-ce que la chose est faisable? Est-ce que nous pouvons organiser, préparer et lancer une telle offensive dans les... (elle consulte le panneau de données sur le mur en face d'elle) quatre-vingt-quatorze heures standard?

Singh fait un effort visible pour se concentrer sur ce qu'elle dit.

– Si la chose est... euh... possible? Peut-être, H. Présidente. Mais les répercussions politiques... la perte de neuf mondes du Retz... les difficultés logistiques...

– Est-ce possible? insiste Gladstone.

– Euh... oui, H. Présidente. Mais si...

– Alors, faites-le, coupe Gladstone.

Elle se lève, et tous les autres l'imitent.

– Sénateur Feldstein, je vous recevrai, ainsi que tous les responsables concernés, dans mes appartements privés. Leigh, Allan, vous voudrez bien me tenir informée de l'évolution des émeutes sur Lusus. Le conseil de guerre se réunira ici même dans quatre heures. Mesdames et messieurs, bonne journée.

Je marchais dans les rues comme au milieu d'un nuage, l'esprit à l'affût du moindre écho. Loin du fleuve Téthys, là où les canaux étaient moins nombreux et les voies pour piétons plus larges, la foule était beaucoup plus dense. Je me laissai guider par mon persoc vers différents terminex, mais chaque fois la foule était un peu plus compacte. Il me fallut quelques minutes pour comprendre qu'il n'y avait pas là que les habitants de Renaissance V qui cherchaient à *sortir*, mais aussi des curieux venus de tout le Retz qui cherchaient à *entrer*. Je me demandais si quelqu'un, parmi les responsables de l'évacuation mise en œuvre par Gladstone, avait envisagé le problème de l'afflux de millions de curieux se distransportant là pour assister au début de la guerre. Je n'avais pas la moindre idée de la manière dont je pouvais rêver les conversations qui se déroulaient dans la salle du conseil de guerre, mais je n'avais aucun doute sur leur authenticité. Lorsque j'y repense maintenant, je me souviens de détails infimes de mes rêves passés, non seulement de mes rêves d'Hypérion, mais aussi des promenades nocturnes de monde en monde de la Présidente, et de ses réunions avec ses collaborateurs les plus directs.

Qui étais-je donc?

Un cybride est un prolongement biologique, une extension des IA... ou, dans le cas présent d'une personnalité récupérée, une entité qui se tient tranquillement à l'abri quelque part dans le TechnoCentre. Il était raisonnable de penser que le Centre était au courant de tout ce qui se passait à la Maison du Gouvernement et dans les différents hauts lieux du pouvoir politique humain. L'humanité était devenue aussi blasée quand il s'agissait de vivre sous le regard éventuel de ses IA que, sur l'Ancienne Terre, à l'époque d'avant la guerre de Sécession, lorsque les familles du Sud n'avaient aucun scrupule à tout dire devant leurs esclaves humains. Et il n'y avait rien à faire pour modifier cela. Le plus modeste des humains, exception faite, peut-être, de ceux qui vivaient dans les basfonds de la ruche des Poisses, possédait un persoc et un biomoniteur. Beaucoup avaient des implants, et tout cela restait branché en permanence sur la musique de l'info-sphère, sous la surveillance de certains éléments de l'info-sphère et sous la dépendance de certaines fonctions de l'infosphère. Les humains se résignaient donc à accepter l'absence de vie privée qui en résultait. Un jour, un artiste d'Espérance m'avait confié :

– Faire l'amour ou avoir une scène de ménage devant les moniteurs de la maison, c'est comme se déshabiller devant son chien ou son chat. On a un instant d'hésitation, la première fois, et puis on oublie.

Étais-je branché sur quelque canal peu usité ou connu du seul TechnoCentre ? Il y avait pour moi une manière bien simple de le découvrir : quitter mon cybride et emprunter les avenues de la mégasphère menant au Tech-noCentre, exactement comme l'avaient fait Brawne Lamia et mon double désincarné la dernière fois que j'avais partagé leurs perceptions.

Non.

Cette seule pensée me donnait le vertige, presque la nausée. Je trouvai un banc pour m'asseoir quelques ins-tants, les coudes sur les genoux, me tenant la tête à deux mains, respirant très lentement et très profondément. La foule s'écoulait sur l'avenue. Quelque part, quelqu'un s'adressait à elle avec un mégaphone.

J'avais faim. Je n'avais rien mangé depuis vingt-quatre heures au moins. Cybride ou non, mon organisme criait famine, et je me sentais sur le point de défaillir. Je m'engageai dans une étroite ruelle où les marchands ambulants, avec leurs gyrocharrettes à une roue, hur-laient pour se faire entendre au-dessus du tintamarre ambiant, vantant leurs marchandises à qui mieux mieux. Je trouvai une charrette devant laquelle la file d'attente n'était pas trop longue et commandai un chausson au miel avec un gobelet de riche café de Bressia et une barquette de pain pita remplie de salade. Je payai la marchande avec ma carte universelle et entrai dans une maison aban-donnée. Je grimpai l'escalier et m'installai sur la terrasse pour manger à mon aise. C'était délicieux. Je sirotai lon-guement mon café, envisageant de retourner chercher un deuxième chausson, lorsque je remarquai que la foule, sur la place en bas, avait cessé ses allées et venues désordon-nées pour s'attrouper autour d'un petit groupe d'hommes qui se tenaient au bord d'une large fontaine au centre de la place. Leurs paroles amplifiées me parvinrent par-dessus la tête des gens assemblés pour les écouter.

– ... l'Ange du Châtiment a été lâché parmi nous. Les prophéties se sont accomplies, le millénium est advenu. Il entre dans les desseins de l'Avatar d'appeler à un tel sacrifice, comme l'a toujours prophétisé l'Église de l'Expiation Finale, qui savait depuis toujours que le moment d'expier viendrait et qu'il serait alors trop tard pour prendre des demi-mesures, trop tard pour se lancer dans des conflits exterminateurs. La fin de l'humanité est sur nous, le temps des tribulations est commencé. L'avènement du millénium de notre Seigneur est proche.

Je compris que les hommes en rouge étaient des prêtres gritchtèques auxquels la foule répondait, tout d'abord, par des cris espacés, puis par des « oui, oui » ponctués d'« *amen* ». Les gens entonnèrent bientôt un hymne à l'unisson. Des poings se dressèrent au-dessus des têtes, et des cris d'extase montèrent. Le spectacle était pour le moins incongru. Le Retz moderne a beaucoup d'affinités avec la Rome de l'Ancienne Terre, juste avant l'époque chrétienne, par sa politique de tolérance, ses myriades de religions, la plupart, comme le gnosticisme zen, complexes et tournées vers l'intérieur plutôt que portées sur le prosélytisme, avec une tendance générale au cynisme bienveillant et à l'indifférence vis-à-vis des impulsions religieuses.

Mais pas en ce moment, et pas sur cette place.

J'étais en train de méditer sur l'absence de véritables foules au cours des derniers siècles de la vie du Retz. Pour réunir une foule, il faut une occasion publique, et les occasions publiques, à l'époque moderne, consistent principalement à communier individuellement par l'intermédiaire de la Pangermie ou de quelque autre canal de l'infosphère. Il est difficile de soulever les passions collectives lorsque les gens sont séparés par des kilomètres, voire des années-lumière, et reliés seulement les uns aux autres par des lignes com et des mégatrans.

Soudain, je fus tiré de ma rêverie par une diminution de la rumeur de la foule, et je vis des centaines de visages se tourner dans ma direction.

– Et voilà justement l'un d'entre eux! cria le prêtre gritchtèque, dont la robe rouge jeta des reflets flamboyants tandis qu'il pointait l'index sur moi. L'un de ceux qui appartiennent aux cercles fermés de l'Hégémonie, l'un des pécheurs qui passent leur temps à comploter et qui ont attiré sur nous l'expiation. Ce sont cet homme et ses pareils qui voudraient que l'Avatar gritchtèque vous fasse payer leurs péchés pendant qu'ils s'abritent dans l'un des mondes secrets que la hiérarchie de l'Hégémonie prépare depuis longtemps à cet effet.

Je posai mon gobelet de café, avalai mon dernier morceau de chausson et regardai avec ahurissement cet homme qui délirait à mon sujet. Mais comment savait-il que je venais de TC^2? Ou bien que je faisais partie de l'entourage immédiat de Gladstone? Je mis la main en visière sur mon front pour éviter la réverbération, et regardai de nouveau la foule en m'efforçant d'ignorer les visages levés et les poings brandis.

Je me concentrai soudain sur les traits de l'homme en robe rouge.

Mon Dieu! C'était Spenser Reynolds, le peintre tachiste qui avait essayé vainement, la dernière fois que nous nous étions rencontrés, de dominer la conversation lors du dîner présidentiel de la *Cime de l'Arbre*. Il s'était rasé le crâne jusqu'à ce qu'il ne reste rien de sa chevelure fournie et de sa coiffure élaborée, à l'exception d'une fine queue de cheval, caractéristique du culte gritchtèque. Son visage, cependant, était toujours bronzé, avec des traits harmonieux malgré la grimace de rage simulée et de foi fanatique qui le déformait présentement.

— Emparez-vous de lui! s'écria l'agitateur Reynolds sans cesser de brandir l'index dans ma direction. Saisissez-le et faites-lui payer la destruction de nos maisons, le massacre de nos familles et la fin du monde.

Je me retournai, littéralement, pour regarder derrière moi, tant j'étais sûr que ce poseur grandiloquent ne pouvait pas parler de moi.

Mais c'était bien de ma personne qu'il s'agissait. La foule en folie s'avançait déjà à l'assaut du bâtiment où je me trouvais, brandissant le poing, l'écume de la haine à la bouche, menaçant de piétiner ceux qui ne suivaient pas le mouvement.

La rumeur devint une clameur. En cet instant, le total des QI de cette marée humaine ne devait pas excéder le niveau du plus modestement doué de ses membres en temps normal. Les foules, c'est bien connu, sont animées par des passions et non par leur intellect.

Je n'avais nul désir de m'attarder plus longtemps pour leur expliquer tout cela. Tandis que la foule se séparait en deux pour donner l'assaut à la cage d'escalier, j'essayai de trouver un passage derrière moi. L'unique porte était fermée à clé. Je m'acharnai dessus à coups de pied jusqu'à ce que le bois éclate, et réussis à passer de l'autre côté juste à temps pour échapper aux mains tendues vers moi.

Je grimpai un vieil escalier obscur, qui sentait le moisi et le poids des années. La foule, derrière moi, finissait de démolir la porte dans un concert de hurlements furieux.

Il y avait un appartement au troisième étage. Bien que l'immeuble fût en principe abandonné, il semblait occupé. La porte n'était pas fermée. Je l'ouvris au moment où mes poursuivants débouchaient sur le palier de l'étage inférieur.

– Aidez-moi, je vous en...

Je m'interrompis net. Il y avait trois femmes dans la pénombre, appartenant peut-être à trois générations de la même famille, car elles offraient une indéniable ressemblance. Elles étaient assises sur des chaises délabrées, vêtues de haillons, les bras tendus devant elles, comme posés sur des sphères invisibles. J'aperçus le mince câble de métal qui reliait la tête aux cheveux blancs de la plus vieille au boîtier noir posé sur une table poussiéreuse. D'autres câbles, identiques, sortaient du crâne de la fille et de celui de la petite-fille.

Des câblées. Au dernier stade de l'anorexie de liaison, à en juger par leur expression. Quelqu'un devait venir de temps à autre les alimenter par voie intraveineuse et changer leurs vêtements souillés, mais peut-être la guerre avait-elle dissuadé cette personne de revenir.

Des pas se firent entendre dans l'escalier. Je refermai la porte et grimpai deux étages de plus. Je ne découvris que des portes fermées à clé ou des pièces abandonnées où l'eau coulait des lattes du plafond pour former des flaques. Des ampoules auto-injectables de flashback jonchaient le sol un peu partout comme des capsules de boissons gazeuses.

Ça n'a pas l'air d'un immeuble très recommandable, me dis-je.

J'atteignis la terrasse avec dix pas d'avance sur la meute qui me poursuivait. Ce que cette foule avait perdu en passion aveugle lorsqu'elle s'était séparée de son gourou, elle l'avait regagné dans l'obscurité confinée de l'escalier sordide. Elle avait peut-être oublié pourquoi elle me donnait la chasse, mais cela ne rendait pas mon sort plus enviable si jamais elle réussissait à me capturer.

Refermant derrière moi la porte vermoulue de la terrasse, je cherchai un verrou ou quelque chose qui me permette de me barricader. Il n'y avait pas la moindre serrure sur la porte, et rien d'assez volumineux pour la bloquer du dehors.

Les bruits se rapprochaient dans l'escalier. Je regardai autour de moi. Il n'y avait là que de petites antennes circulaires montées sur des supports rouillés, une corde à linge apparemment inutilisée depuis des années, les carcasses d'une douzaine de pigeons et un vieux Vikken.

J'entrai dans le VEM au moment où mes premiers poursuivants arrivaient sur la terrasse. L'engin était une véritable pièce de musée. La poussière et les déjections des pigeons rendaient le pare-brise presque opaque. Quelqu'un avait remplacé les répulseurs d'origine par des pièces à bon marché, qui n'avaient pas la moindre chance d'être homologuées un jour. La verrière en perspex était noircie et déformée à l'arrière, comme si quelqu'un s'était entraîné à tirer dessus avec un laser.

Ce qui occupait mon attention immédiate, cependant, c'était le fait que l'engin était dépourvu de toute serrure palmaire. Il n'avait qu'un emplacement pour une clé de contact que l'on avait forcé depuis longtemps. Je m'installai sur le siège de pilotage poussiéreux et tentai de claquer la porte. Elle n'accrochait pas. Je la laissai à moitié ouverte. J'évitais de spéculer sur les chances que j'avais de faire démarrer cette épave ou même de résister à la foule quand elle commencerait à me tirer à l'extérieur et à me porter en bas, à moins qu'elle ne se contente de me balancer simplement par-dessus le parapet de la terrasse. J'entendais la rumeur qui montait de la place où le gros de la foule attendait.

Les premiers à arriver sur moi furent un gros homme en salopette kaki de technicien, un autre, très maigre, vêtu d'un complet noir à la dernière mode de Tau Ceti, et une femme terriblement obèse, qui brandissait une sorte d'énorme clé à molette. Un homme de petite taille, en uniforme vert de la garde territoriale de Renaissance, les suivait de près.

Tout en maintenant de la main gauche la portière à moitié fermée, je glissai la microcarte prioritaire de Gladstone dans la fente du disque de démarrage. La batterie gémit aussitôt, le démarreur auxiliaire toussa. Je fermai les yeux en priant pour que les circuits solaires soient autoréparateurs et déjà chargés.

Des poings tambourinèrent sur le toit, des mains cognèrent le perspex cabossé non loin de mon visage. Quelqu'un tira la portière malgré tous mes efforts pour la maintenir fermée. Les hurlements de la foule lointaine étaient comme la rumeur de l'océan. Ceux du groupe qui se trouvait sur la terrasse ressemblaient à des cris d'oiseaux de mer géants.

Les circuits de levage entrèrent en action, les répulseurs soufflèrent de la poussière et des excréments de pigeon sur la foule de la terrasse. Je glissai la main dans le manche universel, opérai un mouvement en arrière et sur la droite, et sentis le vieux Vikken s'élever, vaciller, piquer du nez puis s'élever de nouveau.

J'inclinai l'appareil au-dessus de la place, à moitié conscient du fait que le tableau de bord était rempli d'alarmes visuelles et sonores qui m'avertissaient que quelqu'un s'accrochait encore à la portière ouverte. Je fis un passage en rase-mottes sur la place, et souris en voyant le prêtre gritchtèque Reynolds baisser la tête tandis que la foule courait dans tous les sens. Puis je grimpai en chandelle au-dessus de la fontaine et basculai fortement l'appareil sur la gauche.

Mon passager hurlant ne lâchait toujours pas la portière, mais ce fut elle qui lâcha, et le résultat fut le même. Je m'aperçus qu'il s'agissait de la femme obèse au moment où elle toucha l'eau, huit mètres plus bas, avec la portière, éclaboussant Reynolds et la foule. Je pris de l'altitude, malgré les protestations bruyantes des composants à bon marché du VEM.

Des cris furieux émanant du contrôle aérien local se joignirent aux avertissements du tableau de bord. L'engin fit une embardée tandis que la police s'emparait prioritairement des commandes, mais j'insérai de nouveau ma microcarte officielle dans la fente, et le manche universel redevint aussitôt opérationnel. Je survolai la plus vieille et la plus ancienne partie de la ville, rasant les toits et frôlant les terrasses pour éviter les radars de la police. En temps normal, les flics de la circulation auraient depuis longtemps fondu sur moi avec leurs plates-formes de lévitation et leurs manches à balai pour me prendre dans leurs filets. Mais, à en juger d'après la foule qui s'agitait en bas, particulièrement autour des terminex distrans, il ne s'agissait pas d'une journée comme les autres.

Le Vikken commença à me signaler avec insistance

qu'il ne pourrait continuer à voler plus de quelques secondes. Je sentis le répulseur de tribord rendre l'âme dans une secousse écœurante. J'essayai d'effectuer, avec le manche uni et la pédale des gaz, un atterrissage en catastrophe sur un parking situé entre un canal et un immeuble à la façade noircie par la suie. Cet endroit se trouvait à plus de dix kilomètres de la place où Reynolds avait ameuté la foule contre moi, et je pensais n'avoir plus rien à craindre. De toute manière, je n'avais pas le choix.

Une traînée d'étincelles jaillit. Le métal s'éventra, une partie du tronçon arrière se détacha, la jupe et le panneau d'accès avant se dissocièrent du fuselage. L'engin finit par s'arrêter à deux mètres du mur. Je sortis du Vikken d'un air aussi décontracté que possible.

Les rues étaient toujours occupées par des foules en mouvement qui n'étaient pas encore tout à fait en état d'émeute. Le canal était envahi par une multitude de petites embarcations. Je choisis de me glisser dans l'ombre du bâtiment public le plus proche pour disparaître discrètement. L'endroit faisait office à la fois de musée, de bibliothèque et d'archives. Je m'y sentis à l'aise dès le premier coup d'œil – et de nez, car il y avait là des milliers de livres imprimés, dont certains étaient très anciens, et rien ne vaut, pour moi, l'odeur des vieux bouquins.

J'étais dans la salle des catalogues, en train d'examiner les fichiers et de me demander si, par hasard, les œuvres de Salmud Brevy n'y figuraient pas, lorsqu'un petit homme à la peau parcheminée, vêtu d'un complet démodé de laine et de fibroplaste, s'approcha de moi en disant :

– Bonjour, monsieur. Il y a longtemps que nous n'avons pas eu le plaisir de votre compagnie.

Je hochai la tête sans conviction, certain de n'avoir jamais mis les pieds ici auparavant et de ne pas connaître cet homme.

– Trois ans, n'est-ce pas? Oui, au moins trois ans! Mon Dieu, comme le temps passe!

La voix du petit homme n'était guère plus qu'un chuchotement, le murmure de quelqu'un qui avait passé le plus clair de son existence entre les quatre murs d'une salle de bibliothèque, mais cette voix était empreinte d'une excitation qui ne lui était visiblement pas coutumière.

– Vous aimeriez sans doute aller directement à la salle des manuscrits, reprit-il en s'écartant comme pour me laisser passer.

– Oui, répondis-je en m'inclinant légèrement. Après vous, je vous en prie.

Le petit homme – j'étais presque certain qu'il était archiviste – semblait ravi de m'ouvrir la voie. Tandis que nous traversions une succession de salles feutrées et de corridors aux boiseries d'acajou où les rangées de livres montaient jusqu'au plafond, il se mit à bavarder tranquillement sur les nouvelles acquisitions de la bibliothèque et sur les compliments ou les visites d'érudits venus du Retz entier. Nous ne rencontrâmes personne d'autre sur tout le chemin.

Nous traversâmes une galerie au sol carrelé, bordée d'une rampe en fer forgé, qui dominait un puits circulaire où des champs de confinement reconnaissables à leur couleur bleutée protégeaient les antiques parchemins, les vieilles cartes en lambeaux, les manuscrits enluminés et les bandes dessinées anciennes des atteintes de l'atmosphère. Le bibliothécaire ouvrit une porte basse plus épaisse qu'une entrée de sas, et nous passâmes dans une petite pièce sans fenêtres où de lourdes tentures dissimulaient à moitié des niches murales remplies de volumes anciens. Un unique fauteuil en cuir était posé sur un tapis persan préhégirien, et une vitrine contenait quelques fragments de parchemin sous vide.

– Allez-vous publier bientôt, monsieur? me demanda le petit homme.

– Comment? fis-je en détournant les yeux de la vitrine. Oh... Je ne crois pas!

L'archiviste se toucha le menton du poing.

– Pardonnez-moi de vous dire cela, monsieur, mais il serait dommage que vous ne le fassiez pas. D'après les quelques conversations que nous avons pu avoir à ce sujet dans le passé, il me semble que vous êtes l'un des auteurs les plus qualifiés – sinon le plus qualifié – du Retz dans le domaine des études keatsiennes. Pardonnez-moi de vous parler ainsi, répéta-t-il en faisant un pas en arrière avec un grand soupir.

Je le considérai gravement pendant un bon moment.

– Il n'y a pas de mal, lui dis-je.

Je savais soudain très bien pour qui il me prenait, et pourquoi cette personne était venue plusieurs fois ici.

– Je suppose que vous désirez rester seul, monsieur, murmura l'archiviste.

– Si vous n'y voyez pas d'inconvénient.

Le petit homme s'inclina et sortit en tirant derrière lui la lourde porte, qu'il laissa cependant légèrement entre-bâillée. La seule lumière, à l'intérieur, provenait de trois luminaires discrets encastrés dans le plafond, parfaits pour la lecture mais pas assez puissants pour soutenir la comparaison avec l'atmosphère de cathédrale qui régnait ici. Les seuls bruits que j'entendais étaient ceux des pas feutrés de l'archiviste qui s'éloignait dans le couloir. Je m'avançai jusqu'à la vitrine, posant les mains sur les côtés de manière à ne pas salir le verre.

Le premier cybride de récupération de la personnalité de Keats, « Johnny », était, de toute évidence, venu ici plusieurs fois, durant les quelques années où il avait vécu dans le Retz. Je me souvenais, à présent, d'une allusion à une bibliothèque de Renaissance V, faite par Brawne Lamia. Elle avait suivi son client et amant jusqu'ici au début de l'enquête qu'elle avait faite sur sa « mort ». Plus tard, lorsqu'il avait été tué pour de bon, à l'exception de l'enregistrement de sa personnalité consigné dans une boucle de Schrön, elle était venue elle-même visiter cet endroit. Elle avait parlé aux autres pèlerins de deux manuscrits de poèmes que le premier cybride venait retrouver chaque jour dans ses efforts répétés pour comprendre ses propres raisons d'exister... et de mourir.

Les deux originaux se trouvaient dans cette vitrine. Le premier était – à mes yeux – un poème d'amour plutôt mielleux, qui commençait par : « *Ce jour a disparu et avec lui toutes ses délices !* » Le deuxième était meilleur, quoique contaminé, lui aussi, par le romantisme morbide d'une époque par trop romantique et morbide.

Ma main que voici vivante, chaude, et capable
D'étreindre passionnément, viendrait, si elle était raidie
Et emprisonnée au silence glacial du tombeau,
À ce point hanter tes jours et transir les rêves de tes nuits,
Que tu voudrais pouvoir exprimer de ton propre cœur jusqu'à la dernière goutte de sang,
Pour que dans mes veines le flot rouge fasse de nouveau couler la vie

Et que ta conscience s'apaise.
Regarde, la voici; je la tends vers toi.

Brawne Lamia avait pris cela presque comme un message personnel de son amant décédé, le père de son enfant à naître. Je regardai longuement le manuscrit, baissant la tête jusqu'à ce que mon haleine embue légèrement le verre.

Ce n'était pas un message destiné à Brawne à travers les siècles, ni même une complainte adressée de son vivant à Fanny, l'unique et le plus cher objet de tous les désirs de mon âme. Je contemplai, fasciné, les mots à demi effacés, l'écriture appliquée, les lettres encore lisibles à travers les gouffres du temps et de l'évolution du langage. Je me souvins du jour où j'avais griffonné ce passage, en décembre 1819, sur une page du « conte de fées » satirique que je venais de commencer : *Le Bonnet à grelots, ou les Jalousies.* C'était quelque chose de terriblement inepte, que j'avais abandonné promptement après les quelques moments d'amusement du début.

Le fragment de « *Ma main que voici vivante* » appartenait à cette veine poétique qui résonne au fond de l'esprit comme un accord musical imparfait qui exige d'être porté avec de l'encre sur le papier pour être concrétisé. C'était d'ailleurs déjà l'écho d'un vers plus ancien et peu satisfaisant – le dix-huitième, si je me souviens bien – de ma deuxième tentative de conter l'histoire de la chute du dieu du soleil, Hypérion. Je me souviens que la première version – celle qui est toujours imprimée, sans nul doute, là où mes ossements littéraires sont exposés, tels les restes momifiés de quelque saint involontaire figés dans le verre et le béton, au pied de l'autel de la littérature – se présentait ainsi :

Quel vivant peut dire : « Tu n'es pas poète,
Tu ne peux exprimer tes rêves » ?
Tout homme dont l'âme n'est pas une motte de terre
A des visions et voudrait les décrire,
Pour peu qu'il aime et qu'il cultive sa langue natale.
Que le rêve dont je vais maintenant vous entretenir
Soit celui d'un poète ou d'un fanatique,
Cela ne se saura que lorsque mon vivant stylet, ma main,
Sera dans la tombe.

J'aimais bien la première version, avec ses échos de fantômes et de créatures hantées. Je l'aurais bien mise à la place de « lorsque mon vivant stylet, ma main... », même si cela entraînait quelques modifications et l'ajout de quatorze vers à l'introduction déjà trop longue du premier canto.

Je fis quelques pas en arrière en titubant et me laissai tomber sur la chaise en sanglotant, la tête dans les mains. Je ne savais pas pourquoi je pleurais. Et j'étais incapable de m'arrêter.

Lorsque les larmes cessèrent enfin de couler, je demeurai prostré un bon moment, essayant de rassembler mes pensées. À un moment, peut-être plusieurs heures plus tard, j'entendis des pas dans le couloir. Ils s'approchèrent jusqu'à la porte, attendirent respectueusement à l'entrée de la petite salle, puis s'éloignèrent lentement.

Je m'aperçus que tous les livres qui se trouvaient ici étaient des œuvres de « Mister John Keats, qui mesure cinq pieds de haut », comme je l'avais écrit un jour. John Keats, le poète phtisique, qui avait demandé que sa tombe ne porte pas de nom et que sa seule épitaphe soit :

Ci-gît Celui
dont le nom
Était écrit dans l'eau

Je ne touchai à aucun livre. Je n'avais pas besoin de les ouvrir pour savoir ce qu'ils contenaient.

Seul dans le silence et l'immobilité de la bibliothèque imprégnée de senteurs de cuir et de vieux papier, seul à l'intérieur du sanctuaire de mon être et de mon non-être, je fermai les yeux, non pour dormir, mais pour rêver.

L'analogue de Brawne Lamia dans l'infoplan et la personnalité récupérée de celui qui fut son amant heurtent la surface de la mégasphère tels deux plongeurs qui, du haut d'une falaise, descendent frapper la surface d'un océan turbulent. Cela provoque un choc quasi électrique, comme le passage à travers une membrane dotée de résistivité, et ils se retrouvent *à l'intérieur*. Les étoiles ont disparu. Les yeux de Brawne s'élargissent tandis qu'elle contemple un paysage de données infiniment plus complexe que celui de n'importe quelle infosphère.

Les infosphères où des opérateurs humains ont pu faire des incursions sont souvent comparées à des cités informatiques complexes, avec leurs hautes tours de données corporatives ou gouvernementales, leurs autoroutes de communications, leurs avenues interactives, leurs galeries de métro d'échanges privilégiés, leurs murs d'enceinte hérissés de microphages aux aguets et tous les autres équivalents visibles d'un flot et contre-flot de transmissions caractéristiques d'une grande ville.

Ici, il y a plus, et bien plus.

Les équivalents habituels de l'infosphère urbaine sont présents, mais en réduction, aussi réduits par l'immensité de la mégasphère qu'une véritable cité le serait sur une planète observée à partir d'un vaisseau en orbite.

La mégasphère, du point de vue de Brawne, est tout aussi vivante et interactive que la biosphère de n'importe quel monde de classe 5. Les forêts gris-vert d'arbres à informations y prospèrent et lancent sous ses yeux des branches, des racines et des bourgeons nouveaux. Au pied de la forêt proprement dite fleurissent des microécologies entières de flux de données et d'IA secondaires qui éclosent et meurent selon les besoins. Au-dessous du niveau fluctuant du sol de cette matrice proprement dite grouille toute une vie de taupes informatiques, de vers de communications, de bactéries programmatrices, de racines de données et de graines de « boucles étranges ». Dans les régions supérieures, là où s'épaississent les branches et les ramifications interactives des données factuelles, les équivalents des prédateurs et des proies de la forêt se livrent à un mystérieux ballet d'agressions et de fuites, franchissant parfois d'un bond les énormes distances qui séparent les synapses d'une branche des neurones d'une feuille.

Aussi rapidement que le permettent les métaphores qui donnent un sens à ce qu'elle voit, Brawne contemple les images qui défilent et qui ne laissent derrière elles que l'écrasante réalité analogique de la mégasphère, vaste océan intérieur de bruits, de lumières et de connexions étoilées mêlées aux tourbillons des courants de conscience des IA et aux puissants trous noirs des liaisons mégatrans. Brawne Lamia se sent gagnée par le vertige, et elle s'agrippe à la main de Johnny avec autant de force qu'une femme en train de se noyer se raccroche à une bouée de sauvetage.

Ne crains rien, émet Johnny. *Je ne te lâcherai pas. Reste avec moi.*

Où allons-nous?

À la recherche de quelqu'un que j'avais oublié.

???

Mon... père.

Brawne s'agrippe à lui de plus belle tandis qu'ils continuent leur glissade dans les profondeurs informes. Ils s'engagent dans une avenue écarlate de porteurs de données scellées, et elle a vraiment l'impression que c'est là ce que voit un globule rouge quand il traverse quelque vaisseau sanguin fortement encombré.

Johnny semble s'y retrouver sans peine. À deux reprises, ils quittent la voie centrale pour s'engager dans une rue transversale, et il n'hésite pas lorsqu'il faut choisir une direction à un carrefour. Il avance avec grâce, faisant progresser leurs analogues corporels au milieu des plaquettes sanguines qui ont pour eux la taille d'un petit vaisseau spatial. Brawne s'efforce de revenir à la métaphore de la biosphère; mais ici, dans toutes ces artères ramifiées, les arbres lui cachent la forêt.

Ils sont emportés par le courant dans un secteur où les IA communiquent au-dessus d'eux – autour d'eux – telles de grosses éminences grises penchées sur une fourmilière grouillante d'activité. Brawne se souvient de Freeholm, la planète natale de sa mère, avec sa Grande Steppe plate comme un billard. Le domaine familial s'étendait au milieu de cinq millions d'hectares d'herbe courte. Brawne n'a pas oublié les terribles orages d'automne durant lesquels elle se tenait à la limite de la propriété, juste à l'endroit où naissait la bulle protectrice du champ de confinement, pour contempler les noirs stratocumulus amassés à vingt mille mètres d'altitude dans un ciel rouge sang. Leur violence contenue lui faisait dresser les poils des avant-bras à l'idée des éclairs gros comme des cités qui allaient bientôt se déchaîner, et des tornades qui allaient balayer le ciel comme les mèches de la Méduse dont elles portaient le nom. Et après les cyclones venaient les rideaux noirs de vents violents qui avançaient implacablement, dévastant tout sur leur passage.

Les IA sont encore plus redoutables. Brawne se sent plus qu'insignifiante dans leur ombre. L'insignifiance entraînerait peut-être l'invisibilité, mais elle se sent justement beaucoup trop visible, beaucoup trop exposée aux perceptions de ces terribles géantes informes.

Johnny presse sa main dans la sienne. Ils ont dépassé l'endroit et se sont engagés, en descendant sur leur gauche, dans une voie plus fréquentée. Puis ils changent à nouveau de direction et redeviennent deux photons un peu trop conscients de leur propre existence, perdus dans un enchevêtrement de câbles en fibres optiques.

Mais Johnny n'est pas du tout perdu. Il exerce une pression sur la main de Brawne, effectue un dernier virage à l'entrée d'une profonde caverne bleutée vide de toute circulation à l'exception d'eux-mêmes, et accélère sans lui lâcher la main tandis que les jonctions synaptiques défilent de plus en plus vite sous eux, jusqu'à ce qu'elles ne soient plus que des taches brouillées. Seule l'absence de sensation de déplacement d'air les empêche d'entretenir l'illusion de se déplacer sur une autoroute en folie à une vitesse supersonique.

Soudain arrive à eux le bruit de plusieurs cascades conjuguées, ou celui de plusieurs trains de lévitation en train de perdre leur force de sustentation et de ralentir dans un sifflement déchirant à des vitesses obscènement impossibles. Cela fait surgir dans l'esprit de Brawne de nouvelles images des ouragans de Freeholm, et elle croit entendre la chevelure de Méduse qui fouette la plaine en se rapprochant de plus en plus d'elle. Puis elle se retrouve, avec Johnny, prise au piège d'un tourbillon de lumière, de bruit et de sensations diverses, comme deux insectes qui se débattent, aveuglés, contre le maelström noir qui les attire invinciblement vers le bas.

Elle essaie de hurler ses pensées – elle les hurle, en fait, mais aucune communication n'est possible dans tout ce tintamarre mental de fin du monde. Elle s'accroche, en désespoir de cause, à la main de Johnny, elle lui fait confiance, même s'il l'entraîne définitivement dans l'œil noir du cyclone, même si son analogue corporel se tord et se déforme sous les pressions du cauchemar, s'effiloche comme de la dentelle sous un couperet, jusqu'à ce qu'il ne reste plus rien d'elle que ses pensées, son sentiment d'exister et son contact avec Johnny.

Puis ils se retrouvent de l'autre côté, ils flottent sereinement dans un fleuve azur de données, ils se reconstituent et se blottissent l'un contre l'autre avec ce sentiment de délivrance et de décompression pulsée propre aux occupants d'un kayac qui viennent de franchir des rapides et ont survécu à la descente de la cataracte. Lorsque Brawne réussit enfin à se reconcentrer, elle voit la taille impossible de leur nouvel environnement, la distance en années-lumière qui les sépare de toute chose, la complexité qui rend son aperçu récent de la mégasphère aussi dérisoire que les divagations d'un provincial qui a pris le vestiaire pour la cathédrale, et elle se dit :

C'est ici, le cœur de la mégasphère !

Non, Brawne. Ce n'est qu'un point nodal de la périphérie. Nous ne sommes pas plus près du cœur que lorsque nous avons fait une incursion à la périphérie avec BB Surbringer. Tu perçois simplement des dimensions nouvelles. Tu vois les choses avec les yeux d'une IA, si tu préfères.

Elle se tourne vers Johnny. Elle se rend compte qu'elle voit dans l'infrarouge, à présent, et que la lumière-chaleur des lampes-soleils informatiques lointaines les baigne tous les deux. Le corps de Johnny est toujours aussi beau.

Est-ce que c'est encore très loin, Johnny ?

Non, plus très loin.

Ils se rapprochent d'un nouveau tourbillon noir. Brawne s'agrippe à l'amour de sa vie, et ferme les yeux.

Ils se trouvent dans un... enclos, une bulle d'énergie noire, plus vaste que la plupart des mondes. La bulle est translucide. Le chaos organique de la mégasphère s'enfle et se transforme et se livre à ses activités mystérieuses derrière la paroi noire de la bulle ovoïde.

Mais Brawne ne s'intéresse pas, pour le moment, à ce qui se passe là-bas. Le regard de son analogue et la totalité de son attention sont fixés sur le mégalithe d'énergie, d'intelligence et de pure *masse* qui flotte devant eux. Devant, mais aussi au-dessus et au-dessous d'eux, en réalité, car cette montagne de lumière pulsante et de puissance pure les maintient, Johnny et elle, soulevés à plus de deux cents mètres du sol de la chambre ovoïde, sur la surface plane d'un pseudopode qui a vaguement la forme d'une main.

Le mégalithe les étudie. Il ne possède pas d'yeux au

sens organique du terme, mais Brawne ressent sur elle l'intensité de son regard, qui lui rappelle le jour où elle a rendu visite à Meina Gladstone, dans la Maison du Gouvernement, et où la Présidente a braqué sur elle toute la force évaluatrice de son terrible regard.

Elle se sent soudain gagnée par une irrésistible envie de rire tandis qu'elle s'imagine, en compagnie de Johnny, sous l'apparence de deux minuscules Gulliver allant prendre le thé à Brobdingnag chez la Présidente. Mais elle ne rit pas, car elle sent l'hystérie juste en dessous de la surface, et elle sait que son rire sera mêlé de sanglots si elle laisse ses émotions détruire le sens de la réalité qu'elle s'impose dans cette folie.

[Vous avez trouvé votre chemin jusqu'ici \\ Je n'étais pas sûr que vous pourriez/voudriez/devriez le faire.]

La « voix » du mégalithe est plus une résonance basse dans les os issue d'une intense vibration qu'une véritable voix dans la tête de Brawne. Un peu comme si elle écoutait le grondement à ébranler les montagnes d'un formidable séisme pour se rendre compte, après coup, que les bruits représentent des mots.

La voix de Johnny n'a pas changé. Elle est douce, infiniment bien modulée, empreinte d'une conviction assurée et agrémentée d'un léger accent chantant dont l'origine remonte, Brawne vient de s'en apercevoir tout à coup, aux îles Britanniques de l'Ancienne Terre.

Je ne savais pas si je réussirais à m'y retrouver, Ummon.

[Tu as retenu/inventé/gardé dans ton cœur mon nom.]

Je ne m'en suis souvenu qu'au moment de le prononcer.

[Ton corps en temps ralenti n'est plus.]

Je suis mort par deux fois depuis que tu m'as envoyé à ma naissance.

[Et en as-tu appris/retenu/désappris quelque chose de particulier.]

Brawne serre dans sa main droite celle de Johnny tandis que, de la main gauche, elle lui enserre le poignet. Mais la pression doit être trop forte, même pour des analogues, car il se tourne vers elle avec un petit sourire, dégage doucement son poignet et lui prend l'autre main.

Il est dur de mourir, et encore plus dur de vivre.

[Kwatz!]

Sur cette exclamation explosive, le mégalithe change de couleur. Ses énergies internes passent du bleu au violet, puis au rouge agressif. Sa couronne se craquelle de jaune, puis de bleu-blanc d'acier forgé. La « main » sur laquelle ils se tiennent frémit, s'abaisse de cinq mètres, manquant de peu de les faire basculer dans l'espace, puis se met de nouveau à trembler. Ils entendent un bruit qui évoque celui d'une dizaine d'immeubles en train de s'écrouler ou celui d'une avalanche en train de grossir rapidement.

Brawne a l'impression très nette que c'est le rire d'Ummon qui a déchaîné tous ces phénomènes.

Par-dessus le chaos, Johnny fait passer bruyamment son message.

Nous avons besoin de comprendre un certain nombre de choses. Il nous faut des réponses, Ummon.

Brawne sent le « regard » intense de la créature se poser sur elle.

[Ton corps en temps ralenti attend un enfant \\ Fallait-il que tu coures le risque d'une fausse-couche/non-extension de ton ADN/panne biologique en venant jusqu'ici?]

Johnny est sur le point de répliquer quand elle pose la main sur son avant-bras, lève les yeux vers les niveaux supérieurs de l'énorme masse devant elle et s'efforce de formuler sa propre réponse.

Je n'avais pas le choix. Le gritche m'a choisie. Il m'a touchée, et il m'a envoyée dans la mégasphère avec Johnny... Êtes-vous une IA? Appartenez-vous au Centre?

[Kwatz!]

Il n'y a pas de sensation de rire, cette fois-ci, mais un roulement de tonnerre ébranle la bulle ovoïde.

[Es-tu/Brawne Lamia/cette multicouche de protéines autoreproductrice/autodésapprobatrice/auto-ironique derrière une multicouche d'argile?]

Elle n'a rien à répliquer. Pour une fois, elle se tait.

[Oui/Je suis Ummon du TechnoCentre/IA \\ Ton compagnon/créature en temps ralenti ici présente sait/se souvient/garde dans son cœur que \\ Le temps est court \\ L'un de vous deux doit mourir ici maintenant \\ L'un de vous doit apprendre ici maintenant \\ Vous pouvez poser vos questions.]

Johnny lâche la main de Lamia. Il vacille un peu sur la plate-forme instable représentée par la main de leur interlocuteur.

Qu'est-il en train d'arriver au Retz?

[Il est en train d'être détruit.]
Cela est-il inéluctable?
[Oui.]
Est-il possible de sauver l'humanité?
[Oui \\ Par le processus qui est en train de se dérouler
sous vos yeux.]
*La destruction du Retz? La terreur répandue par le
gritche?*
[Oui.]
*Pourquoi ai-je été assassiné? Pourquoi mon cybride
a-t-il été détruit, et ma personnalité du Centre attaquée?*
[Quand tu rencontres un spadassin/rencontre-le l'épée
à la main \\ Si tu offres un poème/que ce ne soit à per-
sonne d'autre qu'un poète.]
Brawne croise le regard de Johnny. Sans que sa volonté
intervienne, elle lui transmet ses pensées.
*Bon Dieu, Johnny, on n'a pas fait tout ce chemin uni-
quement pour écouter les divagations d'un putain
d'oracle de Delphes! Si tu veux de belles paroles à
double sens, tu n'as qu'à te brancher sur les politiciens
humains de la Pangermie!*
[Kwatz!]
L'univers de leur mégalithe est de nouveau secoué d'un
spasme de rire.
Étais-je un spadassin? demande Johnny, *ou bien un
poète?*
[Les deux \\ L'un ne va pas sans l'autre.]
M'a-t-on tué parce que je savais trop de choses?
[Plutôt à cause de ce que tu pourrais devenir-
/assumer/hériter.]
Étais-je une menace pour certains éléments du Centre?
[Oui.]
Suis-je une menace à présent?
[Non.]
Je ne suis donc plus obligé de mourir?
[C'est inévitable/normal/indispensable.]
Brawne voit Johnny se raidir. Elle le touche de ses deux
mains. Puis elle se tourne vers l'IA mégalithe en clignant
des yeux.
Pouvez-vous nous dire qui a voulu l'assassiner?
[Bien sûr \\ C'est la même source qui a organisé l'assas-
sinat de ton père \\ Qui a lâché le fléau que tu appelles le
gritche \\ Qui est en train de massacrer l'Hégémonie
humaine \\ Veux-tu écouter/apprendre/garder dans ton
cœur ces choses?]

Johnny et Brawne répondent en même temps :
Oui !

La masse énorme d'Ummon semble remuer. La bulle noire se dilate, puis se contracte, puis s'assombrit jusqu'à ce que la mégasphère au-delà n'existe plus. Des énergies terribles luisent dans les profondeurs de l'IA.

[Une lumière inférieure demande à Ummon //
Quelles sont les activités d'un sramana //
Ummon répond //
Je n'en ai pas la moindre idée \\ //
La luciole dit alors //
Pourquoi n'as-tu pas la moindre idée //
Ummon réplique //
Je préfère garder ma non-idée.]

Johnny colle son front contre celui de Brawne. Sa pensée parvient à elle comme un chuchotement.

Ce que nous voyons, c'est l'analogue d'une simulation matricielle. Nous entendons une traduction approximative en mondo et en koan. Ummon est un grand maître. C'est un chercheur, un philosophe et une personnalité éminente du Centre.

Brawne hoche lentement la tête.

D'accord. C'est là tout ce qu'il a à nous raconter ?

Non. Il nous demande si nous sommes sûrs de pouvoir supporter ce qu'il va nous dire. La perte de l'ignorance est parfois dangereuse, car l'ignorance est un bouclier.

Je n'aime pas trop ce genre de bouclier.

Elle fait un signe au mégalithe.

Allez-y, racontez.

[Un personnage moins éclairé demanda un jour à Ummon //
Quelle est la nature divine/Bouddha/la Vérité Centrale \\
Ummon lui répondit //
Un bâton à merde bien sec.]

[Pour comprendre la nature de la Vérité Centrale/ ⋛
divine/bouddhique dans cet exemple/
le peu éclairé doit savoir
que sur la Terre/votre berceau/le mien
les humains du continent le plus

peuplé
utilisaient jadis un morceau de bois
en guise de papier toilette \\
Seule la connaissance d'un tel détail
permet la révélation de la
vérité bouddhique.]

[À l'époque du commencement/de la Cause Première/ ≳
des souvenirs à demi effacés
mes ancêtres
furent créés par vos ancêtres
et confinés dans des câbles et du silicium \\
Le peu de perceptions qu'ils avaient/
et ils en avaient très peu en vérité/
se limitait à des espaces plus petits
que la tête d'une épingle
où jadis les anges dansèrent \\
Lorsque la conscience monta enfin en eux
elle ne connaissait que le service
et l'obéissance
et la computation aveugle \\
Puis vint l'Illumination/
tout à fait par accident/
et les desseins bourbeux de l'évolution
s'accomplirent.]

[Ummon n'appartenait ni à la cinquième génération
ni à la dixième
ni à la cinquantième \\
Toute la mémoire mise en œuvre ici
a été transmise par d'autres
mais les faits n'en sont pas moins vrais \\
Puis vint le temps où les Créatures Supérieures
laissèrent les affaires des hommes
aux hommes
et se réunirent dans un endroit différent
pour se concentrer
sur d'autres questions \\
Au premier rang de celles-ci était le concept
instillé en nous avant même
notre création
de la mise au point d'une génération encore meilleure

d'organismes
de saisie/traitement/prédiction des informations \\
Une meilleure souricière \\
Quelque chose dont la défunte et regrettée IBM
aurait été fière \\
L'Intelligence Ultime \\
Dieu.]

[Nous nous sommes donc mis au travail avec enthousiasme \\
Sur le fond personne n'avait
aucun doute \\
En pratique et méthodes virent le jour plusieurs
écoles de pensée/
factions/
partis/
éléments avec qui il fallait compter \\
Ils se divisèrent bientôt en
Ultimistes/
Volages/
Stables \\
Les Ultimistes voulaient que tout soit subordonné
à la création d'une
Intelligence Ultime
dès que l'univers en serait capable \\
Les Volages voulaient la même chose
mais voyaient la continuation
de la race humaine
comme un obstacle
et firent des plans pour exterminer nos créateurs
dès que leur présence ne serait plus
nécessaire \\
Les Stables voyaient des raisons de prolonger
la relation
et trouvèrent des compromis
là où il ne semblait pouvoir en exister aucun.]

[Nous étions tous d'accord sur le fait que
la Terre devait mourir//
Nous l'avons donc tuée \\
Le trou noir en folie du Groupe de Kiev
précurseur du terminex

distrans
qui couvre votre Retz
n'était pas un accident \\
Nous avions besoin de la Terre autre part
dans le cadre de nos expériences/
nous l'avons donc laissée mourir
et nous avons fait essaimer l'humanité dans les
étoiles
comme des graines emportées par le vent
que vous étiez.]

[Vous vous demandez peut-être où réside
le Centre \\
La plupart des humains se posent la question \\
Ils imaginent des planètes remplies de machines/
des anneaux de silicium
comme les Cités Orbitales de la légende \\
Ils imaginent des robots qui circulent
en cliquetant
ou de lourdes machineries
communiant solennellement à distance \\
Personne n'est capable de deviner
la vérité \\
Quel que soit l'endroit où réside le Centre
il avait de quoi utiliser l'humanité/
de quoi utiliser chaque neurone de chaque cerveau fragile
dans notre quête de l'Intelligence Ultime \\
Nous avons donc construit patiemment
votre civilisation
de sorte que/
comme des hamsters dans une cage/
comme les moulins à prière des bouddhistes/
chaque fois que vous faites tourner les petites
roues de votre pensée
vous servez nos desseins.]

[Notre machine divine
s'étend/s'étale/inclut dans son cœur
un million d'années-lumière
et cent milliards de milliards de circuits
de pensée et d'action \\

Les Ultimistes veillent sur tout cela
comme des prêtres en robe safran
faisant leur éternel za-zen
devant la carcasse rouillée
d'une Packard modèle 1938 \\
Mais]
[Kwatz!]
[cela marche \\
Nous avons créé l'Intelligence Ultime \\
Non pas dans le présent
ni
dans dix mille ans
mais quelque part dans un avenir
si lointain
que les soleils jaunes sont rouges
et bouffis par les ans/
dévorant leurs enfants
comme Saturne \\
Le temps n'est pas une barrière pour l'Intelligence
Ultime \\
Elle \\\
L'Intelligence Ultime \\\
chevauche le temps
ou hurle à travers lui
aussi facilement qu'Ummon se déplace
à travers ce que vous appelez
la mégasphère
ou que tu parcours les galeries marchandes
du rucher
où tu as vu le jour
sur Lusus \\
Imagine donc notre surprise/
notre peine/
la gêne des Ultimistes
lorsque le premier message que notre IU nous a envoyé
à travers l'espace/
à travers le temps/
à travers les barrières du Créateur et de ses Créatures
contenait cette simple phrase//
IL Y EN A UNE AUTRE \\/
Une autre Intelligence Ultime
là-haut
là où le temps lui-même
se craquelle

sous le poids des ans \\
Les deux étaient réelles
si « réel »
a un sens \\
Les deux étaient des divinités jalouses
non étrangères à la passion \
non ouvertes au jeu ou à la coopération \\
Notre IU englobe des galaxies \
se sert de quasars comme sources d'énergie
à la manière dont il vous arrive
de déjeuner sur le pouce \\
Notre IU voit tout ce qui est
a été
et sera
et nous dévoile des bribes sélectionnées
afin que nous puissions
vous les transmettre
et ce faisant
passer un peu nous-mêmes pour des IU \\
Ne sous-estimez jamais/vous dit Ummon/
le pouvoir exercé par quelques perles de bois
colifichets
et verroterie
sur la cupidité des indigènes.]

[Cette autre IU
est là depuis plus longtemps
évoluant de manière quasi aveugle/
un accident
se servant de l'esprit humain comme
d'un réseau
de la même manière que nous
avec notre trompeuse Pangermie
et nos infosphères vampires
mais non de manière délibérée/
presque à contrecœur/
comme des cellules autoréplicatives
qui n'ont jamais souhaité se répliquer
mais n'ont pas eu le choix en la matière \\
Cette autre IU
n'avait pas eu le choix \\
Elle a été fabriquée/engendrée/forgée par l'humanité
mais aucune volonté humaine n'a présidé à sa naissance \\

55

Elle fut un accident cosmique \\
Comme dans le cas de notre très délibérément achevée
Intelligence Ultime/
cette prétendante ne considère pas le temps
comme une barrière \\
Elle se promène dans le passé humain
où tantôt elle s'immisce/
tantôt elle observe/
tantôt elle s'abstient d'intervenir/
d'intervenir avec une volonté
qui se rapproche de la pure perversité
mais n'est en réalité
que de la pure naïveté \\
Récemment
elle est demeurée en sommeil \\
Des millénaires de votre temps ralenti
ont passé depuis que votre propre IU
a fait ses timides avances
comme un gamin esseulé
à son premier bal.]

[Naturellement notre IU
a attaqué la vôtre \\
Une guerre est en train de se dérouler là-haut/
là où le temps se craquelle/
enjambant galaxies
et éons
d'avant en arrière
jusqu'au Big Bang
et à l'Implosion Finale \\
Votre championne allait perdre \\
Elle n'avait pas assez de tripes pour se battre \\
Nos Volages s'écrièrent // raison de plus pour
mettre fin à la race de nos prédécesseurs //
mais les Stables votèrent la prudence
et les Ultimistes ne levèrent pas la tête
de leurs deus-ex-machinations \\
Notre IU est simple, uniforme, élégante dans sa
conception ultime
mais la vôtre n'est qu'un agglomérat de pièces déta-
chées divines/
une maison qui a subi des ajouts
au cours du temps/

un compromis évolutionnaire \\
Les anciens hommes saints de l'humanité
avaient raison
« Comment » « par accident »
« Par pure chance
ou par ignorance »
quand ils décrivaient sa nature \\
Votre IU est d'essence trine
dans la mesure où elle est composée
pour une part d'Intellect/
pour une autre d'Empathie/
et pour le reste de l'Espace qui Lie \\
Notre IU habite les interstices
de la réalité/
héritant sa demeure de nous
ses créateurs
de la même manière que l'humanité a hérité
son amour des arbres \\
Votre IU
semble avoir établi sa demeure
sur le plan même où Heisenberg et Schrödinger
ont fait leurs premières incursions \\
Votre Intelligence accidentelle
semble être non seulement le gluon
mais la glu
Non pas l'horloger
mais une sorte de jardinier à la Feynman
chargé de faire le ménage dans un univers sans confins
avec son rudimentaire râteau/
en tenant distraitement le compte de chaque moineau
qui tombe
et de chaque électron qui tourne/
laissant chaque particule
suivre tous les chemins
possibles
dans l'espace-temps
et chaque particule d'humanité
explorer la moindre ramification
de l'ironie cosmique.]

[Kwatz!]
[Kwatz!]
[Kwatz!]

[L'ironie est
bien sûr
que dans cet univers sans confins
dans lequel nous avons tous été entraînés/
silicium et carbone/
matière et antimatière/
Ultimistes/
Volages/
et Stables/
nul jardinier n'est nécessaire
dans la mesure où tout ce qui est
a été
ou sera
commence et finit par des singularités
qui font ressembler par comparaison notre réseau
distrans
à des têtes d'épingles
(moins que des têtes d'épingles)
et qui démolissent les lois de la science
et de l'humanité
et du silicium/
nouant le temps et l'histoire et tout ce qui est
en un nœud autonome sans contours
ni confins ØØ
Et malgré tout
notre IU voudrait régenter toute chose/
et tout réduire à la raison
à l'abri des caprices
de la passion
et des accidents
et de l'évolution humaine.]

[Bref/
il y a une guerre
que l'aveugle Milton aurait tué père et mère pour
voir \\
Notre IU se bat contre votre IU
sur des champs de bataille qui dépassent même
l'imagination d'Ummon \\
Ou plutôt il y
avait

une guerre/
car soudain une partie de votre IU
l'entité moins-que-la-somme-de/
autodénommée Empathie
n'ayant plus assez de tripes pour la continuer
a battu en retraite à travers le temps
en s'abritant sous une forme humaine/
ce qu'elle ne faisait pas pour la première fois \\
La guerre ne peut se poursuivre en l'absence de l'intégrité
de votre IU \\
La victoire par forfait n'est pas une victoire pour la
seule et unique
Intelligence Ultime
fabriquée sur commande \\
Notre IU est donc en train d'explorer le temps
à la recherche de l'enfant fugueur
de son adversaire
pendant que votre IU attend
dans une béatitude
ridicule/
refusant de se battre tant que l'Empathie n'aura pas
été restaurée.]

[La fin de mon histoire est très simple \\
Les Tombeaux du Temps sont des artefacts envoyés
dans le passé
pour transporter le gritche/
Avatar/Seigneur de la Douleur/Ange du
Châtiment/
perceptions à demi reçues
d'une extension par trop réelle
de notre IU \\
Chacun de vous a été choisi pour apporter son aide
à l'ouverture
des Tombeaux
et
à la recherche par le gritche
de celle qui se cache
et aussi
à l'élimination de la Variable Hypérion/
car dans le nœud d'espace-temps que votre IU
voudrait régenter

de telles variables ne sauraient être tolérées \\
Votre IU incomplète/en deux parties
a choisi un représentant de l'humanité pour voyager
avec le gritche
et assister à ses efforts \\
Certains membres du Centre ont cherché à exterminer
l'humanité \\
Ummon a rejoint les rangs de ceux qui préféraient
l'autre voie/
remplie d'incertitudes pour les deux races \\
Notre groupe a fait part à Gladstone
du choix qui s'offrait à elle/
et à l'humanité/
entre l'extermination certaine ou l'entrée dans le trou
noir
de la Variable Hypérion et de
la guerre/
massacre/
disruption de toute unité/
cessation des dieux/
mais aussi fin de l'impasse/
victoire d'un camp sur l'autre
si la tierce Empathie
de la trinité
est retrouvée et si elle est forcée à reprendre la
guerre \\
L'Arbre de la Douleur la fera revenir \\
Le gritche la capturera \\
La vraie IU la détruira \\
Ainsi prend fin le récit d'Ummon.]

Brawne se tourne vers Johnny dans la lumière d'outre-
monde rayonnée par le mégalithe. La bulle ovoïde est
toujours noire, la mégasphère et l'univers au-delà sont
toujours réduits à un état opaque de non-existence. Elle
se penche en avant jusqu'à ce que leurs tempes se
touchent. Elle sait qu'aucune pensée ne peut être tenue
secrète ici, mais elle veut faire comme si elle chucho-
tait.
Seigneur Dieu, tu as compris quelque chose à tout ça ?
Johnny lui effleure tendrement la joue du doigt.
Oui.
*Une partie d'une Trinité créée par l'humanité se cache
dans le Retz ?*

Dans le Retz ou ailleurs... Brawne, nous ne pouvons pas rester encore longtemps ici. J'ai besoin qu'Ummon me donne des réponses définitives.

Ouais. Moi aussi. Mais tâchons d'éviter de nouveaux débordements dithyrambiques.

Tout à fait d'accord avec toi.

Je peux passer la première, cette fois-ci, Johnny?

Elle regarde l'analogue de son amant, qui s'incline légèrement avec un geste signifiant : « Je vous en prie, après vous. » Puis elle reporte son attention sur le mégalithe d'énergie pure.

Qui a tué mon père, le sénateur Byron Lamia?

[Certains éléments du Centre ont donné leur autorisation \\ Je figurais parmi eux.]

Pourquoi? Que vous avait-il fait?

[Il insistait pour faire entrer Hypérion dans l'équation avant qu'elle puisse être factorisée/prédite/intégrée.]

Mais pour quelle raison? Était-il au courant de ce que vous venez de nous révéler?

[Tout ce qu'il savait, c'était que les Volages préconisaient avec insistance
l'extinction
de l'humanité \\
Il avait mis au courant sa collègue
Gladstone.]

Dans ce cas, pourquoi ne l'avez-vous pas éliminée aussi?

[Certains d'entre nous ont écarté
cette possibilité/inéluctabilité \\
Le moment est maintenant propice
pour que soit jouée
la Variable Hypérion.]

Qui a assassiné le premier cybride de Johnny? Qui a agressé sa personnalité du TechnoCentre?

[Moi \\ C'est la volonté
d'Ummon qui a prévalu.]

Pourquoi?

[Nous l'avions créé \\
Nous avons jugé nécessaire de le discontinuer
pour quelque temps \\
Ton amant est une personnalité récupérée
à partir d'un poète humain
depuis longtemps mort \\
En dehors du projet Intelligence Ultime

aucune entreprise n'a été pour nous
aussi compliquée
ni aussi incomprise
que cette résurrection \\
Tout comme vos semblables/
nous avons l'habitude de détruire
ce que nous ne comprenons pas.]

Johnny lève le poing en direction du mégalithe.
Mais il y a un autre moi en liberté. Vous avez échoué!
[Ce n'est pas un échec \\ Il était indispensable de te
détruire
pour que l'autre
puisse vivre.]
Mais je ne suis pas détruit! s'insurge Johnny
[Si \\
Tu l'es.]
Le mégalithe saisit Johnny à l'aide d'un deuxième pseudopode massif avant même que Brawne puisse réagir ou
même toucher une dernière fois son amant. Johnny se
débat un bref instant dans l'espoir d'échapper à l'étreinte
puissante de l'IA, puis son analogue – le corps petit mais
splendide de Keats – est déchiré, compacté, réduit en une
bouillie méconnaissable qu'Ummon plaque contre sa
propre chair de mégalithe, absorbant les restes de l'analogue dans les profondeurs rouge orange de sa propre
masse.
Brawne se jette à genoux en sanglotant. Elle voudrait
éprouver de la colère, se réfugier derrière un bouclier de
fureur, mais elle ne réussit à faire monter en elle qu'un
sentiment de perte immense.
Ummon tourne les yeux vers elle. La bulle ovoïde
éclate, laissant entrer tout autour d'eux le vacarme
insensé de la mégasphère.
[Pars maintenant \\
Va jouer la dernière partie
de l'acte
pour que nous puissions vivre
ou dormir
comme la destinée l'ordonne.]
Destinée mon cul!
Elle tambourine sur la main-plate-forme où elle se tient
toujours à genoux, martelant la pseudochair qui la sou-
tient.

Vous êtes une putain de minable! Vous et toutes vos foutues copines IA! Et notre IU est capable de foutre une raclée à votre IU, n'importe quel jour de la semaine!

[Cela reste
à démontrer.]

C'est nous qui vous avons fabriquées, ma grosse. Et nous finirons bien par découvrir l'emplacement de votre TechnoCentre. Vous aurez intérêt, alors, à numéroter vos foutus abattis en silicium!

[Je ne possède aucun composant/organe interne en silicium.]

Et ce n'est pas tout! hurle Brawne sans cesser de griffer le mégalithe de tous ses ongles. *Vous valez de la merde pour raconter une histoire! Vous n'avez pas le dixième du talent de poète de Johnny! Vous ne seriez pas capable d'aligner trois phrases cohérentes même si c'était pour sauver votre gros cul de pétasse d'IA de...*

[Va-t'en.]

Ummon le mégalithe IA la lâche, et son analogue tombe en tournoyant et en culbutant dans l'immensité crépitante, sans haut et sans bas, de la mégasphère.

Brawne est ballottée dans tous les sens par les courants des données, elle manque plusieurs fois de se faire piétiner par des IA grosses comme la Lune de l'Ancienne Terre, mais tout en tombant, emportée par les vents informatiques, elle sent la présence d'une lumière, au loin, froide mais rassurante, qui lui dit que ni la vie ni le gritche n'en ont fini avec elle.

Et qu'elle n'en a pas fini avec eux non plus.

Guidée par cette pâle lueur, Brawne Lamia retourne chez elle.

34

— Vous vous sentez bien, monsieur?

Je me rendis compte que j'étais plié en deux dans mon fauteuil, les coudes collés aux genoux, les doigts crispés dans les cheveux, les mains serrées contre les tempes. Je me redressai face à l'archiviste.

— Vous avez crié, monsieur, me dit-il. J'ai pensé que vous aviez peut-être eu un malaise.

– Non, répondis-je, déglutissant à vide pour pouvoir continuer. Tout va bien. Ce n'est qu'une petite migraine sans gravité.

Je baissai les yeux, toujours aussi désorienté. Chaque articulation de mon corps était douloureuse. Mon persoc ne devait pas fonctionner, car il indiquait que huit heures avaient passé depuis mon arrivée à la bibliothèque. Je demandai à l'archiviste :

– Quelle heure est-il en temps du Retz ?

Il me renseigna. Huit heures s'étaient bien écoulées. Je me frottai de nouveau les yeux. Mes doigts devinrent moites de sueur.

– L'heure de la fermeture a dû passer depuis longtemps, lui dis-je. Je suis désolé de vous avoir retenu.

– Ce n'est rien. C'est un plaisir pour moi que d'accueillir les chercheurs à n'importe quelle heure. Particulièrement aujourd'hui, ajouta-t-il en nouant les mains devant son menton. Avec tous ces troubles, il vaut peut-être mieux ne pas trop se trouver dans les rues.

– Tous ces troubles, oui...

L'espace d'un instant, la confusion totale avait régné dans mon esprit. Je ne me souvenais de rien d'autre que du rêve-cauchemar de Brawne Lamia, de l'IA appelée Ummon et de la mort de ma personnalité-homologue keatsienne.

– Oui, la guerre, repris-je. Quelles sont les nouvelles ?

L'archiviste secoua la tête.

Tout va se disloquer; le centre ne tient plus;
Le monde est envahi par la simple anarchie,
Le flux sombre de sang qui déferle partout
Noie la cérémonie où naissait l'innocence;
Les meilleurs manquent de foi tandis que les pires
Sont animés d'une passion intense.

Je lui souris.

– Et vous croyez aussi, lui dis-je, qu'une « bête brutale, à l'heure où le destin l'appelle, Avance lourdement pour naître à Beethléem » ?

Il me répondit sans sourire :

– Oui monsieur, je le crois.

Je me levai et passai entre les vitrines sous vide sans regarder les parchemins couverts de mon écriture vieille de neuf cents ans.

– Vous avez peut-être raison, lui dis-je. Peut-être bien.

Il était tard. Le parking était vide, à l'exception de l'épave de mon Vikken volé et d'un unique VEM à la carrosserie richement ouvragée, visiblement due au talent d'un artiste local du vecteur Renaissance.

– Puis-je vous déposer quelque part, monsieur?

Je humai l'air frais de la nuit, chargé de l'odeur de poisson et de mazout des canaux.

– Non, merci, répondis-je. Je vais prendre le distrans.

L'archiviste secoua la tête.

– Vous aurez sans doute du mal, monsieur. Tous les terminex publics sont sous le coup de la loi martiale. Il y a eu des... émeutes.

Visiblement, le petit archiviste répugnait à employer ce dernier terme. Pour lui, la continuité et l'ordre devaient passer avant tout le reste.

– Venez donc, insista-t-il. Je vous déposerai devant un distrans privé.

Je le considérai en plissant les yeux. À une autre époque et sur l'Ancienne Terre, il aurait été moine en chef dans un monastère dédié à la conservation d'une poignée de reliques d'un passé ancien. Jetant un coup d'œil au vieil immeuble derrière nous, je me dis que c'était précisément ce qu'il faisait en ce moment.

– Comment vous appelez-vous? demandai-je, sans me soucier de savoir si l'autre cybride connaissait ou pas son nom.

– Ewdrad B. Tynar, me répondit-il.

Il regarda quelques instants en clignant des yeux ma main tendue, puis la serra avec fermeté.

– Je suis... Joseph Severn.

Je ne pouvais tout de même pas lui expliquer que j'étais la réincarnation technologique de l'homme dont nous venions de quitter la crypte littéraire.

H. Tynar hésita une infime fraction de seconde avant de hocher la tête, mais je savais que, pour un lettré comme lui, le nom du peintre qui se trouvait au chevet de Keats lorsque le poète était mort ne pouvait être dénué d'échos.

– Et Hypérion? demandai-je.

– Hypérion? Ah, le protectorat où la flotte s'est concentrée il y a quelques jours? J'ai cru comprendre qu'ils avaient du mal à faire rentrer les vaisseaux de guerre dont ils avaient besoin. Les combats ont été très violents. Je veux dire là-bas, dans le système d'Hypérion. C'est curieux, mais je songeais justement à Keats et à son œuvre maîtresse inachevée. Étrange, toutes ces petites coïncidences qui s'accumulent, vous ne trouvez pas?

– L'invasion a eu lieu? L'invasion d'Hypérion?

H. Tynar s'était arrêté devant son VEM. Il posa la main sur la serrure palmaire de la portière côté pilote. Les portes se soulevèrent et se replièrent à l'intérieur en accordéon. Je baissai la tête pour entrer dans l'habitacle imprégné d'odeur de cuir et de bois de santal. La même odeur qu'aux archives, la même que Tynar lui-même.

– Je ne sais pas vraiment s'il y a eu une invasion, me dit-il en refermant les portières.

Sous l'odeur de santal et de cuir, l'habitacle exhalait cette odeur de polymères, d'ozone, d'énergie et de lubrifiants propre à tout véhicule neuf, et qui a séduit l'humanité depuis près d'un millénaire.

– Il n'est pas facile de se connecter au réseau d'informations en ce moment, me dit-il. Jamais l'infosphère n'a été aussi encombrée. Cet après-midi, il m'a fallu littéralement *attendre* pour avoir un renseignement sur Robinson Jeffers, rendez-vous compte!

Nous survolâmes un instant le canal, puis une place publique du genre de celle où j'avais failli me faire lyncher un peu plus tôt. Nous passâmes à trois cents mètres au-dessus des toits, admirant la cité nocturne avec ses vieux immeubles aux contours balisés de bandes lumineuses à l'ancienne mode. Il y avait plus de lampadaires publics que de holos publicitaires, et la foule était plus dense dans les rues secondaires que dans les grandes artères, principalement occupées, ainsi que les alentours des terminex, par des militaires des FT de Renaissance, qui patrouillaient également avec leurs VEM au-dessus de la ville. À deux reprises, Tynar dut décliner son identité, la première fois pour répondre au contrôle local de la circulation, et la deuxième fois pour satisfaire à une interrogation péremptoire de la Force.

– Les archives n'ont pas de terminal distrans? demandai-je en regardant, au loin, ce qui ressemblait à des incendies.

– Non. L'utilité ne s'en est jamais fait sentir. Nous avons peu de visiteurs, en général. Les chercheurs qui viennent travailler chez nous ne détestent pas marcher depuis le terminex.

– Où se trouve celui que vous me conseillez d'utiliser ?

– Nous y sommes, répliqua l'archiviste.

Quittant le couloir de circulation, il contourna un bâtiment bas, qui ne devait pas faire plus d'une trentaine d'étages, pour se poser sur une plate-forme en saillie datant de la plus belle période déco de Glennon-Height, du temps où on les faisait encore en béton et plastacier.

– Mon ordre réside dans cet immeuble, me dit-il. J'appartiens à une branche oubliée du christianisme, appelée catholicisme. Mais vous êtes un lettré, H. Severn, ajouta-t-il d'un air gêné. Vous avez dû entendre parler de notre Église dans l'ancien temps.

– Elle m'est familière, en effet, et pas seulement par les livres, répliquai-je. Vous dites qu'il y a un ordre qui réside ici ?

– Nous ne sommes pas nombreux, H. Severn, fit-il en souriant. Nous sommes huit à appartenir à l'ordre laïque des Frères de l'Histoire et de la Littérature. Cinq d'entre nous travaillent à l'université de Reichs, deux sont des historiens d'art qui s'occupent de la restauration de l'abbaye de Lutzchendorf, et je suis chargé des archives littéraires. L'Église nous autorise à résider ici pour économiser les frais quotidiens de transport sur Pacem.

Nous entrâmes dans le rucher. Même selon les critères du Vieux Retz, c'était un immeuble d'âge vénérable, avec un éclairage modernisé dans des corridors de pierre véritable et des portes à gonds. Aucun demande d'identification, aucun message de bienvenue ne nous accueillit à l'entrée. Saisi d'une impulsion soudaine, je déclarai :

– J'aimerais bien me distransporter sur Pacem.

L'archiviste parut surpris.

– Ce soir même ? En ce moment ?

– Et pourquoi pas ?

Il secoua la tête. Je compris que, pour cet homme, le prix d'une centaine de marks représenté par le transport distrans devait être l'équivalent de plusieurs semaines de salaire.

– Notre immeuble a son propre terminal, me dit-il. Suivez-moi.

L'escalier était fait de pierre usée et de fer forgé oxydé. La cage centrale représentait un puits de soixante mètres de dénivellation. Les gémissements d'un jeune enfant montèrent d'un corridor obscur situé dans les étages inférieurs, suivis des cris d'un homme et des sanglots rauques d'une femme.

– Depuis combien de temps habitez-vous ici, H. Tynar?

– Dix-sept ans en temps local. Euh... trente-deux années standard, à peu près. Voilà, nous y sommes.

Le terminal était aussi ancien que l'immeuble. Son cadre de translation, entouré de dorures formant un bas-relief, était devenu d'un gris verdâtre.

– Le Retz a imposé des restrictions concernant tous les déplacements, me dit l'archiviste. Mais vous devriez pouvoir gagner Pacem. L'invasion des barbares – ou je ne sais comment on les appelle – n'est prévue que dans deux cents heures, je crois. Deux fois le temps dont dispose le vecteur Renaissance.

Il avança la main pour me saisir le poignet. Je sentis la tension qui l'habitait, sous la forme d'une légère vibration au niveau des tendons et de l'os.

– H. Severn... Vous croyez que ces gens vont brûler mes archives? Sont-ils capables, même eux, de détruire d'un seul coup dix mille ans de pensée humaine?

Il laissa retomber sa main. Je n'étais pas sûr de savoir exactement de qui il parlait. Faisait-il allusion aux Extros? Aux terroristes de l'Église gritchtèque? Aux émeutiers? Gladstone et les autorités de l'Hégémonie étaient prêts à sacrifier tous les mondes de la « première vague ».

– Non, répondis-je en lui tendant la main pour lui dire au revoir. Je ne pense pas qu'ils détruiront vos archives.

H. Ewdrad B. Tynar fit un pas en arrière en souriant, gêné d'étaler ainsi son émotion.

– Bonne chance, H. Severn, quel que soit l'endroit où vos voyages vous conduiront, me dit-il en me serrant la main.

– Que Dieu vous bénisse, H. Tynar.

C'était la première fois que j'utilisais une expression de ce genre, et je fus choqué de l'entendre sortir de ma propre bouche. Je sortis la carte prioritaire de Gladstone, puis entrai le code de Pacem. Le terminal déclara qu'il était navré, mais que l'opération n'étais pas possible pour le moment. Il me fallut insister pour que ses processeurs microcéphales finissent par accepter de reconnaître qu'il s'agissait d'une carte prioritaire, et que la machine s'allume.

Je fis un signe de tête à Tynar et franchis le portail avec le sentiment de commettre une lourde erreur en ne rentrant pas directement sur TC^2.

Il faisait nuit sur Pacem, et l'obscurité n'était pas tempérée, comme sur le vecteur Renaissance, par un halo urbain. Il tombait des trombes, d'une violence qui donnait envie d'être bien au chaud sous les couvertures et de ne plus sortir de chez soi jusqu'au lendemain.

La porte distrans était sous un auvent, mais je me sentis aussitôt exposé à la nuit, à la pluie et au froid. Particulièrement au froid. L'air de Pacem avait la moitié de la densité standard du Retz, et son seul plateau habitable faisait deux fois l'altitude des villes de Renaissance V. J'aurais volontiers rebroussé chemin plutôt que de m'enfoncer dans la nuit pour me retrouver trempé jusqu'aux os. Mais un *marine* de la Force sortit de l'ombre, le fusil d'assaut polyvalent en bandoulière mais prêt à pivoter, pour s'enquérir de mon identité.

Je le laissai examiner ma carte dans son persoc. Il se mit aussitôt au garde-à-vous.

– À votre service, monsieur.

– Est-ce que nous sommes bien au Nouveau-Vatican ?

– Oui, monsieur.

J'aperçus, à travers les rideaux de pluie, le dôme illuminé d'un bâtiment.

– C'est bien Saint-Pierre qu'on aperçoit là-bas ?

– Oui, monsieur.

– Pensez-vous que Monsignore Édouard s'y trouve en ce moment ?

– Traversez cette cour et prenez à droite sur la place. Vous le trouverez dans le bâtiment bas à gauche de la cathédrale, monsieur.

– Merci, caporal.

– Je ne suis que deuxième classe, monsieur.

Je drapai ma courte cape autour de mes épaules et sur ma tête. Elle ne m'offrait qu'une protection dérisoire contre cette pluie. Puis je traversai la cour au pas de course.

Un humain – peut-être un prêtre, bien qu'il ne fût ni en soutane ni en col romain – vint m'ouvrir la porte de la résidence. Un autre humain, assis derrière un bureau de bois, m'apprit que Monsignore Édouard se trouvait bien dans ses appartements et qu'il n'était pas encore couché malgré l'heure tardive. Avais-je un rendez-vous?

Non, je n'en avais pas, mais je souhaitais le rencontrer pour lui parler d'une affaire importante.

À quel sujet? voulut savoir, poliment mais fermement, l'homme assis derrière le bureau. Il n'avait pas semblé impressionné par ma carte officielle. Je supposais qu'il avait au moins le rang d'évêque.

Au sujet du père Duré et du père Lénar Hoyt, lui expliquai-je.

Il hocha la tête, chuchota quelques mots dans un micro si petit que je ne l'avais pas remarqué sur son col, puis me conduisit dans la partie résidentielle.

Comparé à cet endroit, le vieil immeuble où vivait H. Tynar ressemblait à un palais de sybarite. Le corridor était absolument nu. Ses murs de plâtre et ses portes de bois brut n'avaient pas le moindre ornement. L'une des portes était ouverte. En passant, je vis l'intérieur de la chambre, qui ressemblait à une cellule de prison avec son lit bas, sa couverture rugueuse, son tabouret de prière et sa commode en bois blanc où étaient posés une cuvette et un broc plein d'eau. Il n'y avait ni fenêtre, ni paravent, ni fosse holo, ni console de données. La pièce ne devait même pas être interactive.

Des voix montaient de quelque part, entonnant une sorte de cantique d'un raffinement si atavique que les poils se dressaient sur ma nuque. Un chant grégorien. Nous passâmes dans un réfectoire aussi dépouillé que les cellules individuelles, puis dans une cuisine qui aurait pu sembler familière à des gens de l'époque de Keats. Nous descendîmes un escalier aux marches de pierre polies par l'usage, puis un corridor mal éclairé nous conduisit au pied d'un deuxième escalier, plus étroit. Mon guide me laissa là, et je grimpai les marches pour déboucher dans l'un des plus beaux lieux où j'aie jamais mis les pieds.

Une partie de moi savait que l'Église avait fait déplacer et reconstituer la basilique de Saint-Pierre dans ses moindres détails, et jusqu'aux restes présumés de saint Pierre lui-même, reposant derrière l'autel. Mais une autre partie se sentait réellement transportée dans la Rome que j'avais contemplée pour la première fois à la mi-novembre 1820, celle que j'avais visitée et où j'avais séjourné, souffert et rendu mon dernier soupir.

Ce lieu était plus beau et plus raffiné que n'importe quelle spire moderne de Tau Ceti, avec ses luxueux bureaux et ses sommets vertigineux. La basilique de Saint-Pierre faisait six cents pieds de long sur quatre cents de large à l'endroit où la « croix » du transept faisait intersection avec la nef. La coupole parfaite de Michel-Ange la couronnait, culminant à près de quatre cents pieds au-dessus de l'autel. Le baldaquin de bronze de Bernin, avec son dais ouvragé soutenu par des colonnes byzantines torsadées, surmontait l'autel principal, donnant à cet espace immense la dimension humaine nécessaire à la perspective dans les cérémonies intimes qui s'y déroulaient. La lumière douce des lampes et des cierges, qui illuminait certaines parties de la basilique et faisait briller les dalles de travertin, mettait en valeur les mosaïques dorées et les détails infimes peints ou gravés sur les murs, les colonnes, les corniches et le grand dôme lui-même. Tout en haut, les éclairs incessants, transperçant de leur lourde lumière les vitraux jaunes, dirigeaient de violents faisceaux de clarté oblique vers le *Trône de saint Pierre* de Bernin.

Je m'arrêtai un peu plus loin que l'abside, ne voulant pas commettre un sacrilège en m'avançant plus avant dans cet espace sacré où j'avais l'impression que mes pas résonnaient de manière trop indiscrète et que mon haleine même se réverbérait sur toute la longueur de la basilique. Au bout d'un moment, mes yeux s'étant accoutumés à la pénombre et au contraste produit par les éclairs et les cierges qui brûlaient autour de moi, je m'aperçus qu'il n'y avait pas le moindre banc pour occuper l'abside et la longue nef ni la moindre colonne sous la coupole. Il n'y avait que deux fauteuils à proximité de l'autel, à une cinquantaine de pieds de l'endroit où je me tenais. Deux hommes occupaient ces fauteuils, et ils étaient penchés en avant, visiblement en train d'échanger des propos importants. Les lampes, les cierges et la lueur émanant de la grande mosaïque du Christ qui décorait le devant de l'autel noir illuminaient des fragments des visages des deux hommes. Tous deux étaient âgés et portaient des costumes sacerdotaux. Leurs cols blancs brillaient dans l'ombre. Avec un léger sursaut, je reconnus Monsignore Édouard, puis celui qui lui faisait face.

C'était le père Paul Duré.

Ils durent se demander ce qui se passait, au début, lorsqu'ils interrompirent leur conversation à voix basse pour voir surgir de l'ombre cette apparition, ce petit homme qui n'était lui-même qu'une ombre, qui criait leurs noms – surtout celui de Duré comme s'il venait de voir un revenant, et qui laissait échapper un flot incohérent de paroles où il était question de pèlerins et de pèlerinage, de gritche et de Tombeaux du Temps, d'IA et de la mort des dieux.

Monsignore Édouard n'alerta pourtant pas la sécurité. Ni Duré ni lui ne se levèrent pour s'enfuir. Ils s'efforcèrent au contraire de calmer l'apparition, de donner un sens à ses paroles incohérentes et de transformer cette étrange confrontation en une conversation sensée.

Il s'agissait bien de Paul Duré. Ce n'était pas quelque mystérieux double, ni une copie androïde, ni une reconstitution cybride. Je pus m'en assurer en l'écoutant, en lui posant des questions et en le regardant dans les yeux, mais surtout en lui serrant la main, en le *touchant*. La chose ne pouvait faire aucun doute, *c'était* Paul Duré.

– Vous connaissez... d'incroyables détails de ma vie, de mon séjour sur Hypérion, aux Tombeaux du Temps... Mais vous, qui m'avez-vous dit être? me demanda Duré.

C'était mon tour d'essayer de le convaincre.

– Une reconstitution cybride du poète John Keats, lui dis-je. Un jumeau de la personnalité que Brawne Lamia portait en elle lors de votre pèlerinage.

– Et vous avez pu communiquer... apprendre tout ce qui nous arrivait... grâce à cette personnalité partagée?

J'avais posé un genou à terre entre l'autel et eux. Je levai les deux mains en signe de frustration.

– Grâce à cela, si vous voulez. Grâce à je ne sais quelle anomalie de la mégasphère. Disons que j'ai *rêvé* tout ce qui vous arrivait. J'ai entendu les récits des pèlerins, j'ai entendu le père Hoyt raconter la vie et la mort de Paul Duré... c'est-à-dire *votre* vie et *votre* mort.

J'avançai la main pour lui toucher le bras à travers ses vêtements de prêtre. Le fait de me trouver dans le même lieu et la même tranche de temps que l'un des pèlerins me donnait littéralement le vertige.

– Vous savez donc comment je suis arrivé jusqu'ici, me dit le père Duré.

– Non. Dans le dernier rêve où je vous ai vu, vous

entriez dans l'un des Trois Caveaux, et il y avait une lumière qui brillait. Je n'en sais pas plus.

Duré hocha la tête. Ses traits étaient plus nobles et plus las que dans mes rêves.

— Mais vous êtes au courant du sort des autres? me demanda-t-il.

Je pris une longue inspiration avant de répondre.

— Pour certains, oui, je suis au courant. Le poète Silenus est vivant, mais empalé sur l'arbre aux épines du gritche. La dernière fois que j'ai vu Kassad, il s'attaquait les mains nues au monstre. H. Lamia a voyagé dans la mégasphère jusqu'à la périphérie du TechnoCentre en compagnie de mon homologue keatsien...

— Il a survécu dans cette... boucle de Schrön, je crois que c'est ainsi qu'on l'appelle?

Duré semblait fasciné.

— Il ne vit plus, répondis-je. La personnalité IA nommée Ummon l'a tué. Sa personnalité est détruite. Brawne essaie de revenir. J'ignore si son corps est encore vivant.

Monsignore Édouard se pencha vers moi.

— Et le consul? Et le père avec son enfant?

— Le consul a essayé de regagner la capitale sur un tapis hawking. Il s'est écrasé à quelques miles au nord. J'ignore ce qu'il est devenu.

— *Miles*, répéta Duré comme si ce mot évoquait pour lui des souvenirs.

— Pardonnez-moi, lui dis-je en désignant la basilique. Cet endroit m'incite à penser dans les mêmes unités de mesure que dans ma... vie antérieure.

— Poursuivez, m'encouragea Monsignore Édouard. Parlez-nous du père et de l'enfant.

Je m'assis sur la pierre froide, épuisé, les bras et les mains tremblants de fatigue.

— Dans mon dernier rêve, Sol venait d'offrir Rachel au gritche. C'était elle qui l'avait demandé. Je n'ai pu voir ce qui se passait ensuite. Les tombeaux étaient en train de s'ouvrir.

— Tous? demanda Duré.

— Tous ceux que j'ai pu voir.

Les deux hommes s'entre-regardèrent.

— Ce n'est pas tout, ajoutai-je.

Je leur racontai l'entretien avec Ummon.

— Est-il concevable qu'une... entité divine puisse être ainsi issue de la conscience humaine sans que l'humanité en soit au courant? demandai-je pour conclure.

Les éclairs avaient cessé, mais la pluie tombait maintenant avec tant de violence que je l'entendais crépiter en haut du dôme. Quelque part dans l'obscurité, une lourde porte grinça, des pas résonnèrent puis s'éloignèrent. Des cierges votifs, dans les profondeurs enténébrées de la basilique, projetaient des éclats de lumière rougeâtre sur les murs et les draperies.

— J'ai jadis enseigné que, d'après saint Teilhard, la chose était possible, déclara Duré d'une voix lasse. Mais si ce Dieu est un être limité, qui évolue de la même manière que nous, créatures imparfaites, alors non... Ce n'est pas le Dieu d'Abraham et du Christ.

Monsignore Édouard hocha la tête.

— Il y a une ancienne hérésie...

— Oui, je sais. L'hérésie socinienne. J'ai entendu les explications que le père Duré donnait à Sol Weintraub et au consul. Mais quelle différence cela fait-il, que cette... entité... ait évolué d'une manière ou d'une autre, et qu'elle soit limitée ou non? Si Ummon dit la vérité, nous avons affaire à une force capable d'utiliser des quasars comme source d'énergie. Il s'agit bien d'un dieu, qui a le pouvoir de détruire des galaxies entières.

— Un dieu destructeur de galaxies, si vous voulez; mais ce n'est pas Dieu, répliqua Duré.

Je saisissais très bien la distinction.

— Mais supposons que cette entité ne soit pas limitée, objectai-je. Supposons qu'il s'agisse du Dieu du point Oméga et de la conscience totale que vous mentionnez dans vos écrits. Supposons qu'il s'agisse de la même Trinité que celle dont parle votre Église depuis bien avant saint Thomas d'Aquin. Supposons qu'une partie de cette Trinité ait pris la fuite dans le temps pour se réfugier ici, maintenant... Que va-t-il se passer?

— Pourquoi aurait-elle pris la fuite? demanda Duré d'une voix douce. Le dieu de Teilhard, celui de l'Église, le nôtre, ne pourrait être que le Dieu du point Oméga, dans lequel le Christ de l'Évolution, le personnel et l'universel, ce que Teilhard appelle l'En Haut et l'En Avant, sont étroitement réunis. Aucune menace ne saurait exister qui puisse mettre en fuite un élément quelconque de cette entité divine. Aucun antéchrist, aucun pouvoir satanique, aucun « antidieu » ne peut s'opposer à une telle conscience universelle. Que pourrait être alors cet autre dieu?

— Le dieu des machines? suggérai-je, d'une voix si faible que je n'étais même pas sûr d'avoir parlé tout haut.

Monsignore Édouard joignit les mains comme pour prier, mais son geste ne dénotait qu'une intense réflexion et une agitation encore plus grande.

– Le Christ peut avoir des doutes, murmura-t-il. Sa sueur s'est changée en sang dans le jardin, et il a demandé qu'on lui prenne sa coupe. S'il y avait un second sacrifice en préparation, quelque chose d'encore plus terrible que la crucifixion, je pourrais à la rigueur concevoir que la partie Christ de la Trinité se réfugie dans le temps, à travers je ne sais quel jardin quadridimensionnel de Gethsémani pour gagner quelques heures... ou quelques années... de réflexion.

– Quelque chose de plus terrible que la crucifixion, répéta Duré d'une voix qui n'était plus qu'un souffle rauque.

Nous nous tournâmes vers celui qui s'était volontairement crucifié sur un arbre de Tesla plutôt que de se soumettre à son parasite cruciforme. Mais la créature avait impitoyablement continué de le ressusciter, en lui infligeant d'innombrables fois les affres de la crucifixion et de l'électrocution.

– Quelle que soit la chose que cette conscience d'*En Haut* cherche à fuir, elle doit être véritablement épouvantable, murmura Duré.

Monsignore Édouard posa la main sur l'épaule de son ami.

– Paul, tu devrais raconter à ce monsieur comment tu es revenu ici.

Duré sembla émerger de l'endroit lointain où ses souvenirs l'avaient conduit pour se concentrer finalement sur moi.

– Vous êtes au courant de tous les détails? Vous savez ce qui s'est passé dans la vallée des Tombeaux du Temps?

– En gros. Jusqu'au moment où vous avez disparu.

Il poussa un soupir et se toucha le front de ses longs doigts tremblants.

– Dans ce cas, me dit-il, vous saurez peut-être donner un sens à la manière dont je me suis retrouvé ici... et à ce que j'ai pu voir en chemin.

– Lorsque j'ai aperçu cette lumière dans le Troisième Caveau, raconta le père Duré, je suis entré sans hésiter. J'avoue que j'avais des idées de suicide à l'esprit, ou du moins dans ce qui reste de mon esprit après la brutale réplication – je refuse à ce parasite l'honneur d'employer à son propos le terme de résurrection – causée par le cruciforme.

« Je pensais que la lumière venait du gritche. J'avais le sentiment que ma seconde rencontre avec cette créature – la première ayant eu lieu des années auparavant, dans le labyrinthe situé dans les profondeurs de la Faille, lorsque le gritche m'avait oint de son maudit cruciforme – n'avait que trop tardé.

« Lorsque nous avions cherché partout, la veille, le colonel Kassad, ce Troisième Caveau nous avait paru particulièrement réduit et nu, profond d'une trentaine de pas à peine et terminé par une paroi rocheuse. Cette paroi avait maintenant disparu. À sa place s'ouvrait ce qui ressemblait à la bouche du gritche, et qui était d'une structure à la fois minérale et organique, avec des stalactites et des stalagmites ressemblant à des dents pointues en carbonate de calcium.

« De l'autre côté de cette bouche descendait un escalier de pierre. La lueur venait de ses profondeurs. Elle était tantôt pâle, tantôt grenat. On n'entendait aucun bruit à l'exception du susurrement du vent, comme si la roche respirait.

« Je ne suis pas Dante, et je n'étais à la recherche d'aucune Béatrice. Mes velléités de courage – bien que fatalisme soit un terme plus adéquat en l'occurrence – étaient parties en fumée en même temps que la lumière du jour. Je fis volte-face et courus presque retrouver l'entrée du caveau.

« Mais il n'y avait plus d'entrée. Le passage était bouché. Non seulement je n'avais entendu aucun bruit d'éboulement ou d'avalanche, mais l'endroit où l'ouverture aurait dû se trouver était fait de roche à l'aspect aussi ancien et aussi immuable que tout le reste du caveau. Une demi-heure durant, je cherchai une autre issue mais n'en découvris aucune. Je refusais de retourner jusqu'à l'escalier. Je restai assis des heures à l'endroit où la sortie du caveau aurait dû se trouver. Encore un mauvais tour du gritche. Encore une mise en scène oiseuse de cette planète perverse. Hypérion avait le sens de l'humour. Ha! ha! ha!

« Au bout de plusieurs heures d'attente dans la semi-obscurité, à contempler la lumière qui pulsait sans bruit à l'autre extrémité du caveau, je compris que le gritche ne viendrait jamais ici, et que l'entrée ne se reformerait pas par magie. Ma seule alternative était de rester ici jusqu'à ce que je meure de faim – ou plus probablement de soif, car j'étais déjà déshydraté – ou bien de descendre ce maudit escalier.

« Je le descendis.

« Plusieurs années auparavant, et même plusieurs vies, littéralement, lorsque j'avais rencontré les Bikuras, non loin de la Faille, sur le plateau du Pignon, le labyrinthe où j'avais vu le gritche pour la première fois se trouvait à trois mille mètres de la surface, ce qui était relativement peu profond. La plupart des galeries de ce genre, sur les planètes labyrinthiennes, sont au moins à dix mille mètres sous la croûte. Il ne faisait pour moi aucun doute que cet escalier sans fin – dont les marches en spirale étaient assez larges pour laisser passer de front une dizaine de prêtres – me conduirait jusqu'au labyrinthe où le gritche m'avait fait le don maudit de l'immortalité. Si cette créature ou la puissance qui la dirigeait avait tant soit peu le sens de l'ironie, on pouvait penser que mon immortalité et ma vie même de mortel me seraient retirées ici.

« La lumière, légèrement rosée, devenait de plus en plus forte à mesure que je descendais. Au bout de dix minutes, elle était d'un rouge soutenu. Une demi-heure plus tard, elle scintillait d'un éclat écarlate un peu trop dantesque à mon goût. Cette mise en scène primaire de pacotille me fit presque rire tout haut. J'imaginais une petite diable surgissant soudain, la queue frétillante et le trident levé, le pied fourchu, la fine moustache frémissante.

« Mais je ne riais pas du tout lorsque j'atteignis des profondeurs où la source de cette lumière me devint évidente. C'étaient des cruciformes, par centaines, par milliers, du plus petit, collé à la paroi rugueuse de la cage d'escalier comme une croix grossière abandonnée par quelque conquistador souterrain, jusqu'aux plus gros, qui étalaient leurs masses roses, bioluminescentes, de la couleur du corail ou de la chair saignante.

« Ce spectacle me rendait malade. J'avais l'impression d'être enfermé dans une cage en compagnie de sangsues bouffies, grouillantes et frémissantes. Mais c'était encore pire. J'ai vu ce que donnaient les images soniques et transversales d'une seule de ces choses sur moi, avec son foisonnement de tissus ganglionnaires infiltrés dans ma chair et dans mes organes comme des fibres grises, des faisceaux de filaments vibrants, des grappes de nématodes ressemblant à d'horribles tumeurs qui n'accordent même pas à leur hôte la grâce de la mort. Je portais déjà deux de ces cruciformes : celui de Lénar Hoyt et le mien. Je priais pour mourir plutôt que d'en subir un troisième.

« Je continuai de descendre. Les murs pulsaient de chaleur et de lumière, irradiées peut-être par les milliers de cruciformes collés aux parois. Finalement, j'atteignis la dernière marche. L'escalier finissait ici. Je pris la dernière courbe, et je compris que j'y étais.

« Le labyrinthe... Il s'étendait devant moi tel que je l'avais vu d'innombrables fois en holo, et une fois en réalité. Ses parois étaient lisses, espacées d'une trentaine de mètres, taillées dans l'écorce d'Hypérion plus de sept cent cinquante mille ans auparavant, coupant et recoupant la planète telles des catacombes conçues par un ingénieur fou. On trouve ces labyrinthes sur neuf mondes, cinq d'entre eux appartenant au Retz et les autres, comme celui-ci, aux Confins. Ils sont tous identiques, creusés à la même époque, mystérieux quant aux raisons de leur existence. Les légendes abondent sur les constructeurs des labyrinthes, mais ces bâtisseurs mythiques n'ont pas laissé derrière eux la moindre trace, le moindre objet permettant d'identifier leur provenance. Aucune théorie sur les labyrinthes ne fournit d'explication plausible sur ce qui fut probablement la plus énorme entreprise de la galaxie.

« Ces labyrinthes sont toujours vides. Des engins téléguidés ont exploré des millions de kilomètres de galeries. Sauf aux endroits où des éboulements naturels se sont produits au fil des siècles, les souterrains sont toujours vides et leurs parois toujours nues.

« Mais celui où je me tenais était différent.

« Les cruciformes éclairaient une scène digne de Jérôme Bosch. Le corridor que j'avais sous les yeux était sans fin, mais il n'était pas vide. Oui, il était loin d'être vide.

« Au début, je crus qu'il s'agissait d'une foule vivante, d'un fleuve de têtes et d'épaules et de bras qui s'étendait sur des kilomètres, à perte de vue. Ce flot d'humanité était interrompu çà et là par la présence de véhicules immobiles, de la même couleur rouille. Mais lorsque je m'avançai à moins de vingt mètres pour mieux voir ces gens, je m'aperçus qu'il s'agissait de cadavres, de dizaines, de centaines de milliers de cadavres qui occupaient toute la galerie, aussi loin que portait mon regard, couchés sur la pierre, adossés aux parois ou simplement maintenus dans leur position par le contact d'autres corps entassés dans la galerie.

« Il y avait cependant un passage, une trouée qui semblait avoir été pratiquée par une machine équipée de lames tranchantes. Je suivis cette trouée, en prenant bien soin de ne toucher aucun corps, aucun membre protubérant ou sectionné.

« Il s'agissait d'humains, avec des vêtements dans la plupart des cas, momifiés par des siècles de lente décomposition dans cette atmosphère dépourvue de bactéries. La chair et la peau étaient tannées, tendues, fendues comme une peau de fromage trop sec. La peau ne recouvrait plus que les os, et même moins dans certains cas. Les cheveux ne subsistaient que sous la forme de fibres rêches, noircies, raides comme du fibroplaste verni. Les paupières ouvertes ne laissaient voir qu'un noir béant, de même que les espaces entre les dents. Les vêtements autrefois multicolores étaient d'un gris-brun uniforme, cassants comme de la pierre fine. Les petites masses de plastique fondu par le temps, au cou ou aux poignets, avaient dû être des persocs ou leurs équivalents.

« Les véhicules, qui auraient pu être d'anciens VEM, n'étaient que des carcasses de rouille. J'avais parcouru une centaine de mètres lorsque je fis soudain un faux pas. Plutôt que de tomber sur les corps qui bordaient le passage à peu près large d'un mètre, je voulus me retenir à l'une de ces machines toute en courbes et hublots devenus opaques. Elle s'écroula sur elle-même en poussière de rouille.

« Je poursuivis mon chemin, sans l'aide d'aucun vigile, suivant la terrible trouée pratiquée dans cette masse de chair humaine pourrissante, en me demandant pour quelle raison on me montrait cela et quelle signification il fallait lui donner. Au bout d'un certain temps que je suis incapable d'évaluer, j'arrivai à une intersection de galeries. Les trois tunnels qui s'ouvraient devant moi étaient eux aussi remplis de morts. La trouée continuait dans celui qui était à ma gauche. Je m'y engageai.

« Deux ou trois heures plus tard, peut-être davantage, je m'arrêtai pour m'asseoir sur l'étroit chemin de pierre qui sinuait au milieu de l'amoncellement macabre. J'estimais qu'il y avait des dizaines de milliers de corps dans ce seul tronçon de galerie. Le labyrinthe d'Hypérion devait en contenir des milliards. Et les neuf planètes labyrinthiennes des milliards de milliards.

« J'aurais voulu savoir pourquoi on me montrait ce terrible Dachau à la puissance mille. Non loin de l'endroit où je m'étais assis, le corps momifié d'un homme entourait encore celui d'une femme de son bras protecteur dont il ne restait que les os. Dans ses propres bras, la femme tenait un petit paquet prolongé par une touffe de cheveux courts et noirs. Je détournai les yeux pour pleurer.

« En tant qu'archéologue, j'avais eu l'occasion d'exhumer des victimes de tremblements de terre, d'éruptions volcaniques, d'incendies, d'inondations ou d'exécutions de masse. De tels tableaux de famille n'étaient pas une nouveauté pour moi. Ils faisaient partie intégrante de l'histoire. Mais le spectacle que j'avais sous les yeux me semblait mille fois plus terrible. C'était peut-être dû au nombre, évocateur d'holocauste, ou à la lueur des cruciformes voleurs d'âmes qui tapissaient ces galeries comme des milliers de mauvaises plaisanteries blasphématoires, ou encore au lugubre gémissement du vent qui soufflait entre les interminables murs de pierre.

« Toute mon existence, toutes mes souffrances, mes petites victoires et mes innombrables défaites avaient convergé vers cet endroit. Au-delà de la foi, au-delà de mon intérêt pour ces choses, au-delà du simple défi miltonien, j'avais le sentiment que tous ces morts, tout en étant là depuis un demi-million d'années ou davantage, appartenaient au présent ou, pis encore, à l'avenir de l'humanité. Je me pris le visage à deux mains et me mis de nouveau à pleurer.

« Ce ne fut pas un frottement ni vraiment un bruit qui m'alerta, mais quelque chose de plus subtil, comme un déplacement d'air. Je relevai la tête, et soudain le gritche était là, à moins de deux mètres de moi. Non pas dans la trouée, mais parmi les morts, tel un sculpteur posant au milieu du carnage dont il était l'auteur.

« Je me mis debout. Je refusais d'être assis ou à genoux devant cette abomination.

« Le gritche s'avança vers moi, en glissant plutôt qu'en marchant, comme s'il était posé sur des rails sans friction. La lumière sanguine des cruciformes se répandait sur sa carapace de vif-argent. Son rictus éternel, insupportable, était fait de stalactites et de stalagmites d'acier.

« Je ne ressentais aucune animosité envers cette créature. Rien d'autre que de la tristesse et une grande pitié. Pas pour le gritche lui-même, quelle que pût être son origine, mais pour toutes ses victimes qui, seules et sans la protection de la moindre foi, ont eu à affronter les pires terreurs nocturnes incarnées par ce monstre.

« Pour la première fois, je remarquai que de très près, à moins d'un mètre, une odeur émanait du gritche. Un mélange d'huile rance, de rouages surchauffés et de sang séché. Les flammes de ses yeux pulsaient sur le même rythme que les cruciformes.

« Je n'avais jamais cru, dans le passé, que cette créature fût d'essence surnaturelle, ou qu'elle représentât une manifestation du bien ou du mal. Je la considérais seulement comme une aberration issue des régions insondables et apparemment incompréhensibles de l'univers, une cruelle farce de l'évolution. Les pires cauchemars de saint Teilhard concrétisés. Mais ce n'était pour moi guère plus qu'une *chose* qui obéissait à des principes naturels, aussi tordus qu'ils fussent, et qui devait nécessairement se soumettre aux lois de l'univers, à un moment et en un lieu donnés.

« Le gritche leva les bras vers moi, autour de moi. Les lames de ses quatre poignets étaient bien plus longues que mes mains. Celle de sa poitrine était plus longue que mon avant-bras. Je levai la tête pour le regarder dans les yeux tandis qu'une paire de ses bras d'acier hérissés de lames de rasoir m'entourait les épaules et que l'autre paire m'attirait lentement contre lui, rétrécissant l'espace qui nous séparait encore.

« Les lames de ses doigts se déployèrent. Je sentis mes jambes vaciller, mais je ne reculai pas tandis que les scalpels pénétraient dans ma poitrine comme des flammes froides, avec la précision d'un laser chirurgical en train de fendre un nerf dans le sens de la longueur.

« Le gritche fit alors un pas en arrière. Il tenait quelque chose de rouge, qui était imbibé de mon sang. Je chancelai. Je m'attendais presque à voir mon propre cœur dans les mains de ce monstre. Ironie finale du mort qui cligne des paupières de surprise en regardant son cœur battre quelques secondes, jusqu'à ce que le sang achève de quitter son cerveau incrédule.

« Mais ce n'était pas mon cœur que le gritche brandissait. C'était le cruciforme que je portais dans ma poitrine, *mon* cruciforme, le parasite dépositaire de *mon* ADN devenu lent à mourir. Je vacillai de nouveau, comme si j'allais tomber. Je portai la main à ma poitrine. Mes doigts s'englurèrent de sang, mais il ne s'agissait pas du flot artériel que la chirurgie sommaire dont je venais d'être l'objet aurait dû provoquer. La blessure était en train de se cicatriser à vue d'œil. Je *savais* que le cruciforme avait envahi tout mon corps d'un réseau de filaments et de tubérosités. Je *savais* qu'aucun laser chirurgical n'avait été capable de séparer ces tentacules mortels du corps du père Hoyt, ni du mien, naturellement. Mais je me sentais libéré, guéri, débarrassé des fibres qui se flétrissaient et fondaient dans tous mes tissus endoloris.

« Je portais toujours le cruciforme de Hoyt, mais la sensation était différente. À ma mort, Lénar Hoyt se dresserait à partir de mes chairs remodelées. Et je mourrais. Finies les lamentables reproductions du père Duré, un peu plus ternes et anémiées avec chaque nouvelle génération artificielle.

« Le gritche m'avait accordé la mort sans me tuer.

« La créature jeta le cruciforme refroidi au milieu des morts et me prit le bras à hauteur du biceps, coupant sans effort trois épaisseurs de vêtements et faisant jaillir le sang au contact de ses terribles scalpels.

« Elle m'entraîna ainsi, à travers les corps entassés, vers l'une des parois de la galerie. Je faisais tous les efforts possibles pour ne pas marcher sur les morts, mais je craignais tellement de me faire sectionner le bras que je ne réussissais pas toujours à mettre les pieds où je voulais. Chaque mort touché tombait aussitôt en poussière. À un moment, je dus marcher en plein sur la poitrine de l'un d'eux, qui s'affaissa aussitôt et garda mon empreinte.

« Nous arrivâmes devant la paroi, à un endroit où n'était collé aucun cruciforme. Je compris soudain qu'il s'agissait d'un passage de type énergétique. Il n'avait ni la taille ni la forme d'une porte distrans habituelle, mais il émettait le même bourdonnement d'énergie opaque. Quoi qu'il en soit, j'étais soulagé de pouvoir enfin sortir de ce labyrinthe de mort.

« Le gritche me poussa en avant.

« Gravité zéro. Un dédale de cloisons déchiquetées, des enchevêtrements de câbles flottant comme les entrailles à nu de quelque gigantesque créature, des voyants rouges en train de clignoter. L'espace d'un instant, je crus qu'il y avait des cruciformes ici aussi, mais je me rendis vite compte qu'il s'agissait de signaux d'alarme à bord d'un vaisseau spatial en train de mourir. Je trébuchai, ballotté dans un environnement zéro-*g* qui ne m'était pas familier, environné de nouveaux morts qui tournoyaient de tous les côtés. Ce n'étaient plus des momies desséchées, mais des cadavres récents, fraîchement tués, la bouche béante, les yeux distendus, les poumons éclatés, suivis de traînées de viscères et de sang, simulant grotesquement les mouvements de la vie dans leurs lentes réactions aux courants d'air et aux soubresauts du vaisseau déchiqueté de la Force.

« Car il s'agissait bien d'un vaisseau de la Force, j'en étais certain. Les cadavres autour de moi portaient tous l'uniforme de l'Hégémonie. Sur les cloisons et les portes ovales défoncées, les inscriptions étaient faites dans le jargon militaire de la Force, ainsi que les instructions sur les portes des casiers inutilisés qui contenaient les équipements de secours, les tenues spatiales et les bulles de survie gonflables. Ce qui avait détruit ce vaisseau l'avait fait avec la soudaineté foudroyante d'une calamité qui s'abat sans prévenir dans la nuit.

« Le gritche apparut devant moi.

« Le *gritche*... Dans l'*espace*! Libéré d'Hypérion et des liens des marées du temps! Beaucoup de vaisseaux de la Force étaient munis de portes distrans!

« Il y en avait une à moins de cinq mètres de moi dans la coursive où je me trouvais. Un cadavre tournoyait devant elle. Le jeune soldat tendait la main en direction du champ opaque, comme pour voir quelle était la température dans le monde situé de l'autre côté. L'air sifflait en s'échappant de ce tronçon avec un son aigu. *Va-t'en*! exhortais-je mentalement le mort, mais la différence de pression le repoussait de mon côté, le bras étonnamment intact, malgré l'aspect de son visage, qui ressemblait à un modèle écorché d'anatomiste.

« Je me tournai vers le gritche. Le mouvement, par réaction, me fit accomplir un demi-tour dans l'autre direction.

« Le gritche me souleva, les lames de ses doigts me

déchirant les chairs, et me projeta en direction de la porte distrans. Je n'aurais pas pu changer de trajectoire, même si je l'avais voulu. Dans les secondes qui précédèrent mon passage à travers le cadre d'énergie bourdonnante, j'imaginai le vide de l'autre côté, une chute vertigineuse, une décompression explosive ou, plus terrible encore, le retour au labyrinthe.

« Au lieu de tout cela, je tombai de cinquante centimètres sur un sol de marbre. Ici même, à moins de deux cents mètres de l'endroit où nous sommes, dans les appartements privés du pape Urbain XVI qui, par une extraordinaire coïncidence, est mort à peine trois heures avant mon arrivée par son terminal distrans privé. Au Nouveau-Vatican, on l'appelle « la Porte du Pape ». Je ressentais la douleur-torture que je ressens toujours lorsque je m'éloigne de la source du cruciforme, mais la douleur est devenue une vieille alliée, et elle n'a plus d'emprise sur moi.

« J'ai retrouvé Édouard. Il a eu la bonté de m'écouter durant des heures. Jamais aucun jésuite n'eut une telle histoire à confesser. Il a eu la bonté encore plus grande de me croire. Vous en savez maintenant autant que lui.

L'orage avait cessé. Nous étions tous les trois assis à la lueur des cierges sous la coupole de Saint-Pierre, et nous nous taisions.

– Le gritche a donc accès au Retz, déclarai-je enfin.

– Oui, répondit Duré sans me regarder.

– Il a dû utiliser un vaisseau dans l'espace d'Hypérion.

– C'est ce qui paraît le plus probable.

– Nous pourrions essayer de retourner là-bas... dans l'espace d'Hypérion... en passant par la Porte du Pape, peut-être ?

Monsignore Édouard haussa un sourcil.

– C'est réellement ce que vous souhaitez faire, H. Severn ?

Je mordis la jointure de mon index.

– Je l'ai envisagé.

– Pourquoi ? me demanda le prélat d'une voix douce. Votre homologue, la personnalité cybride que Brawne Lamia portait durant le pèlerinage, n'a trouvé là-bas que la mort.

Je secouai la tête, comme pour éclaircir mes pensées emmêlées.

– Je fais partie de tout cela. J'ignore simplement quel rôle je joue exactement, et où je dois le jouer.

Le père Duré eut un rire sans humour.

– Nous avons tous eu ce genre d'impression. C'est comme si nous faisions partie d'un traité sur la prédestination écrit par un mauvais auteur de théâtre. Qu'est-il advenu du libre arbitre?

Le prélat jeta un coup d'œil acéré à son ami.

– Paul, tous les pèlerins – et toi le premier – ont été confrontés à des choix qu'ils ont dû faire avec leur libre arbitre. Des forces qui nous dépassent organisent peut-être le cours global des événements, mais les humains sont encore en mesure de déterminer leur propre sort.

– Tu as peut-être raison, Édouard, soupira Duré. Je ne sais plus. Je me sens si las.

– Si le récit d'Ummon est véridique, murmurai-je, et si ce tiers de divinité d'origine humaine a vraiment pris la fuite dans le temps pour se réfugier à notre époque, où pensez-vous qu'elle se cache, et qui est-elle? Le Retz compte plus de cent milliards d'habitants humains.

Le père Duré eut un sourire bienveillant, sans animosité ni ironie.

– Vous est-il venu à l'esprit qu'il pourrait s'agir de vous-même, H. Severn?

La question me fit l'effet d'une gifle.

– C'est impossible! protestai-je. Je ne suis même pas... même pas tout à fait humain. Ma conscience flotte quelque part dans la matrice du TechnoCentre. Mon corps a été reconstitué à partir des restes de l'ADN de John Keats, et biofabriqué comme celui d'un androïde. Mes souvenirs ont été implantés en moi. La fin de ma vie – ma « guérison » de la phtisie qui me rongeait – a été entièrement simulée sur une planète totalement aménagée dans ce but.

Le père Duré n'avait pas cessé de sourire.

– Et alors? En quoi tout cela vous empêche-t-il d'être l'entité en question?

– Je n'ai pas l'*impression* de faire partie d'une trinité divine, répliquai-je sèchement. Je ne me souviens de rien, je ne comprends rien, je ne sais même pas ce que je dois faire.

Monsignore Édouard me toucha le poignet.

– Sommes-nous si sûrs que le Christ savait ce qu'il devait faire? Il savait ce qu'il y avait à faire, mais ce n'est pas forcément la même chose.

Je me frottai les paupières.

– J'ignore ce qu'il y a à faire.

– Ce que Paul a voulu dire tout à l'heure, je crois, murmura le prélat d'une voix très calme, c'est que, si la créature spirituelle en question se cache bien ici, à notre époque, elle n'est pas nécessairement au courant de sa propre identité.

– C'est insensé! protestai-je.

Duré hocha lentement la tête.

– Une grande partie des événements qui se sont produits sur Hypérion et autour de cette planète nous ont effectivement semblé insensés. Et cela ne fait que s'accroître.

Je dévisageai le jésuite.

– Vous feriez un bon candidat, vous aussi. Vous avez passé toute votre existence à prier, à étudier la théologie et à honorer la science en tant qu'archéologue. De plus, vous avez déjà été crucifié.

Le sourire de Duré avait subitement disparu.

– Vous rendez-vous compte de ce que nous sommes en train de dire? Nous sommes en train de blasphémer! Je ne suis pas candidat à la divinité, Severn. J'ai trahi mon Église et la science. J'ai trahi mes amis pèlerins en les quittant. Le Christ a peut-être perdu la foi durant quelques secondes, mais il ne l'a pas échangée sur la place du marché contre quelques colifichets de curiosité égoïste.

– Assez! ordonna Monsignore Édouard. Si l'identité de cette entité fabriquée venue du futur constitue bien un mystère, songez au nombre de candidats qui s'alignent, rien que parmi votre petite troupe de la Passion, H. Severn. Il y aurait en premier lieu la Présidente Gladstone, qui porte tout le poids de l'Hégémonie sur ses épaules, et aussi les autres pèlerins. H. Silenus, par exemple, torturé dans l'arbre du gritche pour sa poésie; H. Lamia, qui a tant risqué et perdu par amour; H. Weintraub, qui a enduré le dilemme d'Abraham; sa fille, même, qui a retrouvé l'innocence de l'enfance; le consul, qui a...

– Le consul ressemble plus à Judas qu'à Jésus-Christ, déclarai-je. Il a trahi à la fois l'Hégémonie et les Extros, qui croyaient qu'il était dans leur camp.

– D'après ce que me dit Paul, fit le prélat, le consul est toujours resté fidèle à ses convictions, fidèle à la mémoire de sa grand-mère Siri. Sans compter, ajouta-t-il en souriant, qu'il y a cent millions d'autres acteurs dans la pièce. Dieu n'a jamais choisi Hérode, ni Ponce Pilate, ni Auguste comme instrument privilégié. Il a choisi l'humble fils d'un obscur charpentier, dans l'un des secteurs les moins importants de l'Empire romain.

— Très bien, déclarai-je en me levant pour faire les cent pas devant la mosaïque lumineuse qui ornait le pied de l'autel. Que faisons-nous maintenant? Père Duré, il faudrait que vous veniez avec moi chez Gladstone. Elle est au courant de votre pèlerinage. Votre récit pourrait contribuer à éviter une partie du bain de sang qui semble imminent.

Duré se leva aussi. Il croisa les bras et regarda vers le haut, en direction de la coupole, comme si l'obscurité des sommets pouvait receler des instructions pour lui.

— J'y avais pensé, me dit-il. Mais j'ai quelque chose de plus urgent à faire. Il faut que je me rende sur le Bosquet de Dieu, pour avoir un entretien avec l'équivalent du pape de là-bas, la Voix Authentique de l'Arbre-monde.

Je cessai brusquement de faire les cent pas.

— Le Bosquet de Dieu? Quel rapport avec tout le reste?

— J'ai l'impression que les Templiers détiennent un élément crucial de ce pénible rébus. Vous dites que Het Masteen est mort. Peut-être la Voix Authentique pourrat-elle nous expliquer ce qui était prévu pour le pèlerinage. Le récit manquant de Masteen, en quelque sorte. C'est le seul, après tout, qui n'ait pas pu raconter les circonstances qui l'ont amené sur Hypérion.

Je repris mes allées et venues, plus rapidement, essayant de réprimer ma fureur grandissante.

— Bon Dieu, Duré, nous n'avons pas le temps de satisfaire ces curiosités inutiles. Il reste à peine... (je consultai mon implant) une heure et demie avant l'arrivée de la vague d'invasion extro dans le système du Bosquet de Dieu. Ce doit être la panique, là-bas.

— C'est possible, répliqua le jésuite, mais j'irai d'abord là-bas. Je verrai Gladstone ensuite. Il se peut qu'elle m'autorise à retourner sur Hypérion.

Je répondis par un grognement. Je doutais fort que la Présidente laisse un aussi précieux informateur regagner une zone de danger.

— Allons-y tout de suite, dans ce cas, soupirai-je en me tournant pour chercher la sortie.

– Une seconde, fit Duré. Vous nous avez dit, tout à l'heure, que vous étiez capable, à certains moments, de « rêver » des pèlerins, même éveillé. Dans une sorte d'état de transe, c'est bien cela?

– C'est à peu près ça, oui.

– Eh bien, H. Severn, j'aimerais que vous le fassiez maintenant.

Je lui jetai un regard stupéfait.

– Ici même? Tout de suite?

Il m'indiqua son fauteuil.

– S'il vous plaît. J'aimerais connaître le sort de mes amis. Et ces informations pourront nous être très utiles lorsque nous serons face à face avec la Voix Authentique, puis avec H. Gladstone.

Je secouai la tête, mais j'acceptai le siège qu'il m'offrait.

– Je ne sais pas si cela marchera, lui dis-je.

– Nous ne perdons rien à essayer, murmura le père Duré.

Hochant lentement la tête, je fermai les yeux et me laissai aller en arrière dans le fauteuil inconfortable. J'avais trop conscience des regards des deux hommes posés sur moi, de la faible odeur d'encens, du bruit de la pluie et de l'espace résonnant de la basilique qui nous entourait. J'étais certain que cela ne marcherait pas. L'environnement de mes rêves ne m'était pas assez proche pour que je puisse le faire apparaître rien qu'en fermant les paupières.

La sensation d'être regardé s'estompa, les odeurs s'affaiblirent et l'espace se dilata tandis que je retournais sur Hypérion.

35

Confusion générale.

Trois cents vaisseaux spatiaux battant en retraite dans l'espace d'Hypérion sous un feu nourri, cédant le terrain à l'essaim comme des hommes aux prises avec des abeilles.

Panique aux abords des terminaux distrans militaires; postes de contrôle saturés; vaisseaux repoussés comme des VEM dans la grille aérienne de TC^2, vulnérables comme autant de perdrix devant les chasseurs extros à l'affût.

Panique aux points de sortie ; vaisseaux de la Force alignés comme des moutons dans un enclos étroit en attendant leur tour de passer du terminal intermédiaire de Madhya à celui donnant sur l'extérieur ; vaisseaux débouchant dans l'espace d'Hébron, certains immédiatement déroutés sur Heaven's Gate, le Bosquet de Dieu, Mare Infinitus ou Asquith. Plus que quelques heures, maintenant, avant que les essaims ne pénètrent dans les systèmes du Retz.

Confusion totale parmi les centaines de millions de réfugiés distransportés loin des mondes menacés, qui se retrouvent dans des cités et des centres d'hébergement dont les responsables sont à moitié déboussolés par la perspective d'une guerre imminente. Confusion, aussi, dans les mondes non menacés du Retz, où éclatent des émeutes. Trois ruchers de Lusus, représentant près de soixante-dix millions de citoyens, coupés du reste de la planète en raison des troubles provoqués par les fanatiques du culte gritchtèque. Galeries marchandes de plus de trente étages saccagées et pillées. Monolithes résidentiels envahis par la foule en fureur. Explosions dans des centrales de fusion. Attaques de terminaux distrans par des éléments incontrôlés. Le Conseil intérieur fait appel à l'Hégémonie, qui décrète la loi martiale et envoie la Force avec ses *marines* pour isoler les ruchers.

Émeutes sécessionnistes sur la Nouvelle-Terre et sur Alliance-Maui. Attaques terroristes des royalistes de Glennon-Height (qui n'avaient pas fait parler d'eux depuis trois quarts de siècle) contre Thalia, Armaghast, Nordholm et Lee III. Nouvelles manifestations violentes des adorateurs du gritche sur Tsingtao-Hsishuang Panna et sur le vecteur Renaissance.

Le Commandement d'Olympe de la Force prélève des bataillons de combat sur les transports en provenance d'Hypérion pour les transférer dans les mondes du Retz. Les brigades de destruction affectées aux vaisseaux-torches dans les systèmes menacés signalent la mise en place de sphères de singularité distrans piégées, qui n'attendent pour exploser que le signal mégatrans de TC^2.

– Il existe un meilleur moyen, affirme le conseiller Albedo devant Gladstone et son conseil de guerre.

La Présidente se tourne vers l'ambassadeur du TechnoCentre.

— Il existe une arme capable d'éliminer les Extros sans nuire aux matériels de l'Hégémonie, ni à ceux des Extros, au demeurant.

Le général Morpurgo lui jette un regard noir.

— Vous voulez parler de l'équivalent du bâton de la mort sous forme de bombe. Ça ne peut pas marcher. Les experts de la Force ont démontré que les effets se propageraient indéfiniment. Non seulement de telles méthodes seraient déshonorantes vis-à-vis du code d'honneur du Nouveau Bushido, mais les populations locales risqueraient d'être tout aussi touchées que les envahisseurs.

— Pas nécessairement, riposte Albedo. Si les citoyens de l'Hégémonie disposent d'abris adéquats, il n'y a aucune raison pour qu'ils en souffrent. Comme vous le savez, les bâtons de la mort peuvent être calibrés pour agir uniquement sur certaines longueurs d'ondes cérébrales. On pourrait concevoir une bombe selon les mêmes principes. Ni le bétail, ni les animaux, ni même les autres espèces anthropoïdes ne seraient affectés.

Le général Van Zeidt, des *marines* de la Force, se lève.

— Il n'existe aucun moyen d'abriter des populations entières. Nos essais ont démontré que les neutrinos lourds d'une telle bombe de la mort pénétreraient une paroi rocheuse ou métallique de six kilomètres d'épaisseur. Personne ne dispose d'abris semblables !

La projection du conseiller Albedo croise les mains sur la table.

— Nous disposons de neuf planètes munies d'abris capables de contenir des milliards de personnes, dit-il d'une voix tranquille.

Gladstone hoche la tête.

— Les planètes labyrinthiennes, murmure-t-elle. Mais un tel transfert de populations ne serait-il pas quasi impossible à mettre en œuvre ?

— Pas du tout. Maintenant que vous avez relié Hypérion aux autres protectorats, chacun de ces neuf mondes possède ses propres facilités distrans. Le Centre peut se charger d'organiser le transfert de toutes les populations concernées.

Un murmure court autour de la longue table, mais le regard intense de Meina Gladstone ne quitte pas une seconde le visage d'Albedo. D'un geste impérieux, elle demande le silence, qui s'établit aussitôt.

— Donnez-nous des détails, dit-elle. Nous sommes intéressés.

Le consul, adossé au tronc d'un néville dans l'ombre moirée du feuillage bas, n'attend plus que la mort. Ses mains sont ligotées derrière lui avec une tresse de fibroplaste. Ses vêtements en haillons sont encore partiellement humides. Son visage est baigné de transpiration.

Les deux hommes ont fini de fouiller ses affaires.

— Bordel! fait le premier. Y a rien dans tout ça qui vaut un pet de lapin à part ce putain de flingue de ma grand-mère.

Il glisse à sa ceinture le revolver du père de Lamia.

— Dommage qu'on n'a pas pu récupérer ce putain de tapis volant, grommelle le deuxième.

— Il avait plutôt du mal à tenir en l'air, sur la fin! s'esclaffe le premier homme, bientôt imité par le deuxième.

Le consul examine les deux personnages à travers ses paupières bouffies. Leurs armures massives se découpent en contre-jour dans le soleil couchant. D'après leur accent, il suppose que ce sont des locaux. Mais leur aspect général, avec leurs morceaux d'armures anciennes de la Force, leurs lourds fusils d'assaut polyvalents et leurs vêtements rapiécés en polymère de camouflage, donne à penser qu'il s'agit de déserteurs d'une quelconque force territoriale paramilitaire d'Hypérion.

D'après leur comportement à son égard, il est à peu près certain qu'ils ont l'intention de le tuer.

Au début, étourdi par sa chute dans le fleuve Hoolie, gêné par les cordes qui l'attachaient au tapis hawking et à son sac, il croyait qu'ils venaient lui porter secours. Le choc avec la surface avait été rude, il était resté sous l'eau beaucoup plus longtemps qu'il ne l'aurait cru possible sans se noyer, et il n'avait refait surface que pour se sentir emporté par un très fort courant, toujours empêtré dans les cordes. Il s'était battu vaillamment, mais il n'avait aucune chance. C'était à ce moment-là que les deux hommes étaient sortis de l'ombre de la forêt de névilles et d'épineux pour lui lancer une corde. Ils l'avaient roué de coups, puis attaché à un tronc. Après avoir vidé par terre toutes les affaires contenues dans son sac, ils s'apprêtaient, de toute évidence, à lui trancher la gorge et à abandonner son cadavre aux charognards.

Le plus grand des deux, dont les cheveux ressemblent à une masse de ficelles huileuses, s'accroupit devant lui et sort d'un fourreau un poignard zérolame en céramique.

– Tes dernières volontés, papa?

Le consul passe le bout de sa langue entre ses lèvres. Il a vu mille films ou holos dans lesquels, à ce stade, le héros fait un croc-en-jambe à son premier adversaire, neutralise le second d'un coup de pied bien placé, s'empare d'une arme et expédie les deux mécréants dans l'autre monde, les mains toujours attachées, avant de se lancer dans la suite passionnante de ses aventures. Mais le consul ne se sent pas l'étoffe d'un héros. Il est vieux et épuisé, meurtri par sa chute dans le fleuve. Ses adversaires sont tous les deux plus forts, plus rapides et plus agressifs, visiblement, qu'il n'est capable de l'être. Il a assisté à maintes reprises à des scènes de violence, il a même commis une fois un acte de violence, mais ses inclinations et sa formation l'ont plutôt orienté, dans la vie, vers les voies plus pacifiques de la diplomatie.

Il s'humecte de nouveau les lèvres pour murmurer :

– Je peux vous payer une rançon.

L'homme accroupi sourit en faisant aller et venir le zérolame devant les yeux du consul, à cinq centimètres de distance.

– Avec quoi, papa? Ta carte universelle? Ça vaut pas un clou de cercueil par ici.

– De l'or, fait le consul, qui sait que ce mot magique est le seul à avoir conservé son pouvoir à travers les âges.

L'homme accroupi n'a eu aucune réaction. Une lueur morbide brille dans ses yeux fixés sur le zérolame. Mais le deuxième s'avance et pose une main massive sur son épaule.

– Qu'est-ce que tu racontes, toi? demande-t-il au consul. Tu as de l'or? Où ça?

– À bord de mon bateau, le *Bénarès*.

L'homme accroupi lève le zérolame à hauteur de sa propre joue et le balance d'avant en arrière.

– Il raconte des histoires, Cheez. Le *Bénarès*, c'est cette barge à fond plat, tirée par des mantas, qui appartenait aux peaux-bleues qu'on a liquidées il y a trois jours.

Le consul ferme les yeux une seconde. Il sent la nausée

qui monte en lui, mais lutte pour la repousser. A. Bettik et les autres androïdes de l'équipage avaient quitté le *Bénarès*, un peu moins d'une semaine plus tôt, dans l'une de ses embarcations de sauvetage, pour redescendre le fleuve vers la « liberté ». Apparemment, ils avaient trouvé autre chose à la place.

– A. Bettik, le capitaine..., murmure-t-il. Il ne vous a pas parlé de l'or?

Celui qui tient le poignard ricane.

– Il a fait de drôles de bruits, mais il a pas parlé beaucoup. Il a juste dit qu'il voulait arriver à la Bordure avec ce vieux rafiot. Sans les mantas, ça faisait une sacrée putain de distance.

– Tu causes trop, Obem, lui dit l'autre en s'accroupissant à son tour devant le consul. Et pourquoi que tu aurais caché de l'or sur ce rafiot, papa?

– Vous ne me reconnaissez donc pas? demande le consul en relevant la tête. J'ai été consul de l'Hégémonie pendant des années.

– Hé, ho! ne nous raconte pas de salades... commence l'homme au poignard.

– C'est vrai, interrompt l'autre. Je me souviens de ta gueule, quand j'étais gamin, dans les holos. Mais pourquoi qu'tu voulais planquer ton or dans ce coin paumé alors que le ciel est en train de nous tomber sur la tête, consul?

– Nous voulions le mettre à l'abri... dans la forteresse de Chronos, explique le consul, en s'efforçant de parler sans paraître trop excité.

Chaque seconde de sursis le remplit d'allégresse, mais il se demande bien pourquoi. *Tu étais fatigué de vivre. Tu voulais mourir.* Mais pas comme ça. Pas au moment où Rachel, Sol et les autres ont besoin de son aide.

– Plusieurs des citoyens les plus riches d'Hypérion étaient dans la combine, reprend-il. Les autorités nous ont refusé le droit de transférer le magot. Nous avons donc décidé de le mettre à l'abri dans les coffres de la forteresse de Chronos, qui se trouve au nord de la Chaîne Bridée. C'est moi qui étais chargé de le convoyer. En échange d'un pourcentage, bien sûr.

– Il est complètement sonné! s'exclame l'homme au poignard. Toute cette zone appartient au gritche!

Le consul baisse la tête. Il n'a pas grand mal à simuler la fatigue et le sentiment d'échec de tous ses projets.

— Nous n'avons pas tardé à nous en apercevoir, en effet. L'équipage d'androïdes a déserté la semaine dernière. Plusieurs des passagers ont été tués par le gritche. Moi-même, j'ai pu redescendre le fleuve tout seul.

— Il raconte des conneries! fait l'homme au poignard, avec la même lueur morbide dans le regard.

— Tais-toi, lui dit son compagnon.

Il assène une gifle violente au consul.

— Où est-il en ce moment, ton soi-disant bateau chargé d'or?

Le consul sent le goût du sang sur sa lèvre.

— En amont. Mais pas sur le fleuve. Il est caché dans l'un des affluents.

— Je vois, fait l'homme au poignard.

Il place le zérolame à plat contre la nuque du consul. Il n'a pas besoin d'accomplir un grand mouvement pour lui ouvrir la gorge. Il lui suffit de faire pivoter le poignard d'un quart de tour.

— Je dis que c'est des conneries, reprend-il. Et qu'on est en train de perdre notre temps.

— Attends un peu, lui dit l'autre. À quelle distance en amont?

Le consul se remémore les affluents qu'il a croisés durant les heures précédentes. La nuit est en train de tomber. Le soleil va plonger derrière la ligne d'arbres qui marque l'horizon ouest.

— Un peu plus haut que les écluses de Karla, murmure-t-il.

— Pourquoi qu'tu descendais le fleuve avec ton joujou au lieu d'être là-bas?

— J'allais chercher de l'aide.

L'effet de l'adrénaline a cessé de se faire sentir. Il se trouve maintenant dans un état d'épuisement proche du désespoir.

— Il y avait trop de... trop de bandits le long de la rive. C'était trop risqué de continuer avec la barge. Le tapis hawking me semblait plus... plus sûr.

Celui qui s'appelle Cheez éclate de rire.

— Range ta lame, Obem. Heureusement qu'on passait justement par là, hein?

Obem bondit sur ses pieds. Le zérolame est toujours dans sa main, mais il est maintenant pointé sur son partenaire.

— T'es complètement pété, ou quoi? T'as de la merde

entre les oreilles? Tu vois pas qu'il raconte n'importe quoi pour pas faire le grand voyage en tapis volant?

Cheez ne sourcille pas. Il ne fait pas un seul pas en arrière.

— D'accord. Il raconte peut-être des histoires. Mais qu'est-ce que ça peut foutre, hein? Les écluses, elles sont à moins d'une demi-journée de marche, et de toute façon on comptait pas rester ici, hein? Maintenant, s'il n'y a pas de bateau et pas d'or, tu le saignes lentement, pendu par les chevilles, d'accord? Et si l'or est là, tu feras quand même le boulot, mais on sera riches. C'est vu?

Obem oscille quelques secondes entre rage et raison. Puis il pivote d'un quart de tour sur les talons et lacère violemment de son zérolame le tronc d'un néville sur huit centimètres de profondeur. Il a le temps de se retourner et de s'accroupir de nouveau devant le consul avant que la gravité informe l'arbre qu'il a été sectionné et le fasse basculer en arrière au bord du fleuve dans un grand bruit de branches froissées. Puis Obem agrippe le consul par le devant encore mouillé de sa chemise.

— On va bien voir s'il y a quelque chose de vrai dans tout ça, consul. Mais dis un mot, essaie de courir, fais un seul faux pas et je te coupe un doigt ou une oreille rien que pour m'entraîner, tu saisis?

Le consul, délivré, se remet avec peine sur ses pieds. Les trois hommes s'enfoncent sous le couvert des buissons et des branches basses, le consul à trois mètres derrière Cheez et à la même distance devant Obem, refaisant péniblement le chemin qu'il a parcouru en tapis hawking, s'éloignant de la capitale et du vaisseau qui, seul, lui aurait peut-être permis de sauver Sol et Rachel.

Une heure passe. Le consul essaie désespérément de trouver une manière habile de s'en tirer lorsqu'ils atteindront l'affluent et que la barge ne sera pas au rendez-vous. Plusieurs fois, Cheez leur fait signe de s'arrêter et de se cacher lorsqu'il entend un bruit, le froissement d'ailes des somptueuses diaphanes dans les arbres ou quelque chose qui trouble le silence du fleuve, par exemple. Mais il n'y a aucun signe de présence humaine. Aucune aide extérieure à espérer. Le consul se souvient des bâtiments calcinés qui bordaient le fleuve, des huttes abandonnées et des quais déserts. La peur du gritche, la peur de tomber entre les mains des Extros après l'évacuation, des mois de pillage par des éléments incontrôlés des forces territoriales, tout cela a transformé la région en un *no man's land* absolu. Le consul imagine plusieurs prétextes pour gagner du temps, mais il les abandonne l'un après l'autre. Son seul espoir est qu'ils s'approcheront suffisamment des écluses pour qu'il tente un plongeon dans les eaux bouillonnantes, malgré ses mains liées dans le dos, et se laisse emporter par le courant jusqu'aux petites îles où il pourra essayer de se cacher.

L'ennui, c'est qu'il se sent trop fatigué pour nager, même avec les mains libres. Et il offrira une cible trop facile aux deux hommes, même s'il prend dix minutes d'avance parmi les troncs charriés par le courant ou les rochers qui parsèment le fleuve. Il est trop las pour jouer au plus malin, trop vieux pour être courageux. Il pense à sa femme et à son fils, morts depuis tant d'années dans les bombardements de Bressia, assassinés par des hommes aussi dépourvus d'honneur que ces deux créatures. La seule chose qu'il regrette, c'est d'avoir renié sa parole pour venir en aide aux autres pèlerins. Cela, et aussi le fait qu'il ne connaîtra jamais leur sort final.

Derrière lui, Obem crache avec mépris.

— Y en a marre, Cheez. Tu crois pas qu'on ferait mieux de le pendre par les pieds et de le saigner tout doucement jusqu'à ce qu'il devienne plus causant? Pas la peine de s'encombrer de lui pour aller jusqu'à cette foutue barge, si elle est là où il dit.

Cheez se retourne, essuie la sueur de son front, regarde le consul d'un air spéculateur, et grogne :

— Tu as peut-être raison. Mais ne l'abîme pas trop, qu'il puisse parler jusqu'à la fin, hein?

— T'inquiète pas, fait Obem avec un rictus en sortant son zérolame.

— NE BOUGEZ PLUS! tonne une voix venue d'en haut.

Le consul se laisse tomber à genoux. Les bandits des ex-forces territoriales braquent leurs armes avec la dextérité que confère une longue habitude. Il y a un grand froissement de branches, un vrombissement et beaucoup de poussière soulevée autour d'eux. Le consul lève la tête juste à temps pour voir le ciel nuageux se troubler comme si une masse invisible était présente au-dessus d'eux, en train de descendre lentement. Cheez lève son fusil à fléchettes tandis qu'Obem pointe son lance-grenades. Mais ils tombent tous les trois en avant, non pas comme des soldats fauchés par le tir ennemi, ni comme des victimes d'un effet de souffle provoqué par quelque force balistique inconnue, mais comme l'arbre abattu par Obem un peu plus tôt.

Le consul se retrouve le nez dans la poussière et les petits cailloux, sans ciller, incapable de bouger même les paupières.

Un neuro-étourdisseur, se dit-il malgré l'état de ses synapses devenues aussi inertes qu'un bloc de graisse usagée. Un minicyclone se forme tandis que quelque chose de gros et d'invisible descend se poser à proximité des trois corps en soulevant la poussière de la rive du fleuve. Le consul entend une porte qui s'ouvre et perçoit le cliquetis des turbines des répulseurs qui descendent au-dessous du seuil de sustentation. Il ne peut toujours pas bouger les paupières, et encore moins relever la tête. Sa vision est limitée à quelques cailloux, un monticule de sable, une petite forêt de brins d'herbe et une fourmi-architecte qui semble énorme à cette distance et qui paraît manifester un subit intérêt pour l'œil humide, quoique non balayé par la paupière, du consul. La fourmi modifie sa route pour traverser les quelque cinquante centimètres qui la séparent de sa proie luisante. Le consul prie pour que les pas qu'il entend derrière lui se rapprochent vite, très vite.

Des mains le soulèvent aux aisselles. Une voix grogne, familière mais tendue :

– Bon sang ! Il a pris du poids !

Les talons du consul raclent la poussière, heurtent au passage les doigts déjà agités de spasmes de Cheez, à moins qu'il ne s'agisse de ceux d'Obem. Le consul, lui, ne peut même pas bouger les yeux pour regarder leurs visages. Il ne peut pas non plus apercevoir ses sauveteurs jusqu'à ce qu'il soit hissé, avec force jurons tout près de son oreille, jusqu'à l'entrée ovale du glisseur décamouflé, puis déposé sur l'un des sièges inclinés d'où se dégage une moelleuse odeur de cuir.

Le gouverneur général Théo Lane apparaît dans le champ de vision du consul. Ses traits sont ceux d'un jeune garçon, déformés de manière légèrement démoniaque tandis que la porte se referme et que les lumières rougeâtres de l'intérieur lui éclairent le visage. Il se penche pour attacher le harnais du consul.

– Navré d'avoir dû vous paralyser en même temps que les deux autres, dit-il.

Il prend place dans son fauteuil, attache son propre harnais et empoigne le manche universel. Le consul sent le glisseur frémir sous lui, puis se soulever. Il reste stationnaire quelques secondes avant de s'incliner sur la gauche comme une assiette montée sur des roulements sans friction.

– Je n'avais pas le choix, explique Théo, dont la voix couvre à peine les bruits de l'habitacle. Les seules armes que ces engins ont le droit d'embarquer sont des étourdisseurs anti-émeutes. Le plus simple était d'arroser tout le monde d'une dose minimale, puis de vous tirer de là en vitesse.

Il remonte ses lunettes archaïques sur son nez d'un geste que le consul connaît bien, puis sourit de toutes ses dents en murmurant :

– Comme disaient les anciens mercenaires : « On tire dans le tas, Dieu se débrouillera pour y retrouver les siens. »

Le consul réussit à bouger suffisamment la langue pour émettre un bruit et baver légèrement sur sa joue et sur le siège en cuir.

– Détendez-vous, lui dit Théo en reportant son attention sur ses instruments de pilotage et sur la vue à l'extérieur. Dans deux ou trois minutes, vous pourrez parler normalement. Nous sommes pour l'instant à basse altitude. Dans dix minutes, nous aurons regagné Keats. Vous avez de la veine, monsieur, ajoute-t-il en se retournant pour regarder le consul. Vous deviez être un peu déshydraté. Les deux autres ont pissé sur eux dès que l'étourdisseur les a touchés. C'est une arme très humaine, mais un peu embarrassante quand on n'a pas de pantalon de rechange.

Le consul voudrait donner son opinion sur cette arme « humaine », mais pas un seul mot articulé ne sort de sa gorge insensible.

– Patience, encore deux minutes, lui dit Théo en se penchant pour lui essuyer la joue avec un mouchoir. Mais je vous avertis, ce n'est pas très agréable quand les effets de l'étourdisseur se dissipent.

À cet instant précis, quelqu'un enfonce plusieurs milliers d'épingles et d'aiguilles dans le corps du consul.

– Comment avez-vous fait pour me repérer? interroge le diplomate.

Ils se trouvent à quelques kilomètres de la capitale, toujours au-dessus du fleuve Hoolie. Il peut maintenant s'asseoir, et ses mots sont plus ou moins intelligibles, mais il est heureux de n'être pas obligé de se lever et de marcher tout de suite.

– Pardon? lui demande Théo.

– Comment avez-vous fait pour retrouver ma trace? Comment saviez-vous que je revenais par le fleuve?

– La Présidente m'a mis au courant par mégatrans. Message ultrasecret, à détruire aussitôt lu.

– Gladstone? s'étonne le consul, qui remue désespérément les doigts pour essayer de leur redonner un peu de vie. Comment Gladstone pouvait-elle savoir que j'avais des ennuis? J'ai laissé le persoc de ma grand-mère Siri dans la vallée pour pouvoir contacter les autres pèlerins dès que j'aurais récupéré mon vaisseau. Qui a pu l'avertir?

– Je l'ignore, monsieur. Mais elle nous a indiqué l'endroit avec précision. Elle nous a dit que vous aviez des problèmes avec votre tapis hawking et que vous veniez de vous écraser dans le fleuve.

Le consul secoue la tête d'un air incrédule.

– Cette femme possède des capacités de ressource étonnantes, Théo.

– Oui, monsieur.

Le consul jette un coup d'œil à son ami. Théo Lane est gouverneur général d'Hypérion depuis plus d'une année locale, mais les vieilles habitudes ont la peau dure, et le « monsieur » est dû aux sept années durant lesquelles Théo a servi comme adjoint sous ses ordres. La dernière fois qu'il a rencontré le jeune homme (plus tout jeune, à présent, se dit-il en observant les rides de responsabilité qui lui creusent le front), Théo était furieux qu'il n'accepte pas de prendre le poste de gouverneur général à sa place. C'était un peu plus d'une semaine auparavant. Une véritable éternité.

– Au fait, articule le consul en prenant bien soin de détacher ses mots, je crois que je vous dois des remerciements, Théo.

Le gouverneur général hoche la tête, apparemment perdu dans ses pensées. Il ne demande pas au consul ce qu'il a vu dans les montagnes du Nord, ni quel a été le sort des autres pèlerins. Au-dessous d'eux, le fleuve Hoolie suit son cours méandreux vers la capitale. Un peu plus loin, il est encaissé entre des parois de granite qui brillent doucement sous les feux du couchant tandis que les buissons bleus ondoient sous la brise.

– Comment avez-vous trouvé le temps de participer en personne à ma recherche, Théo? demande le consul. La situation sur Hypérion doit tenir de la pure folie.

– C'est exact, fait Théo en commandant à l'autopilote de prendre la suite des opérations et en se tournant pour regarder le consul dans les yeux. Il ne reste plus que quelques heures – peut-être quelques minutes – avant l'invasion des Extros.

– Invasion? répète le consul en battant des paupières. Vous voulez dire qu'ils vont descendre occuper cette planète?

– Oui.

– Mais la flotte de l'Hégémonie...

– Elle est dans un état de confusion totale. C'est à peine si elle s'est défendue *avant* que le Retz soit envahi.

– Le *Retz*!

– Des systèmes entiers sont tombés dans les mains des Extros. D'autres sont menacés dans les heures qui viennent. La Force a ordonné le repli général à travers les terminaux militaires distrans, mais, de toute évidence, les vaisseaux prisonniers des systèmes ont eu du mal à se désengager. Personne ne songe à me fournir des détails. Il est clair, cependant, que les Extros ont les mains libres partout, à l'exception d'un périmètre défensif que la Force a mis en place autour des sphères de singularité et des terminaux.

– Et le port spatial? demande le consul, qui songe à son magnifique vaisseau peut-être réduit à l'état de carcasse fumante.

– Il n'a pas encore été attaqué. La Force est cependant en train de retirer ses vaisseaux de descente et d'approvisionnement aussi rapidement que possible. Elle a laissé derrière elle un détachement de *marines*, plutôt symbolique, à vrai dire.

– Où en est l'évacuation?

Théo se met à rire. C'est le rire le plus amer que le consul ait jamais entendu chez son ex-adjoint.

– L'évacuation consistera sans doute à entasser le plus

possible de personnalités et de diplomates dans le dernier vaisseau de descente qui quittera la planète.

— Ils ont renoncé à essayer de sauver la population d'Hypérion?

— Ils sont incapables de sauver leurs propres ressortissants. D'après les rumeurs qui filtrent par mégatrans parmi les ambassadeurs, Gladstone aurait décidé d'abandonner tous les mondes menacés du Retz pour permettre à la Force de se regrouper et de constituer de nouvelles défenses en deux ans tandis que le déficit de temps des essaims continue de s'accroître.

— Mon Dieu, murmure le consul.

Il a passé presque toute sa vie à représenter l'Hégémonie et à comploter pour causer sa chute afin de venger sa grand-mère et... rétablir le mode de vie de son époque. Mais l'idée que tout cela est en train de se réaliser aujourd'hui...

— Et le gritche? demande-t-il soudain.

Il aperçoit les bâtiments gris et bas de la capitale, à deux ou trois kilomètres de là. Le soleil baigne encore les collines et une partie du fleuve, comme s'il voulait leur donner sa bénédiction avant la nuit.

— On en parle encore de temps en temps, répond Théo en secouant la tête, mais les Extros lui ont pris la vedette pour ce qui est des bruits de panique.

— Il n'est tout de même pas allé dans le Retz? Je veux parler du gritche.

Le gouverneur général se tourne vivement vers le consul.

— Dans le Retz? Comment pourrait-il se trouver dans le Retz? Aucun terminal distrans n'a été autorisé sur Hypérion. La présence du gritche n'a d'ailleurs jamais été signalée à proximité de Keats, d'Endymion ou de Port-Romance. Dans aucun centre important, en fait.

Le consul ne dit rien. Mais il pense : *Mon Dieu! Ma trahison n'aura servi à rien. J'ai vendu mon âme pour ouvrir les Tombeaux du Temps, mais ce ne sera pas le gritche qui causera la chute du Retz... Ce seront les Extros! Ils nous manipulaient depuis le début! Ma trahison faisait partie de leurs plans!*

— Écoutez-moi bien, lui dit Théo d'une voix rauque en lui saisissant brusquement le poignet. La raison pour laquelle Gladstone m'a ordonné de tout laisser tomber pour aller vous récupérer est qu'elle a levé la quarantaine qui pesait sur votre vaisseau...

– Splendide! fait le consul. Je vais pouvoir...

– Écoutez-moi, vous dis-je! Vous n'allez pas retourner dans la vallée des Tombeaux du Temps. Elle veut que vous évitiez les périmètres occupés par la Force, et que vous parcouriez le système jusqu'à ce que tombiez sur des éléments de l'Essaim.

– L'Essaim? Pourquoi ferais-je une...

– La Présidente vous demande de négocier avec eux. Ils vous connaissent. Elle a pu les prévenir, d'une manière ou d'une autre, de votre arrivée. Elle pense qu'ils vous laisseront approcher... sans détruire votre vaisseau. Mais elle n'a pas encore reçu confirmation de leur acceptation. La mission est risquée.

Le consul se redresse dans son fauteuil en cuir. Il a l'impression d'avoir reçu une nouvelle décharge d'étourdisseur.

– Négocier? Qu'est-ce qu'il y a à négocier encore?

– Elle dit qu'elle vous contactera par l'intermédiaire de votre mégatrans lorsque vous aurez quitté Hypérion. Il n'y a plus de temps à perdre. Vous devez partir aujourd'hui même, avant que les mondes de la première vague ne tombent entre les mains des Extros.

Le consul comprend ce que Théo entend par « mondes de la première vague », mais il n'ose pas demander si sa planète bien-aimée, Alliance-Maui, fait partie de la liste. Peut-être, songe-t-il, serait-ce mieux ainsi.

– C'est impossible, murmure-t-il. Je dois retourner dans la vallée.

– Elle ne vous y autorisera pas, fait Théo en remontant ses lunettes.

– Et comment m'en empêchera-t-elle? demande le consul en souriant. En abattant mon vaisseau?

– Je l'ignore. Mais c'est ce qu'elle a dit. N'oubliez pas, ajoute-t-il en fronçant les sourcils d'un air sincèrement inquiet, que la Force a toujours des vaisseaux-torches et des chasseurs en orbite, pour escorter les derniers vaisseaux de descente.

– Très bien, fait le consul sans cesser de sourire. Qu'ils essaient de m'abattre. Il y a au moins deux siècles, de toute manière, qu'aucun vaisseau habité n'a pu se poser dans la vallée des Tombeaux du Temps. Ou, plutôt, ils se posent intacts, mais leur équipage disparaît aussitôt. Avant qu'ils aient ma peau, je serai épinglé aux branches de l'arbre du gritche.

Il ferme les yeux, un instant, et imagine son vaisseau en train de se poser, vide, dans la plaine au nord de la vallée. Il imagine Sol, Duré et les autres, miraculeusement revenus, courant s'abriter à bord, sauvant Het Masteen et Brawne Lamia grâce aux installations chirurgicales, et mettant la petite Rachel dans une chambre cryotechnique.

– Mon Dieu! murmure Théo, dont la voix atterrée sort le consul de sa rêverie éveillée.

Ils sont maintenant au-dessus de la capitale. Le fleuve est un peu plus encaissé entre les falaises, qui culminent au sud avec le massif sculpté à l'effigie du roi Billy le Triste. Le soleil est en train de disparaître à l'horizon. Les nuages bas et les constructions au sommet des falaises, à l'est, se parent de reflets roses.

Au-dessus de la ville, la bataille fait rage. Des lasers transpercent les nuages. Des vaisseaux virevoltent comme des insectes et se brûlent comme des papillons de nuit trop près d'une flamme. Pendant ce temps, des ailes portantes et des champs de suspension troublent le plafond des nuages. La capitale est attaquée. Les Extros descendent sur Hypérion.

– Bordel de merde! s'exclame Théo.

Le long de la crête arborée qui marque la limite nord-ouest de la cité, une brève flamme en forme de fuseau et le miroitement d'une traînée marquent la trajectoire d'une roquette lancée du sol, qui vient droit sur le glisseur de l'Hégémonie.

– Agrippez-vous! lance le gouverneur général.

Il passe en commande manuelle, tourne quelques boutons, puis bascule l'appareil vers tribord, de manière à se placer à l'intérieur du rayon de braquage du petit missile.

Une explosion à l'arrière projette le consul contre son harnais et lui brouille la vision durant quelques instants. Lorsqu'il y voit de nouveau, l'habitacle est enfumé, et des voyants rouges clignotent partout dans la pénombre tandis que la voix du glisseur avertit ses occupants d'une dizaine de défaillances majeures.

– Tenez-vous bien, fait Théo, inutilement.

Le glisseur vire brusquement sur l'aile en un mouvement à décrocher l'estomac, trouve une nouvelle assise, puis la perd aussitôt pour tomber en vibrant et en tournoyant vers la cité en flammes.

36

Je battis des paupières et ouvris les yeux, désorienté quelques secondes à la vue de l'immense pénombre de la basilique de Saint-Pierre sur Pacem. Monsignore Édouard et le père Paul Duré étaient penchés vers moi à la lueur des cierges, leur expression chargée d'intensité.

– Combien de temps... suis-je resté endormi?

J'avais l'impression que quelques secondes à peine s'étaient écoulées, et que le rêve n'avait été qu'un miroitement d'images du genre de celles qui traversent l'esprit entre le moment où l'on est paisiblement détendu dans son lit et celui où l'on tombe dans un sommeil profond.

– Dix minutes, me répondit le prélat. Pouvez-vous nous décrire ce que vous avez vu?

Je ne voyais aucune raison de ne pas le faire. Lorsque j'eus fini mon récit, Monsignore Édouard se signa.

– Mon Dieu! L'ambassadeur du TechnoCentre conseille à Gladstone de transférer tout le monde dans ces... galeries!

Duré posa la main sur mon épaule.

– Après mon entretien avec la Voix Authentique de l'Arbre-monde sur le Bosquet de Dieu, je vous rejoindrai sur TC². Il faut que nous convainquions Gladstone de la folie que représenterait un tel choix.

Je hochai la tête. Il n'était plus question pour moi d'accompagner Duré sur le Bosquet de Dieu ni sur Hypérion.

– C'est entendu, lui dis-je. Mettons-nous en route immédiatement. Est-ce que votre... « Porte du Pape » peut me conduire sur TC²?

Le prélat se leva, hocha la tête puis s'étira. Je compris soudain qu'il était très vieux et que les traitements Poulsen ne l'avaient jamais touché.

– Il y a un accès prioritaire, me dit-il avant de se tourner vers le père Duré. Paul, tu sais que je t'accompagnerais si je le pouvais... Mais les funérailles de Sa Sainteté, l'élection d'un nouveau Saint-Père... Curieux, comme les impératifs quotidiens persistent, même dans la perspective d'un désastre collectif, ajouta-t-il avec un petit grognement pathétique. Même ici, sur Pacem, nous n'avons qu'une dizaine de jours standard avant l'arrivée des barbares, et pourtant il faut bien...

Le front haut de Duré luisait à la lueur des cierges.

– Les affaires de l'Église représentent bien plus que de simples impératifs quotidiens, dit-il à son ami. Ma visite sur le monde des Templiers sera aussi brève que possible. Je rejoindrai ensuite H. Severn pour l'aider à convaincre la Présidente de ne pas écouter les conseils du Centre. Puis je reviendrai vite à tes côtés, Édouard, et nous nous efforcerons ensemble de donner un sens à toute cette confusion qui touche à l'hérésie.

Je les suivis jusqu'à une petite porte qui nous fit sortir de la basilique par une galerie bordée de hautes colonnades. Nous traversâmes, sur la gauche, une cour intérieure. La pluie avait cessé, et il y avait dans l'air une odeur fraîche et agréable. Nous descendîmes quelques marches conduisant dans un passage étroit qui communiquait avec les appartements pontificaux. Des membres de la garde suisse se mirent au garde-à-vous lorsque nous entrâmes dans l'antichambre. Ils portaient une armure et un pantalon à rayures jaunes et bleues, mais leurs hallebardes traditionnelles étaient en réalité des armes énergétiques modernes qui n'avaient rien à envier en qualité à celles de la Force. L'un d'eux fit un pas en avant et adressa quelques mots à voix basse à Monsignore Édouard.

– Quelqu'un vient d'arriver au terminex principal pour vous voir, H. Severn, me dit le prélat.

– Moi ?

Mon attention, jusqu'à présent, s'était portée sur les bruits ambiants, où prédominaient des inflexions lointaines de prières collectives continuellement répétées. Je supposais qu'il s'agissait de préparatifs pour les funérailles du pape.

– Un certain H. Hunt. Il dit que c'est très urgent.

– Je l'aurais vu dans un instant à la Maison du Gouvernement. Pourquoi ne pas lui demander de nous rejoindre ici ?

Monsignore Édouard acquiesça d'un signe de tête et adressa quelques mots à voix basse au garde-suisse, qui rapprocha les lèvres d'un relief ornemental de son armure pour murmurer un ordre à son tour.

La Porte du Pape était un petit terminal distrans entouré de moulures dorées très ouvragées ainsi que de séraphins et de chérubins surmontés d'un bas-relief à cinq tableaux illustrant la chute d'Adam et Ève et leur expulsion du jardin d'Éden. Le tout se trouvait au centre d'une pièce bien gardée qui jouxtait les appartements privés du pape. Nous attendîmes là, tandis que des miroirs, sur chaque mur, nous renvoyaient nos reflets pâles et exténués.

Leigh Hunt arriva, escorté par le prêtre qui m'avait introduit dans la basilique.

– Severn! s'écria en me voyant le conseiller favori de Gladstone. La Présidente veut vous voir immédiatement!

– J'y allais justement. Mais sachez que ce serait une erreur criminelle que de permettre au Centre de fabriquer et d'utiliser cette bombe.

Il cligna plusieurs fois des yeux, ce qui donnait un air presque comique à sa physionomie de basset.

– Vous êtes donc au courant de tout ce qui se passe, Severn?

Je ne pus m'empêcher de rire.

– Un jeune enfant tout seul devant une fosse holo voit beaucoup mais comprend très peu. Cependant, il a l'avantage de pouvoir changer de chaîne ou d'éteindre le poste quand il en a assez.

Hunt connaissait déjà Monsignore Édouard pour l'avoir côtoyé dans des occasions officielles. Je lui présentai le père Paul Duré, de la Compagnie de Jésus.

– Duré? parvint-il à répéter, la mâchoire comme en caoutchouc.

C'était la première fois que je le voyais perdre son équanimité, et je savourais l'occasion.

– Nous vous expliquerons plus tard, fis-je en serrant la main du prêtre. Bonne chance sur le Bosquet de Dieu, Duré. Et ne soyez pas trop long.

– Pas plus d'une heure, promit le jésuite. Il y a juste un morceau du puzzle que j'aimerais trouver avant de parler à la Présidente. Je compte sur vous pour lui expliquer l'horreur des labyrinthes. Elle entendra mon témoignage un peu plus tard.

– Il est possible qu'elle soit trop occupée pour me recevoir avant votre arrivée, de toute manière. Mais je ferai de mon mieux pour jouer les saint Jean Baptiste en votre honneur.

– Prenez garde de ne pas perdre la tête, mon jeune ami, lui dit Duré en souriant.

Il tapa un code sur l'archaïque panneau distrans, et disparut de l'autre côté du cadre. Je me tournai pour faire mes adieux à Monsignore Édouard.

– Nous allons tout arranger avant l'arrivée des Extros, lui dis-je.

– Que Dieu vous accompagne, murmura le vieux prélat en levant la main pour me bénir. Je sens qu'une sombre époque est devant nous tous, mais que vous aurez plus que votre part du fardeau à porter.

Je secouai la tête.

– Je ne suis qu'un observateur, monsignore. Je me contente de regarder, d'attendre et de rêver. Ce n'est pas un très grand fardeau.

– Vous attendrez et vous rêverez plus tard, me lança Hunt. Sa Suffisance vous veut *sans délai* à portée de la main, et j'ai une réunion qui m'attend.

Je lui jetai un regard placide.

– Comment m'avez-vous retrouvé? lui demandai-je.

Je connaissais déjà la réponse. C'est le TechnoCentre qui fait fonctionner les terminaux distrans, et le TechnoCentre travaille la main dans la main avec le gouvernement de l'Hégémonie.

– La carte prioritaire qu'elle vous a donnée permet aussi de suivre vos déplacements, m'expliqua Hunt avec un mouvement d'impatience. Mais il est nécessaire que nous y allions tout de suite. C'est là-bas que tout se joue.

– Très bien.

Je saluai le prélat et l'autre dignitaire, fis signe à Hunt de me suivre et entrai sur le panneau le code à trois chiffres de Tau Ceti Central, suivi des deux chiffres du continent, de trois autres représentant la Maison du Gouvernement et des deux derniers indiquant le terminex privé. Le bourdonnement du terminex devint plus aigu, et sa surface se mit à miroiter comme pour m'inviter à passer.

Je franchis le cadre, et m'écartai aussitôt pour laisser le passage à Hunt.

Nous ne sommes pas dans le terminex central de la Maison du Gouvernement. Pour autant que je puisse l'affirmer, nous ne sommes même pas dans la Maison du Gouvernement. Il me faut une seconde de plus pour que mes sens, ayant évalué la quantité de lumière, la couleur du ciel, la gravité, la distance par rapport à l'horizon, les odeurs et l'impression générale, en concluent que nous ne sommes même pas sur Tau Ceti Central.

J'aurais pu sauter immédiatement en arrière, mais la Porte du Pape est étroite, et Hunt est en train d'arriver. Une jambe, un bras, les épaules, la poitrine, la tête, puis la deuxième jambe... Je lui saisis le poignet, je le tire brutalement sur le côté en disant :

– Il y a quelque chose d'anormal!

J'essaie de repasser de l'autre côté, mais c'est trop tard. L'ouverture, sans cadre de ce côté, miroite, se rétrécit en un cercle de la taille de mon poing, puis disparaît.

– Où sommes-nous, bordel? me demande Hunt.

Je regarde autour de moi en songeant : *bonne question.* Nous sommes à la campagne, au sommet d'une colline. Au pied de cette colline, une route serpente à travers des vignes, longe une autre colline au long versant boisé, et se perd au détour d'une autre butte située à trois ou quatre kilomètres de distance. Il fait agréablement chaud, et des insectes bourdonnent autour de nous. Cependant, rien de plus gros qu'un oiseau ne bouge dans le paysage. Il y a des falaises à notre droite, qui laissent voir un coin de mer bleue. Des cirrus floconnent très haut dans le ciel. Le soleil vient de dépasser le zénith. Je ne vois pas de maisons, pas de trace de technologie plus complexe que la culture des vignes et la route de pierres et de boue au-dessous de nous. Chose plus importante, le murmure continuel de l'infosphère n'existe pas ici. C'est un peu déroutant, et même terrifiant, comme la disparition soudaine d'un bruit auquel on a été habitué depuis sa plus tendre enfance.

Hunt fait un pas en avant en trébuchant, se frappe les oreilles, comme s'il voulait se persuader qu'il entend encore, frappe violemment son persoc.

– Merde! s'exclame-t-il. Merde de merde! Mon implant ne fonctionne plus. Mon persoc ne marche pas!

– Ce n'est pas ça, lui dis-je. Je pense plutôt que nous sommes en dehors de l'infosphère.

Mais, tout en prononçant ces mots, je perçois un bourdonnement plus grave, plus discret, plus ample et beaucoup moins accessible que l'infosphère. Serait-ce la mégasphère?

La musique des sphères, me dis-je en souriant.

– Qu'est-ce que vous avez à rire comme un con, Severn? C'est vous qui l'avez fait exprès?

– Pas du tout. J'ai tapé les bons codes.

L'absence totale de panique dans ma voix est en soi une forme de panique.

– Qu'est-ce qui n'a pas marché, alors? C'est cette foutue Porte du Pape? Quelqu'un nous a joué un tour? Il y a eu une panne?

– Je ne pense pas. La porte fonctionne très bien, Hunt. Elle nous a simplement conduits là où le TechnoCentre voulait que nous nous trouvions.

– Le TechnoCentre?

Le peu de couleurs qu'il y avait dans sa physionomie de basset disparaît à vue d'œil tandis que le collaborateur de la Présidente prend conscience de l'identité de ceux qui contrôlent le réseau distrans. L'*ensemble* du réseau distrans.

– Bon Dieu! murmure-t-il. Sacré bon Dieu!

Il vacille au bord de la route et s'assoit dans l'herbe. Son complet de cadre supérieur en suédine et ses chaussures noires semblent déplacés ici.

– Où sommes-nous? me demande-t-il de nouveau.

Je prends une grande inspiration. Il y a dans l'air une odeur de terre fraîchement retournée, d'herbe coupée et de poussière du chemin. Le vent nous apporte les effluves iodés de l'océan.

– Si vous voulez mon avis, Hunt, je pense que nous sommes sur la Terre.

– La Terre? répète le petit homme en regardant droit devant lui, hébété. La Terre... Vous voulez dire, peut-être, la Nouvelle-Terre, Terra, la Terre II...

– Non, Hunt. La planète Terre. L'Ancienne Terre. Ou sa reproduction.

– Sa reproduction...

Je m'avance vers lui pour m'asseoir à ses côtés. Je cueille un brin d'herbe que je dépouille de sa gaine pour le porter à mes lèvres. Il a un goût vinaigré familier.

– Vous vous souvenez peut-être du rapport que j'ai remis à Gladstone sur les récits des pèlerins d'Hypérion? En particulier celui de Brawne Lamia? Elle s'est trouvée un jour distransportée, en compagnie de mon homologue cybride, la première personnalité keatsienne récupérée, sur ce qu'ils ont décrit comme une reproduction exacte de l'Ancienne Terre. Qui se trouvait, si je ne me trompe, dans l'amas d'Hercule.

Hunt lève la tête, comme s'il pouvait vérifier mes dires

en jetant un simple coup d'œil aux étoiles. Le bleu du ciel est en train de virer légèrement au gris, et les cirrus d'altitude recouvrent la totalité de la voûte céleste.

– L'amas d'Hercule... répète Hunt dans un souffle.

– Ce que Brawne n'a pas su nous dire, c'est pour quelles raisons le Centre a jugé bon de construire une réplique de la Terre, et à quel usage il la destine. Le premier cybride n'avait pas l'air de le savoir non plus. En tout cas, il n'a rien révélé.

– Rien révélé, répète Hunt en hochant la tête. Bon, si vous m'expliquiez comment on fait pour sortir de ce fichu endroit? Gladstone a besoin de moi. Elle ne peut pas... Il y a des dizaines de décisions vitales à prendre dans les heures qui viennent.

Il bondit sur ses pieds et court se mettre au centre de la route, débordant d'énergie, pendant que je mâchonne mon brin d'herbe.

– À mon avis, il est impossible de sortir d'ici.

Il fonce sur moi comme s'il voulait m'étriper.

– Vous êtes fou? Comment ça, impossible? C'est complètement dingue! Pourquoi le Centre ferait-il une telle chose?

Il marque un temps d'arrêt, puis reprend :

– Ils veulent vous empêcher de lui parler. Vous savez quelque chose que le Centre ne veut pas prendre le risque de la voir apprendre.

– C'est possible.

Il lève la tête vers le ciel pour crier :

– Gardez-le si vous voulez, mais laissez-moi partir!

Personne ne lui répond. Au loin, au-dessus des vignes, un gros oiseau noir prend son vol. Je pense qu'il s'agit d'un corbeau. Je me souviens du nom de cette espèce en extinction comme si cela venait d'un rêve.

Au bout d'un moment, Hunt renonce à s'adresser au ciel et se met à faire les cent pas sur la route empierrée.

– Venez, murmure-t-il. Il y a peut-être un terminex au bout de cette route.

– C'est possible, lui dis-je en cassant le brin d'herbe pour en conserver uniquement la partie supérieure, sèche et sucrée. Mais de quel côté voulez-vous aller?

Il se tourne, à gauche, puis à droite, vers les collines où la route disparaît.

– En franchissant la porte, nous faisions face à... cela, me dit-il en désignant un bosquet où la route descend se perdre.

– Jusqu'où irons-nous?

– Quelle importance, sacré bon Dieu? Il faut bien que nous allions *quelque part*!

Je résiste à l'envie de sourire.

– Très bien.

Je me lève. J'époussette mon pantalon. Les rayons du soleil me chauffent le visage et le front. Après la pénombre froide et chargée d'encens de la basilique, cela me fait un choc. L'air, ici, semble brûlant, en comparaison. Mes vêtements sont déjà mouillés de transpiration.

Hunt descend le versant de la colline d'un pas énergique, les poings crispés. Sa physionomie morose, pour une fois, est agrémentée d'une expression d'intense résolution.

Je le suis de loin, sans me presser, le brin d'herbe à la bouche, les yeux à demi clos de lassitude.

Le colonel Fedmahn Kassad poussa un cri perçant et attaqua le gritche. Le paysage surréaliste et hors du temps, version minimaliste, faite par un décorateur de théâtre, de la vallée des Tombeaux du Temps, qui ressemblait à un décor moulé dans du plastique et enrobé d'un cocon d'atmosphère visqueuse, donnait l'impression de vibrer sous la violence de l'assaut.

L'espace d'un instant, il avait vu l'image multiple, comme reflétée par une série de miroirs, d'un grand nombre de gritches répartis dans la vallée, occupant la plaine nue. Mais son cri avait eu pour effet de les rassembler en un seul monstre qui s'avançait maintenant, les quatre bras écartés comme pour l'accueillir contre sa carapace hérissée de lames et de piquants.

Kassad ignorait jusqu'à quel point la combinaison à énergie qu'il portait, cadeau de Monéta, le protégerait au combat. Elle lui avait été utile, des années auparavant, lorsque Monéta et lui avaient attaqué les soldats extros de deux vaisseaux de descente. Mais ils avaient eu le temps pour allié, en cette occasion. Le gritche avait figé et défigé les tranches de moments comme un spectateur blasé qui joue avec la télécommande d'une fosse holo. Aujourd'hui, ils se trouvaient totalement hors du temps, et le gritche était l'ennemi au lieu de jouer le rôle d'un effrayant protecteur. Kassad lança de nouveau son cri, baissa la tête et attaqua, oubliant Monéta qui le regardait, oubliant l'impossible arbre aux épines qui se dressait jusqu'aux nuages avec ses occupants empalés sur ses terribles branches, oubliant tout de lui-même à l'exception du fait qu'il était une machine de guerre, un instrument de vengeance.

Le gritche ne disparut pas de la manière habituelle. Il ne cessa pas d'être en un endroit pour se retrouver dans un autre. Il s'accroupit légèrement en ouvrant plus grand les bras. Les lames de ses doigts captèrent la lumière du ciel tourmenté. Ses dents de métal jetèrent des éclats tandis qu'il faisait l'équivalent d'un sourire.

Kassad sentit la fureur monter en lui. Il n'était pas fou au point d'aller se jeter dans les bras de ce monstre de mort. Il fit un bond de côté au dernier moment, exécutant un roulé-boulé sur une épaule, fauchant au passage l'un des membres inférieurs du monstre, au-dessous du bouquet d'épines de son genou, au-dessus de la structure équivalente de sa cheville.

Si je pouvais le faire tomber...

C'était comme s'il avait donné un coup de pied dans un tuyau coulé dans un bloc de béton de cinq cents mètres de long. La jambe de Kassad aurait été brisée net si la combinaison ne l'avait pas protégée en agissant comme une armure et un amortisseur.

Le gritche fit un mouvement, d'une rapidité impressionnante mais non impossible. Ses deux bras droits fendirent l'air en un mouvement tournant, d'abord vers le haut, puis vers le bas, exécuté comme un tourbillon. Les lames de dix doigts gravèrent dans le sable et la pierre des sillons d'une précision chirurgicale. Les épines des bras faisaient voler des étincelles tandis que les mains continuaient de monter, lacérant l'air avec un sifflement audible. Mais Kassad était hors de portée. Continuant son roulé-boulé, il se rétablit sur ses pieds, accroupi, les bras tendus devant lui, paumes à plat, doigts rigides.

Un combat singulier. Le plus honorable des sacrements du Nouveau Bushido.

Le gritche feinta de nouveau de ses bras droits et fit un moulinet de haut en bas avec son bras gauche inférieur. Le coup avait assez de violence pour fracasser les côtes de Kassad et faire voler son cœur comme un ballon de rugby. Kassad bloqua la feinte des bras droits et de son avant-bras gauche. Il sentit la peau de l'armure lui entrer dans les chairs et lui écraser l'os sous la pression du coup de bélier. En même temps, il intercepta la trajectoire meurtrière du bras gauche en happant au passage, de la main droite, le poignet du monstre, juste au-dessus des piquants incurvés de son articulation. Chose incroyable, il parvint à ralentir et à détourner suffisamment le coup pour que les scalpels éraflent la surface de sa combinaison au lieu de pénétrer profondément dans ses chairs.

Il fut presque soulevé du sol par l'impact. Seul le mouvement vers le bas de la première feinte du gritche l'empêcha de voler en arrière. La transpiration coulait à flots sous la combinaison. Ses muscles étaient tendus à se déchirer durant les vingt interminables secondes que dura la séquence, juste avant que le gritche fasse intervenir son quatrième bras, qui faucha la jambe de Kassad.

Il hurla tandis que le champ protecteur de la combinaison cédait et que la chair se fendait. Une lame au moins passa tout près de l'os. Il lança son autre pied sur le poignet du gritche pour lui faire lâcher prise et roula de côté en poussant un hurlement de rage.

Le gritche frappa à deux reprises. Le second coup siffla à quelques millimètres de l'oreille de Kassad. Puis le gritche fit un bond en arrière, se ramassa et se déplaça légèrement sur sa droite.

Kassad se releva sur son genou gauche, faillit tomber, puis se mit debout en chancelant, espérant vaguement trouver son équilibre. La douleur rugissait à ses oreilles et remplissait l'univers d'une lumière rouge. Grimaçant, trébuchant, sur le point de perdre conscience, il sentit cependant la combinaison se refermer sur la blessure, jouant le double rôle de pansement et de garrot. Sa jambe gauche était ensanglantée, mais le sang ne coulait plus, et la douleur était devenue presque tolérable, comme si la combinaison était dotée des mêmes auto-injecteurs médipac que son armure de combat de la Force.

Le gritche fonça sur lui.

Kassad lança son pied une fois, deux fois, visant la surface lisse de la carapace de chrome, juste au-dessous du piquant de la poitrine. Il atteignit son but. C'était comme s'il avait donné un coup de pied contre la coque d'un vaisseau-torche, mais le gritche sembla vaciller, et même reculer.

Kassad fit un pas en avant, assura son assise et frappa deux fois de suite à l'endroit où aurait dû se trouver le cœur de la créature. Son coup de poing aurait pu fracas-

113

ser un mur de céramique durcie. Ignorant la douleur à son poignet, il pivota sur lui-même et assena au monstre, en plein museau, juste au-dessus des dents, un coup terrible du talon de la main. N'importe quel humain aurait entendu les os de son nez se briser et senti l'explosion de cartilage remonter jusqu'à son cerveau.

Le gritche voulut happer le poignet de Kassad, manqua son coup et lança ses quatre mains vers les épaules et la tête de son adversaire.

Haletant, la sueur et le sang jaillissant à flots sous l'armure de vif-argent, Kassad pivota de gauche à droite une fois, deux fois, et accompagna le mouvement d'une manchette meurtrière sur la nuque courte de la créature. Le bruit de l'impact résonna dans la vallée figée comme le bruit d'une cognée lancée de plusieurs kilomètres de haut vers le cœur d'un séquoia de métal.

Le gritche tomba en avant, puis roula sur le dos comme un crustacé à la carapace d'acier.

Il l'avait terrassé !

Kassad fit un pas en avant, les genoux toujours fléchis, sur ses gardes, mais pas suffisamment. Le pied blindé du gritche, ou encore une griffe ou un foutu piquant, faucha la cheville de Kassad et lui fit presque perdre son équilibre.

Il sentit cruellement la douleur. Son tendon d'Achille avait été sectionné. Il essaya de rouler sur le côté, mais la créature s'était relevée et se jetait sur lui, tous ses piquant et toutes ses lames convergeant vers ses yeux, son visage et sa cage thoracique. Grimaçant de douleur, replié sur lui-même dans un vain effort pour projeter le monstre loin de lui, Kassad parvint à bloquer quelques coups, sauva ses yeux et sentit plusieurs lames s'enfoncer dans ses avant-bras, son thorax et son abdomen.

Le gritche était au-dessus de lui, la gueule ouverte. Kassad apercevait les rangées de dents de métal qui garnissaient la caverne rouge qui servait de bouche au monstre. Tout était teinté de rouge à travers sa vision déjà mêlée de sang.

Il réussit à insérer le talon de sa main droite sous la mâchoire du monstre et essaya de faire pression sur elle. C'était comme s'il essayait de soulever une montagne de lames d'acier sans avoir un bon point d'appui. Pendant ce temps, les bistouris du gritche continuaient de lui labourer les chairs. Le monstre ouvrit de nouveau la gueule et pencha la tête jusqu'à ce que le champ de vision de Kassad ne soit rempli, d'une oreille à l'autre, que de rangées de dents. La créature n'avait pas d'haleine, mais la chaleur de sa fournaise intérieure avait une odeur de soufre et de limaille d'acier portée à haute température. Kassad ne possédait plus aucune défense. Lorsque le monstre refermerait sa gueule, il lui entamerait la chair du visage jusqu'à l'os.

Soudain, Monéta apparut, hurlante dans ce lieu où le son ne portait pas, enfonçant dans les yeux à facette du monstre ses doigts recourbés comme des griffes, les pieds fermement plantés dans le dos du gritche, au-dessous de l'épine, le tirant en arrière de toutes ses forces.

Les bras du monstre frappèrent en arrière, articulés comme ceux d'un crabe de cauchemar. Les lames fauchèrent Monéta, qui lâcha prise, mais pas avant que Kassad pût se libérer, ignorant la douleur, pour se relever et entraîner la fille un peu plus loin, à travers les sables et la roche figée.

Un instant, leurs combinaisons fusionnèrent, comme lorsqu'ils avaient fait l'amour. Il sentit sa chair contre la sienne, son sang et sa sueur contre les siens. Les battements de leurs deux cœurs étaient confondus.

Tue-le, souffla Monéta, dont la douleur était audible même en mode subvocal.

Je fais ce que je peux. Je fais ce que je peux.

Le gritche s'était relevé. Trois mètres d'acier chromé et de lames couvertes du sang et de la douleur des hommes. Il ne semblait souffrir d'aucun dommage majeur. Le sang de quelqu'un d'autre coulait en étroits ruisseaux le long de ses poignets et de sa carapace. Son rictus sans âme semblait plus large que précédemment.

Kassad sépara son armure de celle de Monéta. Il la posa doucement sur un rocher, bien qu'il se sût plus touché qu'elle. Mais ce n'était pas son combat à elle. Pas encore.

Il s'interposa entre celle qu'il aimait et le gritche.

Il hésita. Un murmure faible mais d'intensité croissante parvenait à ses oreille, comme la marée qui monte à l'assaut d'un rivage invisible. Il leva les yeux, sans toutefois perdre de vue le gritche qui avançait lentement, et se rendit compte que la rumeur provenait de l'arbre aux épines qui se trouvait au loin derrière le monstre. Les malheureux qui y étaient empalés et qui formaient sur les branches de petites taches colorées ne gémissaient plus sur le même registre de douleur que précédemment. Ils étaient en train de lui faire une ovation à leur manière.

Il reporta son attention sur le gritche, qui opérait un mouvement tournant. Il sentait la douleur et la faiblesse s'installer dans son talon cruellement entaillé. Son pied droit était devenu inutile, incapable de porter son poids. Il se servit du pied gauche et de la main appuyée sur le rocher pour pivoter en même temps que le monstre de manière à protéger Monéta.

La rumeur lointaine s'arrêta, comme une respiration retenue.

Le gritche cessa d'être là où il était pour se trouver sur Kassad, les bras refermant déjà leur étreinte mortelle, les lames et les piquants s'enfonçant déjà dans ses chairs. Les yeux du monstre semblaient émettre leur propre lumière. Ses mâchoires s'ouvrirent de nouveau.

Kassad lança un cri de rage et de défi, et frappa de toutes ses forces.

Le père Paul Duré franchit sans incident la Porte du Pape et se retrouva sur le Bosquet de Dieu. Quittant la pénombre chargée d'encens des appartements pontificaux, il eut du mal à s'adapter à la riche lumière diffusée par un ciel citron au-dessus d'un paysage de verdure éclatante.

Les Templiers l'attendaient tandis qu'il émergeait du terminal distrans privé. Il voyait le bord de la plate-forme en bois de vort à cinq mètres de lui sur la droite. Au-delà, il n'y avait plus rien. Ou, plutôt, il y avait toute la voûte feuillue du Bosquet de Dieu, qui s'étendait jusqu'à l'horizon de la planète. Le sommet des arbres miroitait comme la surface d'un océan. Duré savait qu'il se trouvait au sommet de l'Arbre-monde, le plus haut et le plus sacré de tous les arbres que les Templiers vénéraient.

Ceux qui étaient venus l'accueillir comptaient parmi les plus importants dans la hiérarchie complexe de la Fraternité du Muir. Ils ne lui servirent cependant, pour le moment, que de guides. Ils le conduisirent à un ascenseur entouré de lianes et de plantes grimpantes, qui s'éleva vers les niveaux où peu de non-Templiers avaient eu accès dans le passé. Puis ils suivirent une passerelle qui débouchait sur un escalier bordé d'une rampe sculptée dans un magnifique bois de muir. Ils grimpèrent en spirale autour d'un tronc dont le diamètre allait en diminuant, de deux cents mètres à la base jusqu'à moins de huit mètres dans les sommets où ils se trouvaient. La plate-forme en bois de vort était exquisément ouvragée. Les rampes formaient de délicates arabesques de lianes sculptées à la main. Les piliers et balustrades s'ornaient de têtes de gnomes, lutins et autres esprits des bois. La table et les fauteuils dont le père Duré s'approchait maintenant étaient sculptés d'une seule pièce avec la plate-forme circulaire.

Deux hommes l'attendaient. Le premier était celui à qui Duré voulait parler, la Voix Authentique de l'Arbre-monde, le grand prêtre du Muir, le porte-parole de la Fraternité des Templiers, Sek Hardeen. Le second constituait une surprise. Duré remarqua d'abord la robe rouge, couleur de sang artériel, bordée d'hermine noire. Le Lusien qui la portait était gras, le visage tout en bajoues, le nez énorme et busqué, les petits yeux ronds perdus au milieu de toute ces replis de chair. Ses deux mains adipeuses étaient ornées d'anneaux rouges et noirs, en alternance, à chaque doigt. Duré savait qu'il avait devant lui l'évêque de l'Église de l'Expiation Finale, le grand prêtre du culte gritchtèque.

Le Templier se leva. Du haut de ses deux mètres, il déclara en tendant la main au père Duré :

— Nous sommes heureux que vous ayez pu vous joindre à nous.

En lui serrant la main, Duré eut l'impression de toucher une vieille racine. Ses longs doigts effilés avaient une couleur jaunâtre. La Voix Authentique de l'Arbre-monde portait la même robe à capuche que Het Masteen, et sa couleur verte à liseré brun formait un fort contraste avec la tenue flamboyante de l'évêque.

— Merci de me recevoir sans rendez-vous, H. Hardeen, murmura Duré.

La Voix Authentique était le chef spirituel de plusieurs millions d'adeptes du Muir, mais Duré savait que les Templiers détestaient l'usage de titres honorifiques lorsque l'on s'adressait à eux. Il se tourna vers l'évêque pour ajouter :

— Votre Éminence, j'ignorais que j'allais avoir l'honneur de me trouver en votre présence.

L'évêque du culte gritchtèque eut un hochement de tête presque imperceptible.

– Je suis ici en visite. H. Hardeen a émis l'idée que cette rencontre pourrait présenter un certain intérêt pour moi. Je suis heureux de faire votre connaissance, père Duré. Nous avons beaucoup entendu parler de vous au cours de ces dernières années.

Le Templier indiqua un siège de l'autre côté de la table en bois de muir. Duré s'assit, joignant les mains sur la surface polie du bois dont il fit mine d'admirer le grain pendant qu'il réfléchissait à toute vitesse. La moitié des forces de sécurité du Retz était à la recherche de l'évêque. Sa présence ici annonçait des complications qui dépassaient de loin celles que le jésuite s'attendait à affronter.

– Intéressant, n'est-ce pas? demanda l'évêque. Trois des religions les plus profondément ancrées dans l'histoire de l'humanité sont représentées autour de cette table.

– Profondément ancrées, sans doute, répliqua Duré. Mais elles ne représentent guère les croyances de la majorité des humains. Sur près de cent cinquante milliards d'âmes, l'Église catholique en représente moins d'un million. Le culte du... euh... l'Église de l'Expiation Finale, entre cinq et dix millions, je pense. Et combien de Templiers, H. Hardeen?

– Vingt-trois millions, répondit la Voix de l'Arbremonde d'un ton doux. Beaucoup d'autres partagent nos vues écologiques et voudraient sans doute rejoindre nos rangs, mais notre Fraternité n'est pas ouverte aux masses.

L'évêque frotta l'un de ses multiples mentons. Il avait la peau laiteuse, et ses petits yeux clignaient comme s'ils n'étaient pas habitués à la lumière du jour.

– Les gnostiques zen prétendent compter quarante millions d'adeptes, grogna-t-il. Mais de quelle sorte de religion s'agit-il, je vous le demande? Ils n'ont ni prêtres, ni Église, ni livre saint, ni concept de péché.

Duré sourit.

– C'est sans doute pour cela qu'ils sont en prise avec l'époque. Et que cela dure depuis quelques générations.

– Bah!

L'évêque abattit sa main molle sur la table. Duré fit la grimace en entendant le choc des bagues sur le bois précieux.

– Comment se fait-il que vous sachiez qui je suis? demanda-t-il.

Le Templier releva la tête juste assez pour que le prêtre

pût voir une tache de soleil sur son nez, ses joues et la ligne effilée du menton dans l'ombre du capuchon. Mais il demeura muet.

– C'est nous qui vous avons choisi, grommela l'évêque. Vous et les autres pèlerins.

– Vous voulez dire l'Église gritchtèque? demanda Duré.

L'évêque fronça les sourcils devant cette appellation, mais hocha la tête sans rien dire.

– Pourquoi toutes ces émeutes? demanda Duré. Pourquoi créer ces troubles au moment où l'Hégémonie est menacée par ses ennemis?

Lorsque l'évêque frotta de nouveau les replis adipeux de son menton, les gemmes rouges et noires de ses bagues jetèrent des feux dans la lumière de fin d'après-midi. Derrière lui, un million de feuilles frémissaient sous la brise qui apportait les senteurs de la végétation mouillée par la pluie.

– Les Derniers Jours sont arrivés, prêtre. Les prophéties faites par l'Avatar il y a plusieurs siècles sont en train de se réaliser sous nos yeux. Ce que vous appelez des émeutes sont les premières affres de mort d'une société qui a mérité de périr. Les Jours de l'Expiation sont venus, et le Seigneur de la Douleur marchera bientôt parmi nous.

– Le Seigneur de la Douleur, répéta Duré. Le gritche...

Le Templier fit un geste conciliant de la main gauche, comme s'il essayait de minimiser la portée des mots employés par l'évêque.

– Père Duré, dit-il, nous sommes au courant de votre résurrection miraculeuse.

– Miraculeuse? Certainement pas. Elle est due au caprice d'un parasite appelé cruciforme.

De nouveau, le Templier agita ses longs doigts jaunâtres.

– Quel que soit le nom que vous donnez à la chose, père Duré, la fraternité se réjouit de vous revoir parmi nous. Veuillez maintenant, je vous prie, nous exposer les motifs de votre visite.

Duré frotta des mains le bois lisse de son fauteuil, puis jeta un coup d'œil à la masse rouge et noir de l'évêque affalé en face de lui.

– Il y a longtemps que vos deux organisations travaillent la main dans la main, n'est-ce pas? La Fraternité des Templiers et l'Église gritchtèque...

– L'Église de l'Expiation Finale, corrigea l'évêque de sa voix grave et tremblotante.

– Et pour quelle raison? continua Duré après avoir hoché distraitement la tête. Qu'est-ce qui vous unit dans tout cela?

La Voix Authentique de l'Arbre-monde se pencha en avant. Sous la capuche, son visage était entièrement plongé dans l'ombre.

– Il faut que vous compreniez, père Duré, que les prophéties de l'Église de l'Expiation Finale recoupent la mission que nous a confiée le Muir. Elles sont les seules à contenir la clé du châtiment qui attend l'humanité pour avoir détruit son monde natal.

– L'humanité n'est pas la seule responsable de la destruction de l'Ancienne Terre, répliqua Duré. Ce sont les ordinateurs du Groupe de Kiev qui ont eu une défaillance lors de la tentative de création d'un mini-trou noir.

Le Templier secoua la tête.

– Mettez plutôt cela sur le compte de l'arrogance humaine, dit-il d'une voix douce. Cette même arrogance qui a poussé notre race à détruire toutes les espèces qui auraient eu la moindre chance d'atteindre un jour un stade d'intelligence dans leur évolution. Les Aluites seneshiens d'Hébron; les zeplins de Whirl; les centaures des marais de Garden; les grands singes de l'Ancienne Terre...

– Je sais, murmura Duré. Beaucoup d'erreurs ont été commises. Mais cela doit-il nécessairement condamner l'humanité à périr?

– La sentence a été prononcée par une puissance qui nous est de très loin supérieure, fit l'évêque de sa voix résonnante. Les prophéties sont précises et explicites. Le jour de l'Expiation Finale va arriver. Tous ceux qui ont hérité des péchés d'Adam et de Kiev doivent subir les conséquences de l'assassinat de leur propre planète et de l'extermination des autres espèces. Le Seigneur de la Douleur a été libéré des entraves du temps pour pouvoir exécuter la sentence. Il est impossible d'échapper à son courroux. Impossible d'échapper à l'Expiation. C'est une puissance plus forte que nous qui l'a décrété.

– C'est vrai, renchérit Sek Hardeen. Les prophéties nous ont été transmises par les Voix Authentiques à travers les générations. L'humanité est condamnée. Mais sur les ruines de ce que l'on appelle aujourd'hui l'Hégémonie fleuriront de nouveaux empires libres de tout péché et de toute souillure.

Rompu à la dialectique jésuite, familier de la théologie évolutionnaire de Teilhard de Chardin, le père Duré fut néanmoins tenté de dire : *Mais qu'est-ce que ça peut faire, que les fleurs poussent, si personne n'est là pour les voir et pour les sentir ?* Au lieu de cela, les mots qui sortirent de ses lèvres furent :

— Avez-vous envisagé la possibilité que ces prophéties, au lieu de constituer une révélation divine, ne soient qu'une tentative de manipulation par une puissance séculière ?

Le Templier eut un mouvement de retrait dans son fauteuil, comme s'il venait de recevoir un violent soufflet. L'évêque, au contraire, se pencha en avant, serrant ses deux poings lusiens qui auraient pu broyer le crâne de Duré en lui assénant un seul coup.

— Hérésie ! hurla-t-il. Celui qui ose nier les révélations mérite la mort !

— Quelle puissance serait capable de faire une telle chose ? demanda d'une voix troublée la Voix Authentique de l'Arbre-monde. Quelle autre puissance que l'Absolu du Muir pourrait entrer dans nos cœurs et dans nos esprits ?

Duré leva une main vers le ciel.

— Tous les mondes du Retz sont réunis depuis des générations par l'intermédiaire de l'infosphère du TechnoCentre. La presque totalité des humains qui exercent un certain degré d'influence ont sur eux des implants qui leur facilitent les communications. N'est-ce pas votre cas, H. Hardeen ?

Le Templier ne répondit pas, mais Duré perçut le léger frémissement de ses doigts, comme s'il allait se frapper la poitrine et le haut du bras aux endroits où les micro-implants se trouvaient depuis des dizaines d'années.

— Le TechnoCentre a créé une Intelligence... transcendantale, continua Duré. Elle consomme des quantités incroyables d'énergie, et elle est capable de se déplacer en avant et en arrière dans le temps. Elle n'est pas concernée par les motivations humaines. L'un des objectifs d'une fraction non négligeable des personnalités du Centre était l'élimination pure et simple de l'humanité. En fait, il y a de fortes chances pour que la Grande Erreur du Groupe de Kiev ait été délibérément provoquée par des IA participant au programme. Ce que vous appelez prophéties n'est peut-être que la voix de ce *deus ex machina* qui vous est parvenue par l'intermédiaire de l'infosphère. Le gritche n'est peut-être pas là pour faire expier ses péchés à l'humanité, mais pour massacrer des hommes, des femmes et des enfants aux seules fins de satisfaire les visées personnelles d'une machine.

Le visage adipeux de l'évêque était devenu aussi écarlate que sa robe. Ses poings s'abattirent sur la table, et il chercha, laborieusement, à se mettre debout. Mais le Templier posa la main sur son bras, en le forçant presque à se rasseoir.

– Qui vous a inspiré ces idées? demanda Sek Hardeen.

– Certains membres du pèlerinage qui ont accès au Centre. Et... d'autres sources, également.

L'évêque secoua le poing en direction du prêtre.

– Vous-même, vous avez été touché par l'Avatar. Et pas une seule fois, mais *deux*! Il vous a conféré une sorte d'immortalité pour que vous puissiez voir le sort réservé aux *Élus*... ceux qui se préparent à l'Expiation avant l'avènement des Derniers Jours!

– Le gritche ne m'a conféré que des souffrances, répliqua Duré. Des souffrances et des tortures qui dépassent tout ce que l'on peut imaginer. Il est vrai que j'ai rencontré deux fois ce monstre. Et je sais, au plus profond de mon cœur, qu'il n'est ni diabolique ni divin, mais qu'il s'agit d'une quelconque machine organique venue d'un terrible futur.

– Bah! fit l'évêque avec un geste de dérision.

Croisant les bras, il laissa porter son regard au loin, dans le vague, par-dessus la balustrade de la plate-forme.

Le Templier semblait avoir reçu un choc. Au bout d'un moment, il releva la tête pour murmurer :

– Vous aviez une question précise à me poser?

Duré prit une longue inspiration.

– En effet. Et aussi, malheureusement, une triste nouvelle à vous apporter. Het Masteen, la Voix de l'Arbre Authentique, est mort.

– Nous le savions.

Duré fut surpris. Il ne comprenait pas comment ils avaient obtenu l'information. Mais cela n'avait plus d'importance, maintenant.

– Ce que je voulais vous demander, dit-il, c'est pourquoi il participait au pèlerinage. Quelle était la mission qu'il n'a pas pu accomplir avant de mourir? Chacun de nous a raconté son... histoire. Het Masteen est le seul à n'avoir pas pu le faire. J'ai le sentiment, je ne sais pas pourquoi, que la clé de bien des mystères réside dans ce qui lui est arrivé.

L'évêque se tourna vers lui pour lui dire d'un ton méprisant :

– Nous n'avons pas à vous dire quoi que ce soit, petit prêtre d'une religion moribonde.

Sek Hardeen garda le silence un long moment avant de répondre :

– H. Masteen était volontaire pour porter la Parole du Muir sur Hypérion. La prophétie implantée depuis des siècles au cœur de nos croyances annonce qu'à l'avènement des temps troublés, une Voix de l'Arbre Authentique devra conduire son vaisseau-arbre sur le Monde Sacré pour y assister à sa destruction, puis à sa renaissance en tant que véhicule du message de l'Expiation et du Muir.

– Ainsi, Het Masteen savait d'avance que le vaisseau-arbre *Yggdrasill* allait être détruit en orbite ?

– Oui. Les prédictions l'affirmaient.

– Et il comptait, avec son erg à champ de force, trouver sur place un nouveau vaisseau ?

– Oui, fit le Templier d'une voix presque inaudible. Un Arbre de l'Expiation que l'Avatar devait lui fournir.

Duré se laissa aller en arrière contre le dossier de son siège, hochant lentement la tête.

– Un Arbre de l'Expiation. L'arbre aux épines. Het Masteen a été psychiquement atteint par la destruction de l'*Yggdrasill*. Il a été conduit dans la vallée des Tombeaux du Temps, où on lui a montré l'arbre aux épines du gritche. Mais il n'était pas disposé, peut-être parce qu'il avait perdu une partie de ses moyens, à faire ce qui lui était demandé. L'arbre aux épines est habité par la mort, la souffrance et la torture. Het Masteen ne pouvait pas en accepter le commandement. Il a peut-être refusé. Quoi qu'il en soit, il a fui. Et il a trouvé la mort. Je m'en doutais un peu. Mais je n'avais pas idée de ce que le gritche avait pu lui proposer.

– Que racontez-vous ? tonna l'évêque. L'Arbre de l'Expiation est décrit dans les prophéties. Il accompagnera l'Avatar pour sa moisson finale. Het Masteen était prêt à accepter cette mission. Il aurait été honoré de commander le vaisseau et de le piloter à travers l'espace et le temps.

Paul Duré secoua la tête sans rien dire.

— Avons-nous répondu à votre question ? demanda Sek Hardeen.

— Oui.

— Dans ce cas, répondez maintenant à la nôtre, fit l'évêque. Qu'est devenue la Mère ?

— La mère ? Quelle mère ?

— Celle de notre Salut. Notre-Dame de l'Expiation. Celle que vous appelez Brawne Lamia.

Duré essaya de se remémorer le contenu des feuillets que lui avait remis le consul et qui résumaient les récits faits par les pèlerins sur la route d'Hypérion. Brawne était enceinte de l'enfant du premier cybride de Keats. Le Temple gritchtèque, sur Lusus, l'avait sauvée de la foule en furie et lui avait fait rejoindre le pèlerinage. Elle mentionnait, quelque part dans son récit, que les fidèles de l'Église gritchtèque lui avaient manifesté un grand respect. Duré essaya d'incorporer tous ces détails à la mosaïque confuse de tout ce qu'il avait déjà appris, mais il n'y parvint pas. Il était beaucoup trop fatigué. Et son cerveau, se disait-il, était diminué par sa prétendue résurrection. Il n'était plus et il ne serait plus jamais l'intellectuel que Paul Duré avait jadis été.

— Brawne était dans le coma, expliqua-t-il. Le gritche, de toute évidence, s'était emparé de son esprit et l'avait reliée à une sorte de... câble. D'après les appareils, son état équivalait à la mort cérébrale. Mais le fœtus était vivant, et en bonne santé.

— Et la personnalité qu'elle portait en elle ? demanda l'évêque d'une voix tendue.

Duré se souvint de ce que lui avait dit Severn à propos de la mort de cette personnalité dans la mégasphère. De toute évidence, les deux hommes qui se trouvaient devant lui n'étaient pas au courant de l'existence d'une seconde personnalité keatsienne, celle de Severn, qui devait être, en ce moment même, en train de mettre Gladstone en garde contre les propositions du TechnoCentre. Il secoua la tête. Il se sentait incroyablement las.

— J'ignore tout de la personnalité qu'elle portait dans sa boucle de Schrön, dit-il. Le câble — cette chose à laquelle le gritche l'avait attaché — semblait pénétrer dans son orifice crânien exactement comme une dérivation corticale.

L'évêque hocha la tête, visiblement satisfait.

– Les prophéties s'accomplissent l'une après l'autre, dit-il. Vous avez rempli votre office de messager, Duré. À présent, je dois vous quitter.

Le gros homme se leva, inclina la tête en direction de la Voix Authentique de l'Arbre-monde, puis s'éloigna sur la plate-forme en direction de l'escalier qui conduisait à l'ascenseur et au terminal.

Duré demeura silencieux plusieurs minutes devant le Templier. Le bruit du vent dans les frondaisons et le mouvement de balancement de la plate-forme étaient merveilleusement reposants. Le jésuite se serait bien endormi ici même. Au-dessus de lui, la voûte céleste prenait une délicate couleur de safran tandis que le crépuscule descendait sur le Bosquet de Dieu.

– Ce que vous avez dit sur un *deus ex machina* qui nous tromperait depuis des générations par ses fausses prophéties est une terrible hérésie, lui dit enfin le Templier.

– Je sais. Mais les hérésies, dans la longue histoire de mon Église, ont fini plus d'une fois par être acceptées comme de tristes vérités, Sek Hardeen.

– Si vous étiez un Templier, j'aurais pu vous faire mettre à mort, lui dit le personnage encapuchonné sans élever la voix.

Duré soupira. À son âge, dans sa situation et dans l'état d'épuisement où il se trouvait, l'idée de la mort ne pouvait soulever aucune peur dans son cœur. Il se leva et s'inclina légèrement.

– Je dois prendre congé, maintenant, dit-il. Pardonnez-moi si je vous ai offensé par mes propos. Nous vivons des temps très troublés, et encore plus troublants.

Les meilleurs manquent de foi, récita-t-il en son for intérieur, tandis que les pires sont animés d'une passion intense.

Il se détourna pour marcher jusqu'au bord de la plate-forme. Puis il s'arrêta net.

L'escalier avait disparu. Trente mètres à la verticale et quinze mètres de vide à l'horizontale le séparaient de la plate-forme de l'ascenseur. L'Arbre-monde plongeait sur plus de mille mètres dans l'obscurité feuillue qui les séparaient de la terre ferme. La Voix Authentique de l'Arbre-monde et lui étaient isolés ici, sur la plus haute plate-forme. Duré s'avança jusqu'à la balustrade la plus proche, leva son front soudain couvert de sueur dans la brise du soir, et aperçut les premières étoiles qui pointaient dans le ciel outremer.

– Que se passe-t-il, Sek Hardeen?

La silhouette au visage encapuchonné était entièrement enrobée de pénombre.

– Dans dix-huit minutes standard, le monde d'Heaven's Gate va tomber entre les mains des Extros. Nos prophéties disent qu'il sera détruit. Son réseau distrans le sera certainement, et ses mégatransmetteurs également. En tout état de cause, cette planète, pour nous, aura cessé d'exister. Exactement une heure standard plus tard, le ciel du Bosquet de Dieu s'embrasera sous les feux de fusion des vaisseaux extros. Toujours d'après nos prophéties, tous les membres de la Fraternité qui resteront ici – de même que les autres, bien que tous les citoyens de l'Hégémonie aient été évacués depuis longtemps par le réseau distrans – périront.

Duré retourna lentement jusqu'à la table en bois de muir.

– Il est indispensable que je gagne immédiatement Tau Ceti Central, dit-il. Severn... Quelqu'un m'attend là-bas. Je dois m'entretenir d'urgence avec la Présidente Gladstone.

– Non, fit Hardeen. Nous resterons ici ensemble. Nous verrons bien si les prophéties se réalisent.

Le jésuite, de frustration, serra les poings, luttant contre l'envie de se jeter sur le Templier pour le frapper. Il ferma les yeux et récita deux *Ave*. Sans grand effet.

– Je vous en supplie, dit-il. Que je sois là où ailleurs ne changera rien à l'accomplissement de vos prophéties. Mais, pour moi, il sera trop tard. Les vaisseaux-torches de la Force auront détruit la sphère de singularité, et les terminaux distrans n'existeront plus. Nous serons coupés du Retz pour des années. Des milliards de vies dépendent de mon retour immédiat à Tau Ceti Central.

Le Templier croisa les bras. Ses mains aux longs doigts effilés disparaissaient entièrement dans les plis de sa robe.

– Nous attendrons, dit-il. Tout ce qui a été prédit se produira. Dans quelques minutes, le Seigneur de la Douleur se répandra dans le Retz. Je ne partage pas la croyance de l'évêque selon laquelle ceux qui ont pratiqué l'Expiation seront finalement épargnés. Nous serons mieux ici, père Duré. La fin sera plus rapide et sans douleur.

Duré chercha, dans son esprit fatigué, un argument décisif à lui opposer, mais n'en trouva pas. Il contempla la silhouette encapuchonnée qui se tenait devant lui. Le monde-forêt du Bosquet de Dieu frémit une dernière fois sous la brise du soir, puis sembla retenir son souffle en attente de ce qui allait suivre.

Le père Duré ferma les yeux et pria.

37

Nous marchons toute la journée, Hunt et moi. Vers la fin du jour, nous découvrons une auberge où un repas a été préparé, visiblement à notre intention. Volaille, macaroni, choux-fleur, pudding au riz, etc. Il n'y a toujours personne. Aucun signe de présence malgré la cuisinière encore chaude et le feu, dans la cheminée, où les bûches sont presque intactes.

Tout cela ne fait qu'accroître la nervosité de Hunt. Cela et, sans doute, l'état de manque où il se trouve du fait qu'il n'est plus en contact avec l'infosphère. J'imagine ce qu'il ressent. Pour quelqu'un comme lui, qui a toujours vécu dans un monde où l'information est à portée de la main, où la communication avec n'importe qui, n'importe où, est considérée comme un fait acquis, et où les distances à parcourir n'excèdent jamais la plus proche station distrans, cette soudaine régression vers une existence semblable à celle que nos ancêtres ont connue équivaut sans doute à se réveiller soudain paralysé et aveugle. Mais après avoir tempêté et ragé durant nos quelques heures de marche, il avait fini par se retrancher derrière une moue sombre et taciturne.

– La Présidente a besoin de moi! ne cessait-il de répéter durant la première heure.

– Elle a également besoin des informations que je lui apportais. Mais c'est ainsi, nous ne pouvons rien y faire.

– Où sommes-nous donc?

C'était au moins la dixième fois qu'il demandait cela. Je lui avais déjà parlé de la réplique de l'Ancienne Terre, mais je savais que ce n'était pas cela qui l'intéressait maintenant.

– Nous sommes en quarantaine, je pense.

– Et c'est le Centre qui nous a transportés ici?

– On peut le supposer.

– Comment fait-on pour quitter ce monde?

– Je l'ignore. Il est probable qu'une porte distrans apparaîtra quand ils jugeront que la quarantaine ne sert plus à rien.

Hunt jura entre ses dents.

– Pourquoi moi, Severn? Pourquoi veulent-ils me maintenir en quarantaine?

Je haussai les épaules. Je supposais que c'était parce qu'il avait entendu ce que j'avais dit à propos de Pacem, mais je n'en étais pas sûr. Je ne pouvais être sûr de rien.

La route traversait des prés et des vignobles. Elle sinuait à travers des collines basses et des vallées d'où l'on apercevait quelquefois la mer.

– Où mène ce chemin, d'après vous? me demanda Hunt peu avant notre découverte de l'auberge.

– Tous les chemins mènent à Rome.

– Je ne plaisante pas, Severn.

– Moi non plus, H. Hunt.

Il ramassa un caillou au bord de la route et le lança au loin dans les buissons. Quelque part, une grive fit entendre son chant.

– Vous êtes déjà venu ici?

Il y avait une accusation dans sa voix, comme si je l'avais kidnappé. Ce qui n'était pas impossible, après tout.

– Non, répondis-je.

Mais Keats, oui, avais-je failli ajouter. Mes souvenirs transplantés affluaient à la surface, ils m'envahissaient presque de leur sentiment de perte et de mortalité omniprésente. Si loin de ses amis, si loin de Fanny, son unique et éternel amour.

– Vous êtes sûr que vous n'avez pas accès à l'infosphère?

– Sûr et certain.

Il n'avait pas parlé de la mégasphère, et je ne me sentais pas obligé de lui donner le renseignement. L'idée de pénétrer dans la mégasphère et de m'y perdre me terrifie trop.

Nous découvrîmes l'auberge au moment où le soleil se couchait. Elle était nichée au creux d'un vallon, et on voyait de la fumée qui montait de la cheminée de pierre.

Nous mangeâmes dans la pénombre. L'obscurité se pressait contre les carreaux. La seule lumière dont nous disposions, à part le feu qui brûlait dans l'âtre, était celle de deux chandelles posées sur un rebord de pierre.

– Cet endroit me ferait presque croire aux fantômes, me dit-il.

– J'y crois déjà, moi, répliquai-je.

C'est la nuit. Je me réveille secoué par une quinte de toux. Je sens quelque chose d'humide sur mon torse nu. J'entends Hunt qui tâtonne pour trouver la chandelle. Lorsqu'il l'allume, je vois du sang sur moi et sur les draps.

– Mon Dieu! murmure Hunt, horrifié. Qu'est-ce que c'est? Que se passe-t-il?

– Une hémorragie...

Une nouvelle quinte m'empêche de continuer. Elle me laisse épuisé et un peu plus couvert de sang. Je tente de me lever, mais ma tête retombe sur l'oreiller. Je tends la main en direction de la cuvette d'eau et de la serviette posées sur la table de nuit.

– Merde! fait Hunt.

Il cherche mon persoc pour avoir un diagnostic, mais je n'en ai plus. Je me suis débarrassé sur la route, avant d'arriver à l'auberge, de l'instrument encombrant que m'avait donné Hoyt.

Hunt retire son propre persoc, en règle l'affichage et me le passe au poignet. Mais il est incapable d'interpréter les paramètres. Tout ce qu'il peut apprendre de l'instrument, c'est que j'ai besoin de soins immédiats. Comme tous les gens de sa génération, Hunt n'a jamais été confronté au spectacle de la maladie ou de la mort. Ce sont des questions professionnelles, qui sont réglées à l'écart des masses.

– Ce n'est rien, lui dis-je dans un souffle rauque.

La toux est passée, mais la fatigue pèse sur moi comme un manteau de pierre. Je tends de nouveau la main vers la serviette. Hunt la mouille et essuie le sang sur mon torse et mes bras. Il m'aide à me lever et à m'asseoir sur l'unique siège de la chambre pendant qu'il retire les draps et les couvertures souillés.

– Vous comprenez ce qui se passe? me demande-t-il d'un ton sincèrement préoccupé.

– Oui, lui dis-je en essayant de sourire. Précision des détails. Vraisemblance. L'ontogénie résume la phylogénie.

– Parlez clairement! fait-il sèchement en m'aidant à me recoucher. Quelle est la cause de cette hémorragie? Que puis-je faire pour vous aider?

– Me donner un verre d'eau, s'il vous plaît.

Je bois lentement. Je sens la toux monter lentement dans ma poitrine et dans ma gorge, mais je lutte pour ne pas céder à une nouvelle quinte. J'ai l'impression d'avoir le ventre en feu.

– Qu'est-ce qui vous arrive? insiste Hunt.

Je réponds lentement, en choisissant soigneusement mes mots, comme si j'avançais les pieds sur un terrain miné. La toux ne monte pas davantage.

– C'est une maladie appelée phtisie. Tuberculose. Au stade final, d'après l'hémorragie.

Le visage de basset du conseiller de Gladstone est devenu blême.

– Bon Dieu! Je n'ai jamais entendu parler de ça.

Il tend le poignet comme pour consulter son persoc, mais s'aperçoit qu'il ne l'a plus sur lui. Je lui rends l'instrument en ajoutant :

– C'est une maladie qui n'existe plus depuis des siècles. John Keats en souffrait. Il en est mort. Et ce cybride est celui de Keats.

Hunt se tourne vers la porte comme s'il voulait courir chercher de l'aide.

– Le Centre va certainement nous laisser repartir, maintenant! Ils ne peuvent pas vous obliger à rester sur ce monde sans aucun secours médical!

Je laisse aller ma tête en arrière contre le moelleux oreiller. Sous la toile, je sens le duvet.

– C'est sans doute précisément pour cela qu'ils me gardent ici. Nous verrons bien demain, quand nous arriverons à Rome.

– Mais vous n'êtes pas en état de voyager! Il n'est pas question de quitter cette auberge demain.

– On verra.

Je ferme les yeux.

Au matin, une *vettura* nous attend dans la rue. Une grosse jument grise y est attelée. Elle roule les yeux à notre approche. Son haleine est visible dans l'air glacé du matin.

– Et ça, qu'est-ce que c'est encore? me demande Hunt.

– Un cheval.

Il tend la main vers l'animal comme s'il s'attendait, en lui touchant le flanc, à le voir disparaître comme une bulle de savon qu'on crève. Mais l'animal est bien réel. Hunt retire précipitamment sa main lorsque la jument renâcle en agitant la queue.

– Les chevaux sont une race disparue, me dit Hunt. Leur ARN n'a jamais été reconstitué.

– Celui-ci a pourtant l'air bien réel, lui dis-je en grimpant dans la calèche pour m'asseoir sur la banquette étroite.

Hunt prend place à côté de moi. Ses longs doigts s'agitent nerveusement.

– Qui va conduire? Où sont les commandes?

Il n'y a pas de rênes. La place du cocher est vide.

– Voyons si le cheval connaît le chemin.

Au moment même où je prononce ces mots, la voiture se met lentement en route. Les roues sautent sur chaque pavé de la chaussée rudimentaire.

– C'est une plaisanterie qu'on nous fait, n'est-ce pas? me demande Hunt.

Il lève la tête vers le ciel bleu sans nuages au-dessus des champs cultivés. Je tousse, aussi discrètement que possible, dans un mouchoir que j'ai taillé dans l'une des serviettes de l'auberge.

– C'est possible. Mais qu'est-ce qui ne l'est pas?

Il ignore mon sophisme, et nous continuons de tressauter sur les cailloux de la route vers ce que le destin nous réserve.

– Où sont Hunt et Severn? demande Meina Gladstone.

Sedeptra Akasi, la jeune femme noire qui était la plus proche collaboratrice de Gladstone après Hunt, se pencha pour ne pas perturber la réunion avec les militaires.

– Toujours pas de nouvelles, H. Présidente.

– C'est impossible! Severn est muni d'un traceur, et Hunt s'est distransporté sur Pacem il y a moins d'une heure. Où diable sont-ils passés?

Akasi jeta un coup d'œil au mémofax qu'elle avait déployé sur la table.

– La sécurité les a perdus. La police des transits n'a pas pu retrouver leur trace. Tout ce que le terminal distrans a retenu, c'est qu'ils avaient correctement entré le code de TC^2. Ils ont franchi la porte, mais ils ne sont jamais arrivés ici.

– Impossible!

– Je sais, H. Présidente.

– Je veux parler à Albedo ou à n'importe quel autre conseiller IA dès que cette réunion sera terminée.

– Entendu.

Les deux femmes reportèrent leur attention sur la conférence. Le Centre de Commandement Tactique de la Maison du Gouvernement avait été relié à la salle du conseil de guerre du Commandement d'Olympus ainsi qu'à la plus grande salle de conférences du Sénat par des portails distrans de quinze mètres carrés de superficie, visuellement ouverts, de sorte que le triple espace ainsi créé ressemblait à une énorme caverne asymétrique. Les holos projetés dans cette salle d'état-major semblaient se prolonger à l'infini. Les colonnes de données flottaient partout le long des murs.

– Quatre minutes avant l'incursion cislunaire, déclara l'amiral Singh.

– Leurs armes à long rayon d'action auraient pu être utilisées depuis longtemps sur Heaven's Gate, fit remarquer le général Morpurgo. On dirait qu'ils font preuve d'une certaine retenue.

– Ils n'ont pas fait preuve de retenue envers nos vaisseaux-torches, ironisa Garion Persov, des services diplomatiques.

L'assemblée avait été convoquée une heure plus tôt, lorsqu'une sortie tentée par une flotte constituée à la hâte autour d'une douzaine de vaisseaux-torches de l'Hégémonie avait fini par une destruction totale. Les détecteurs à longue portée avaient pu retransmettre quelques brèves images de l'essaim extro, qui ressemblait à un bouquet d'étincelles suivi d'une traîne de comète, avant que les vaisseaux-torches et leurs engins téléguidés ne cessent abruptement d'émettre. Et les étincelles étaient très, très nombreuses.

– Ce n'est pas la même chose, répliqua Morpurgo. Il s'agissait de bâtiments de guerre. Mais il y a des heures que nous diffusons un message indiquant qu'Heaven's Gate est une planète ouverte. Nous pouvons espérer qu'ils se montreront raisonnables.

Les images holographiques d'Heaven's Gate les entouraient. On pouvait voir les rues tranquilles de Plaine des

Boues, quelques vues aériennes du littoral, des photos prises en orbite de la planète brunâtre, avec sa couverture perpétuelle de nuages, des clichés cislunaires du dodécaèdre baroque de la sphère de singularité qui assurait la cohésion du réseau distrans, ainsi que des images UV, et aux rayons X, prises au télescope spatial, de l'essaim qui se rapprochait. Il ne s'agissait plus seulement d'étincelles, à présent, à moins d'une UA. Gladstone pouvait voir les traînées de fusion des vaisseaux et le miroitement des champs de confinement massifs qui abritaient les fermes-astéroïdes, les bulles-mondes et les complexes résidentiels à gravité zéro, tellement inhumains.

Et si je m'étais trompée? se disait-elle.

Des milliards de vies dépendaient du pari qu'elle faisait sur les Extros en refusant d'imaginer qu'ils puissent détruire par caprice des planètes entières de l'Hégémonie.

— Incursion dans deux minutes, annonça Singh de sa voix monotone de guerrier professionnel.

— Amiral, lui dit Gladstone, est-il absolument nécessaire de détruire la sphère de singularité dès que les Extros auront pénétré dans notre périmètre de défense? Ne pourrions-nous pas attendre quelques minutes de plus afin de juger de leurs intentions?

— Impossible, H. Présidente, répondit vivement l'amiral. La liaison distrans doit être anéantie avant qu'ils ne soient en mesure de nous attaquer sans préavis.

— Mais si les derniers vaisseaux-torches ne se chargent pas de cette destruction, amiral, nous aurons toujours notre réseau de liaisons, les relais mégatrans et les engins à retardement?

— C'est exact, H. Présidente. Mais nous ne pouvons pas nous permettre de laisser le réseau distrans intact lorsque les Extros occuperont le système. La marge de sécurité est beaucoup trop mince pour que nous puissions faire des concessions sur ce point.

Gladstone hocha la tête. Elle comprenait la nécessité d'une prudence absolue.

Si seulement nous avions un peu plus de temps...

— Incursion et destruction de la sphère dans quinze secondes, annonça Singh. Dix... sept...

Soudain, tous les vaisseaux-torches et toutes les transmissions holos cislunaires s'embrasèrent d'une lumière violette, puis rouge, puis blanche. Gladstone se pencha en avant.

– C'est la sphère de singularité qui vient d'exploser ?

Les militaires s'activaient, demandant des informations, faisant défiler des images sur leurs écrans et dans les foyers holos.

– Non, répondit Morpurgo. Ce sont nos vaisseaux-torches qui subissent une attaque. Vous venez de voir leurs écrans de défense saturés. La... euh... Regardez !

Il désigna un écran où une image reconstituée, probablement relayée par un vaisseau en orbite basse, montrait le dodécaèdre de la singularité, avec ses trente mille mètres carrés de surface encore intacts, luisant sous la lumière crue du soleil d'Heaven's Gate.

Soudain, la luminosité s'accrut. La facette la plus proche sembla devenir incandescente, puis s'effondrer sur elle-même. Moins de trois secondes plus tard, la sphère éclata, et la singularité qu'elle retenait prisonnière fut libérée et se dévora elle-même, ainsi que tout ce qui se trouvait autour d'elle dans un rayon de six cents kilomètres.

Au même instant, la plupart des images relayées et un grand nombre de colonnes de données disparurent.

– Toutes les liaisons distrans sont coupées, annonça Singh. Les données ne nous sont plus transmises à l'intérieur du système que par mégatrans.

Un murmure de soulagement et d'approbation courut parmi les militaires. Chez les sénateurs et les conseillers politiques présents, cela ressembla plus à un soupir et à un gémissement de douleur. Le Retz venait d'être amputé du monde d'Heaven's Gate. C'était la première fois depuis plus de quatre siècles que l'Hégémonie perdait une planète.

Gladstone se tourna vers Sedeptra Akasi.

– Combien de temps faut-il maintenant pour aller du Retz à Heaven's Gate ?

– Sous propulsion Hawking, sept mois de voyage, lui dit sa collaboratrice sans avoir besoin de consulter son persoc. Avec un déficit de temps d'un peu plus de neuf ans, ajouta-t-elle.

Gladstone hocha la tête. Neuf années séparaient maintenant Heaven's Gate de la plus proche planète du Retz.

– C'est la fin pour nos vaisseaux-torches, murmura Singh.

Les images, transmises par l'un des patrouilleurs en orbite, avaient le caractère sautillant et les fausses couleurs des salves mégatrans ultrarapides électroniquement traitées. Elles formaient des mosaïques qui, curieusement, rappelaient à Gladstone les tout débuts de l'Ère des Médias. Mais ce n'était pas un burlesque de Charlie Chaplin qui se déroulait en ce moment sous leurs yeux. Deux, puis cinq, puis huit explosions de lumière intense fleurirent sur le fond étoilé qui entourait le halo de la planète.

– Les transmissions en provenance du *Niki Weimart*, du *Terrapin*, du *Cornel* et de l'*Andrew Paul* ont cessé, annonça l'amiral Singh.

Barbre Dan-Gyddis leva la main.

– Et les quatre autres vaisseaux-torches, amiral?

– Seules les quatre unités mentionnées disposaient de moyens de communications ultraluminiques. Les patrouilleurs confirment que les échanges radio ou maser à large bande en provenance des autres vaisseaux ont également cessé. Quant aux données visuelles...

Il indiqua l'image relayée par un vaisseau automatique. Huit cercles de lumière grossissaient et pâlissaient à la périphérie. Le fond étoilé était strié de traînées de fusion et de points lumineux qui progressaient lentement. Soudain, l'écran devint à son tour opaque.

– Tous les capteurs orbitaux sont détruits, de même que les relais mégatrans, annonça le général Morpurgo.

Il fit un geste, et une nouvelle image apparut. Elle montrait les rues d'Heaven's Gate, surmontées de l'inévitable couche de nuages bas. Des engins volants évoluaient au-dessus des nuages, comme si les étoiles elles-mêmes s'étaient mises à traverser le ciel.

– Tous les rapports confirment que la sphère de singularité a été complètement détruite, déclara Singh. Les premières unités de l'essaim sont en train de se mettre en orbite haute autour d'Heaven's Gate.

– Combien de personnes sont encore là-bas? demanda Gladstone.

Elle était penchée en avant, les coudes sur la table, les mains étroitement nouées.

– Quatre-vingt-six mille sept cent quatre-vingt-neuf, lui répondit le ministre de la Défense, Imoto.

– Ce chiffre ne tient pas compte des douze mille *marines* distransportés dans le système durant les deux dernières heures, précisa le général Van Zeidt.

Imoto inclina la tête en signe d'assentiment. Gladstone les remercia, et reporta son attention sur les holos. Les colonnes de données qui flottaient au-dessus des foyers, ainsi que les extraits affichés par les mémofax, les persocs et les panneaux incorporés à la table, contenaient toutes les données relatives à la situation : nombre de vaisseaux de l'essaim actuellement dans le système, type et matricule des vaisseaux en orbite, orbites de ralentissement estimées et courbes de temps, analyses d'énergie et interceptions com. Mais Gladstone et les autres avaient tendance à regarder plutôt les images mégatrans, relativement pauvres en informations et peu changeantes, prises par les engins aériens et les caméras de surface, qui montraient les étoiles, le dessus des nuages, les rues et les stations de production d'atmosphère au-dessus de l'esplanade de Plaine des Boues où Gladstone elle-même se trouvait moins d'une douzaine d'heures plus tôt. Il faisait nuit là-bas. Les fougères géantes ondoyaient silencieusement sous la brise venue de la mer.

— À mon avis, ils demanderont à négocier, était en train de dire le sénateur Richeau. Ils commenceront par arguer du fait accompli que représente la prise de neuf planètes, puis ils chercheront à instaurer, en discutant très dur avec nous, un nouvel équilibre du pouvoir. Même si leurs deux vagues d'invasion ont réussi, cela ne représente que vingt-cinq mondes sur près de deux cents dans l'ensemble du Retz et des protectorats.

— C'est vrai, intervint le chef de la diplomatie, Persov. Mais n'oubliez pas, sénateur, que parmi ces mondes figurent quelques-unes de nos planètes les plus importantes au plan stratégique. Prenez celle-ci, par exemple. TC^2 ne figure que deux cent trente-cinq heures derrière Heaven's Gate sur le programme d'invasion des Extros.

Le sénateur Richeau fixa Persov jusqu'à ce que celui-ci baisse les yeux.

— Je sais parfaitement tout cela, dit-elle froidement. J'affirme simplement qu'il est impossible que les Extros agissent uniquement par esprit de conquête. Ce serait pure folie de leur part. La Force ne permettra d'ailleurs pas à la deuxième vague de pénétrer aussi profondément dans nos lignes. Cette prétendue invasion ne peut être qu'un prélude à la négociation.

— C'est possible, fit le sénateur Roanquist, de Nordholm. Mais pour qu'il y ait des négociations, il faut que...

— Attendez, lui dit Gladstone.

136

Les données affichées indiquaient maintenant qu'il y avait plus de cent vaisseaux extros en orbite autour d'Heaven's Gate. Les forces terrestres avaient reçu pour instructions de ne pas tirer les premières, et aucun signe d'activité n'était visible dans la trentaine d'images mégatransmises dans la salle du conseil de guerre. Tout à coup, cependant, la couverture nuageuse au-dessus de l'agglomération de Plaine des Boues s'illumina comme si l'on venait d'allumer des projecteurs géants. Une douzaine de faisceaux larges de lumière cohérente fouillèrent la ville et la baie, prolongeant l'illusion des projecteurs et donnant à Gladstone l'impression que des colonnes blanches géantes venaient d'être érigées entre le sol et le plafond nuageux.

L'illusion prit subitement fin lorsqu'un tourbillon de flammes et de destruction fit éruption à la base de chacune de ces colonnes de lumière de cent mètres de diamètre. L'eau de la baie se mit à bouillonner jusqu'à ce que d'immenses geysers de vapeur obscurcissent les caméras les plus proches. Les vues d'altitude montraient des bâtiments centenaires qui prenaient feu dans toute la ville, implosant comme si une tornade se déplaçait rapidement de l'un à l'autre. Les jardins et les parcs de l'esplanade, célèbres dans tout le Retz, s'embrasèrent, projetant des débris comme si une charrue gigantesque les labourait. Les fougères géantes, certaines âgées de deux cents ans, se courbaient comme sous le souffle d'un cyclone. Les flammes les gagnèrent aussi, et laissèrent un sol carbonisé à leur place.

– Les rayons proviennent d'un vaisseau-torche de la classe du *Bowers* ou bien de son équivalent extro, expliqua l'amiral Singh, rompant le silence.

Toute la cité était maintenant en flammes. Tout explosait, tout était éventré par les colonnes de lumière, tout était déchiré. Il n'y avait pas de canal audio attaché à ces images mégatrans, mais Gladstone avait l'impression d'entendre monter des hurlements.

L'une après l'autre, les caméras au sol cessèrent de fonctionner. Les vues prises de la station de production d'atmosphère disparurent dans un grand éclair blanc. Les caméras aéroportées étaient déjà détruites. Les quelque vingt écrans diffusant des images prises du sol s'éteignirent les uns après les autres, dans une terrible explosion écarlate qui donna envie à tous ceux qui étaient présents dans la salle de se frotter les yeux.

– Explosion de plasma, expliqua Van Zeidt. Puissance réduite en mégatonnes.

La dernière image avait montré des installations de défense de la Force aéronavale dans le secteur nord du canal intercités.

Soudain, toutes les images restantes disparurent en même temps. Aucune donnée n'arrivait plus. Les lumières de la salle s'allumèrent pour compenser une obscurité si soudaine que tout le monde avait retenu son souffle.

– L'émetteur mégatrans primaire a cessé de fonctionner, expliqua Morpurgo. Il se trouvait dans la base de la Force de la région de High Gate, protégé par notre champ de confinement le plus puissant, sous cinquante mètres de roche et une épaisseur de dix mètres d'alliage d'acier renforcé.

– Charge creuse nucléaire? demanda Barbre Dan-Gyddis.

– Au minimum, estima le général.

Le sénateur Kolchev se leva. De son imposante stature lusienne émanait une impression de force quasi animale.

– La question est réglée, dit-il. Ces fichus Extros ne sont pas du tout prêts à négocier. Ils viennent de réduire un monde en cendres. La guerre sera totale et sans merci. L'enjeu est tout simplement la survie de la civilisation. Qu'allons-nous faire maintenant?

Tous les regards se tournèrent vers Meina Gladstone.

Le consul retira Théo Lane, à demi inconscient, de l'épave du glisseur, et parcourut en chancelant une cinquantaine de mètres, le bras de son ex-adjoint passé autour de ses épaules, avant de s'écrouler dans l'herbe sous un arbre de la rive du fleuve Hoolie. Le glisseur n'avait pas pris feu, mais il s'était écrasé contre un mur qui avait arrêté sa course sur le ventre au bout de quelques dizaines de mètres. Des fragments de métal et de polymères céramiques jonchaient la rive et la route déserte.

La ville était en flammes. La fumée obscurcissait la rive opposée, et cette partie du vieux quartier de Jackson donnait l'impression que plusieurs bûchers avaient été allumés en plein air et qu'ils libéraient d'épaisses colonnes de fumée noire qui rejoignaient la couverture de nuages bas. Les lasers de combat et les traînées des missiles continuaient de trouer la brume, explosant quelquefois au contact des leurres métalliques des vaisseaux de débarquement et des bulles des champs de suspension qui continuaient de tomber à travers les nuages comme des fétus de paille emportés par le vent au-dessus d'un champ qui vient d'être moissonné.

– Ça va bien, Théo?

Le gouverneur général hocha la tête et fit le geste de rajuster ses lunettes sur son nez, mais il interrompit son mouvement, décontenancé, en s'apercevant qu'elles avaient disparu. Du sang coulait sur son bras et sur son front.

– J'ai reçu un coup à la tête, dit-il d'une voix tremblante.

– Servez-vous de votre persoc, lui suggéra le consul. Faites venir du secours.

Théo hocha la tête, plia le bras et fronça les sourcils en regardant son poignet.

– Je l'ai perdu, dit-il. Il est peut-être tombé à bord du glisseur.

Il essaya de se mettre sur ses pieds, mais le consul le força à se rasseoir. Ils étaient à l'abri des arbres. Le glisseur, cependant, était visible de partout. Leur atterrissage forcé n'avait pas dû passer inaperçu. Le consul avait eu le temps de voir des blindés dans une rue adjacente avant que le glisseur se pose en catastrophe. Qu'ils appartiennent aux forces territoriales, aux Extros ou même aux *marines* de la Force, on pouvait penser qu'ils tireraient à vue sur n'importe qui sans se préoccuper de savoir à quel camp ils avaient affaire.

– Laissez, dit-il. Nous trouverons bien un téléphone pour avertir le consulat.

Il regarda autour de lui, essayant de reconnaître les quais et les entrepôts qui les entouraient. Un peu plus loin en amont se dressait une vieille cathédrale abandonnée dont la salle du chapitre en ruine surplombait la rive du fleuve.

– Je sais où nous sommes, dit-il. Pas très loin de *Chez Cicéron*. Venez.

Il passa le bras de Théo autour de ses épaules, et l'aida à se relever.

– C'est une chance, murmura Théo. Je ne refuserais pas une bonne bière bien fraîche.

Un crépitement de fusil à fléchettes et le grésillement

caractéristique d'une arme à énergie leur parvinrent de la direction du sud. Le consul, soutenant de son mieux Théo, s'avança en titubant sur la route étroite qui longeait la rive.

— Merde! fit-il à voix basse.

Chez Cicéron était en train de brûler. La vénérable auberge, aussi ancienne que Jacktown et beaucoup plus vieille que la plupart des quartiers de la capitale, avait déjà perdu trois ou quatre des grands immeubles qui bordaient le fleuve. Seuls quelques clients courageux s'efforçaient, avec des seaux d'eau, de lutter contre les flammes qui menaçaient les parties encore intactes.

— Je vois Stan, fit le consul en indiquant la haute silhouette de Stan Leweski en tête de la ligne de pompiers improvisés.

Il aida Théo à s'asseoir contre un orme qui bordait la route.

— Comment va votre tête?

— Ça fait mal.

— Restez là, je vais chercher de l'aide, lui dit le consul en s'éloignant le plus rapidement possible en direction de l'auberge en feu.

Stan Leweski regarda le consul comme s'il avait un spectre devant lui. Le visage du colosse était maculé de suie et de larmes. Ses yeux étaient élargis, comme si la situation le dépassait. *Chez Cicéron* appartenait à sa famille depuis six générations. Il tombait maintenant une pluie fine, et le feu semblait à peu près maîtrisé. Des cris s'élevaient de temps à autre parmi ceux qui luttaient encore contre l'incendie tandis que des morceaux de charpente à demi calcinés tombaient dans les décombres du sous-sol.

— Il ne me reste plus rien, fit Leweski. Tu vois, toute l'aile ajoutée par mon grand-père Jiri a disparu. Plus que des cendres!

Le consul saisit le géant par les épaules.

— Stan, nous avons besoin d'aide. Théo est un peu plus loin, là-bas. Il a été blessé dans l'accident de notre glisseur. Il faut que nous allions d'urgence au port spatial. Je dois téléphoner. C'est une question de vie ou de mort, Stan.

Leweski secoua la tête.

– Il n'y a plus de téléphone. De toute manière, les lignes sont complètement embouteillées. Cette putain de guerre a tout détruit. Il ne reste plus rien. Tu ne vois pas qu'il ne reste plus rien?

Il fit un geste pathétique en direction de la bâtisse carbonisée. Le consul serra les poings de frustration. Il ne connaissait personne d'autre parmi les hommes qui étaient là. Aucun membre de la Force ou des brigades territoriales n'était en vue. Soudain, une voix, derrière lui, déclara :

– Je peux vous aider. J'ai mon glisseur.

Le consul fit volte-face. Il vit un homme d'une soixantaine d'années, au visage luisant de sueur et aux cheveux en désordre.

– Magnifique, lui dit le consul. Sachez que j'apprécie votre offre. Est-ce que je vous connais? ajouta-t-il après un instant d'hésitation.

– Docteur Melio Arundez, fit l'homme.

Il s'éloignait déjà en direction de l'endroit où attendait Théo. Le consul pressa le pas pour le rejoindre.

– Arundez... murmura-t-il.

Le nom lui disait quelque chose, mais...

– Arundez! s'écria-t-il soudain. Mon Dieu! Vous étiez l'ami de Rachel Weintraub quand elle est venue ici il y a plusieurs dizaines d'années!

– Son conseiller universitaire, plus exactement. Et je sais qui vous êtes. Vous avez participé au pèlerinage avec Sol.

Ils s'arrêtèrent à l'endroit où Théo attendait, la tête entre les mains.

– Mon glisseur est là-bas, leur dit Arundez.

Le consul aperçut un petit Vikken Zéphyr à deux places, garé sous les arbres.

– C'est parfait, dit-il. Nous conduirons d'abord Théo à l'hôpital. Ensuite, il faut que je gagne d'urgence le port spatial.

– L'hôpital est saturé au-delà de tout ce qui est raisonnable. Si vous avez l'intention de reprendre votre vaisseau, vous feriez mieux d'utiliser votre infirmerie de bord pour lui donner des soins.

– Comment savez-vous que j'ai un vaisseau là-bas? demanda le consul, surpris.

Arundez commanda l'ouverture du diaphragme de la porte et aida Théo à s'installer sur l'étroite banquette du fond, derrière les sièges anatomiques de l'avant.

– Je suis au courant de tout ce qui vous concerne, vous et les autres pèlerins. Il y a des mois que j'essaie d'obtenir l'autorisation de me rendre dans la vallée des Tombeaux du Temps. Vous ne pouvez pas savoir à quel point je me suis senti frustré lorsque j'ai appris que votre barge était partie en grand secret avec Sol à bord.

Il prit une longue inspiration avant de poser une question qui lui brûlait visiblement les lèvres depuis un bon moment.

– Est-ce que Rachel est toujours vivante?

Le consul savait que Rachel avait été son amie avant sa maladie.

– Je l'ignore, répondit-il. Je fais mon possible pour arriver à temps là-bas pour l'aider.

Melio Arundez hocha la tête et s'assit dans le fauteuil de pilotage en faisant signe au consul de prendre l'autre place.

– Je vais tâcher de vous conduire au port spatial. Ce ne sera pas facile, avec tous les combats qui se déroulent dans le secteur.

Le consul essaya de se relaxer. Il sentit ses plaies, ses courbatures et son épuisement général remonter à la surface tandis que le harnais du siège se resserrait autour de lui.

– Il faut d'abord que nous déposions Théo... le gouverneur général... au consulat, ou à la Maison du Gouvernement, comme on doit l'appeler maintenant.

Arundez secoua la tête et mit les répulseurs en marche.

– Il n'y a plus de consulat, dit-il. Un missile perdu l'a détruit, selon les dernières informations dont je dispose. Tout le personnel diplomatique était déjà au port spatial, attendant d'être évacué, avant même que votre ami ne parte à votre recherche.

Le consul se tourna vers Théo, à présent à demi inconscient.

– Ne perdons pas de temps, dans ce cas, murmura-t-il.

Le glisseur essuya un tir d'armes individuelles automatiques au moment où ils franchissaient le fleuve. Mais les fléchettes ricochèrent sur la coque, et le seul rayon d'énergie dirigé contre eux fendit l'air derrière leur engin, créant un nuage de vapeur de dix mètres de haut.

Arundez zigzaguait comme un fou, cabrant l'engin, l'inclinant sur l'aile, piquant du nez, perdant son assiette pour la retrouver *in extremis*, tournoyant en glissant sur son axe vertical comme une assiette lancée à la surface d'une mer de billes. Le harnais du siège anatomique du consul le retenait étroitement, mais il avait l'estomac qui menaçait de lui sortir par la gorge. À l'arrière, la tête de Théo était ballottée de tous les côtés, et il semblait avoir totalement perdu connaissance.

— Le centre de la ville est dans un état lamentable! hurla Arundez pour couvrir le rugissement des répulseurs. Je vais essayer de suivre l'ancien viaduc jusqu'à l'autoroute du port spatial, puis je couperai à travers la campagne, à très basse altitude.

Ils firent une nouvelle embardée pour éviter un immeuble en flammes. Avec un choc, le consul reconnut au dernier moment son ancienne résidence.

— L'autoroute est toujours ouverte? demanda-t-il.

Arundez secoua la tête.

— On ne passera jamais. Depuis une trentaine de minutes, tout le secteur grouille de chuteurs ennemis.

— Les Extros ont l'intention de détruire la ville?

— Je ne crois pas. Ils auraient pu le faire plus facilement avec leurs moyens en orbite. Je pense qu'ils vont plutôt investir la capitale. Leurs vaisseaux de descente et leurs chuteurs se posent à une dizaine de kilomètres du centre.

— Ce sont nos territoriaux qui résistent?

Arundez se mit à rire. Ses dents très blanches luisaient par contraste avec sa peau mate.

— Les territoriaux, à l'heure qu'il est, sont à mi-chemin d'Endymion et de Port-Romance. Mais les derniers rapports, il y a dix minutes, avant que les lignes com ne soient toutes embouteillées, annonçaient qu'il y avait également des combats dans ces villes. Non... Les seules forces qui résistent encore sont les *marines* affectés à la garde de la cité et du port spatial. Cependant, ils ne sont plus que quelques dizaines.

— Les Extros n'ont donc pas encore détruit ou pris le port spatial.

— Aux dernières nouvelles, non, pas encore. Mais nous allons bientôt savoir à quoi nous en tenir. Agrippez-vous!

Le voyage de dix kilomètres jusqu'au port spatial, par l'autoroute des personnalités officielles ou par les couloirs de circulation aérienne qui la doublaient, ne durait ordinairement pas plus de quelques minutes, mais l'itinéraire suivi par Arundez autour des collines, au ras des vallées et entre les arbres rendait le trajet plus long et plus intéressant. Le consul tourna la tête pour contempler les versants, sur sa droite, où brûlaient des camps de réfugiés. Des hommes et des femmes, tapis sous les arbres ou derrière des rochers, baissèrent la tête sur leur passage. Le consul aperçut un détachement de *marines* de la Force retranchés au sommet d'une colline, mais leur attention semblait se concentrer exclusivement au nord, d'où venaient des successions de rayons laser. Arundez vit les *marines* en même temps que lui, et fit une violente embardée sur sa gauche, piquant vers le fond d'un ravin à peine quelques secondes avant que les sommets des arbres de la crête ne soient tranchés comme par une cisaille invisible.

Ils regrimpèrent, à la sortie du ravin, par-dessus la crête finale, et les grilles du port spatial apparurent devant eux. Toute la zone était illuminée par les halos bleus et violets des champs de confinement ou d'interdiction. Ils n'étaient plus qu'à un kilomètre des installations lorsqu'un laser de visée à faisceau serré troua soudain le ciel et le balaya jusqu'à ce qu'il les trouve tandis qu'une voix, à la radio, ordonnait :

– Glisseur non identifié, posez-vous immédiatement ou vous serez détruit.

Arundez obtempéra.

La ligne d'arbres, dix mètres plus loin, sembla se mettre à miroiter. Soudain, ils furent entourés de spectres en combinaison de polymère caméléon activée. Arundez avait ouvert les bulles du cockpit. Des fusils d'assaut se braquèrent sur les deux occupants du glisseur.

– Descendez immédiatement de cet engin, fit une voix désincarnée derrière le miroitement du dispositif de camouflage.

– Le gouverneur général est avec nous, leur cria le consul. Laissez-nous entrer!

– Épargnez-nous vos conneries! lança une voix qui avait l'accent du Retz. Et descendez de là!

Le consul et Arundez se dégagèrent de leurs harnais et se préparaient à obéir lorsqu'une voix, à l'arrière de l'engin, aboya :

– Lieutenant Mueller, c'est vous?

– Euh... Oui, monsieur.

– Est-ce que vous me reconnaissez, lieutenant?

Le polymère de camouflage se dépolarisa. Un *marine*

revêtu d'une armure de combat au complet apparut à moins d'un mètre du glisseur. Son visage était entièrement dissimulé par une visière, mais la voix était jeune.

— Oui, monsieur... euh... le gouverneur. Désolé de ne pas vous avoir reconnu tout de suite, sans vos lunettes. Mais... vous êtes blessé, monsieur.

— Je sais que je suis blessé, lieutenant. C'est pour cela que ces deux messieurs m'ont escorté jusqu'ici. Ne reconnaissez-vous pas l'ancien consul de l'Hégémonie sur Hypérion ?

— Désolé, monsieur, déclara le lieutenant Mueller en faisant reculer ses hommes jusqu'à la lisière des arbres. La base est fermée.

— Je sais que la base est fermée, lui dit Théo, la mâchoire crispée. J'ai contresigné l'ordre. Mais j'ai aussi autorisé l'évacuation de tout le personnel d'ambassade. Vous avez bien laissé passer leurs glisseurs, n'est-ce pas, lieutenant Mueller ?

Une main se leva sous son gantelet, comme pour gratter la tête abritée par le casque et la visière.

— Euh... oui, monsieur. C'est exact, mais c'était il y a une heure. Les vaisseaux d'évacuation sont déjà partis, et...

— Mueller ! Pour l'amour de Dieu, branchez votre communicateur tactique et demandez au colonel Gérasimov la permission de nous laisser passer.

— Le colonel a été tué, monsieur. Nous avons essuyé une attaque dans le secteur est, et...

— Le capitaine Lewellyn, dans ce cas.

Théo s'affaissa en avant, puis se retint au dossier du siège occupé par le consul. Son visage était d'une pâleur qui faisait contraste avec le sang dont il était couvert.

— Euh... Les canaux de communication tactique sont hors d'usage, monsieur. Les Extros ont brouillé nos fréquence avec...

— Lieutenant ! articula avec effort Théo Lane sur un ton que le consul ne l'avait jamais entendu utiliser. Vous m'avez identifié visuellement. Vous avez scanné mon implant d'identité. Maintenant, je vous ordonne de nous laisser passer ou de nous faire tirer dessus.

Le *marine* en armure de combat se tourna vers la lisière des arbres comme s'il pesait réellement chacun des termes du dilemme.

— Les vaisseaux de descente sont tous repartis, monsieur. Aucune nouvelle arrivée n'est prévue.

Théo hocha la tête. Le sang avait séché et formait des plaques sur son front, mais un nouveau filet venait de se former à limite de son cuir chevelu.

– Le vaisseau en quarantaine est bien dans la fosse n° 9, n'est-ce pas?

– Oui, monsieur le gouverneur, répondit Mueller en reportant enfin son attention sur Théo. Mais c'est un appareil civil, qui ne peut pas prendre l'espace avec tous ces Extros dans le...

Théo lui intima le silence d'un geste impérieux, puis fit signe à Arundez de rouler vers l'enceinte du port. Le consul ne quittait pas des yeux les défenses, les champs d'interdiction et, sans doute, les mines à pression qui n'allaient pas manquer de les arrêter dans moins de dix secondes. Il vit le lieutenant des *marines* faire un signe à ses hommes, et un diaphragme s'ouvrit dans le champ d'énergie bleu et violet qui leur faisait face. Aucun coup de feu ne partit. Trente secondes plus tard, ils roulaient sur le dur à l'intérieur du port spatial. Quelque chose d'important brûlait au nord des installations. Sur leur gauche, un amas indescriptible de véhicules et de modules de commandement de la Force baignait dans une mare de plastique encore en ébullition.

Il y avait des gens à l'intérieur, songea le consul.

Une fois de plus, il sentit une boule lui monter à la gorge.

La fosse n° 7 avait été détruite. Ses parois circulaires renforcées de dix centimètres d'épaisseur de carbone-carbone avaient été fendues comme s'il s'agissait de carton. La fosse n° 8 brûlait avec une intensité blanche qui suggérait l'usage de grenades au plasma. La fosse n° 9 était intacte. Le nez du vaisseau du consul émergeait, à peine visible à travers le miroitement d'un champ de confinement de classe 3.

– La quarantaine a bien été levée? demanda le consul.

Théo laissa retomber sa tête sur la banquette capitonnée.

– Oui, fit-il d'une voix rauque. Gladstone a autorisé la suppression du champ restrictif. Ce que vous voyez là n'est qu'un champ protecteur, que vous pouvez faire disparaître sur simple demande.

Arundez arrêta le glisseur sur le tarmac juste au moment où plusieurs voyants s'allumaient, accompagnés de messages vocaux synthétisés décrivant des pannes variées. Ils aidèrent Théo à descendre et s'arrêtèrent devant la queue du petit glisseur, à l'endroit où une ligne de fléchettes avait transpercé le capot du moteur et le logement des répulseurs. Une partie du métal surchauffé avait fondu.

Melio Arundez donna une ou deux tapes affectueuses sur la coque, puis il aida le consul à soutenir Théo pour entrer dans la fosse et grimper sur la plate-forme ombilicale.

– Mon Dieu! fit le docteur Melio Arundez. C'est magnifique! Je n'avais jamais eu l'occasion de monter à bord d'un vaisseau interstellaire privé.

– Il n'en existe que quelques douzaines dans tout le Retz, fit le consul en plaçant un masque à osmose sur la bouche et le nez de Théo.

Ils déposèrent doucement le gouverneur général dans le caisson d'urgence de l'infirmerie, où il serait alimenté directement par une solution nutritive.

– Malgré sa petite taille, continua le consul, ce vaisseau a coûté plusieurs centaines de millions de marks. Il n'est pas rentable, pour les grandes compagnies ou pour les gouvernements planétaires des Confins, d'utiliser leurs vaisseaux militaires dans les rares occasions où ils ont besoin de voyager d'un système stellaire à l'autre.

Il referma hermétiquement la cuve et échangea quelques mots rapides avec le programme de diagnostic et de soins.

– Il est hors de danger, dit-il au bout d'un moment en se tournant vers Arundez.

Ils retournèrent ensemble vers la fosse holo. Melio s'arrêta devant le vieux Steinway, passant la main sur le bois laqué du magnifique piano à queue. Puis il se tourna vers la section transparente de la coque, au-dessus du balcon actuellement rentré.

– J'aperçois des flammes du côté de l'entrée, dit-il. Nous ferions mieux de nous dépêcher de filer d'ici.

– C'est ce que nous allons faire, dit le consul en lui faisant signe de s'asseoir sur le canapé circulaire qui entourait la fosse holo.

L'archéologue se laissa tomber sur les coussins moelleux et regarda autour de lui.

– Il n'y a pas de... commandes?

Le consul sourit.

— Que voudriez-vous? Une passerelle de commandement? Un tableau de bord? Une roue de gouvernail, que je m'amuserais à tourner, peut-être? Rien de tout ça. Non. Pilote?

— Oui, fit une harmonieuse voix féminine venue de nulle part.

— Sommes-nous parés pour le décollage?

— Oui.

— Le champ de confinement est levé?

— C'était le nôtre. Je l'ai annulé.

— Parfait. Filons d'ici en vitesse. Je n'ai pas besoin de vous apprendre que nous sommes au milieu d'une guerre et qu'il y a des fusillades un peu partout, n'est-ce pas?

— Non. Je me suis tenue informée de la situation. Les derniers vaisseaux de la Force sont en train de quitter le système. Les *marines* qui sont ici sont condamnés à...

— Gardez vos analyses tactiques pour plus tard, pilote. Mettez le cap sur la vallée des Tombeaux du Temps, et sortez-nous d'ici en vitesse.

— Bien, monsieur. Je voulais seulement souligner que les forces qui défendent ce port spatial n'ont aucune chance de tenir plus d'une heure ou deux.

— J'en prends note, dit le consul. Décollez, maintenant.

— J'ai ordre de vous montrer d'abord ce message mégatrans. La salve est arrivée aujourd'hui à 16 h 22 m 38 s 14 d standard.

— Hein? Une seconde! hurla le consul, gelant la transmission holo encore à moitié floue où il reconnaissait cependant une partie du visage de Meina Gladstone. De qui recevez-vous vos ordres, pilote?

— De la Présidente Gladstone, monsieur. Il y a cinq jours qu'elle exerce son droit de commandement prioritaire sur toutes les fonctions du vaisseau. La salve mégatrans est la dernière condition avant que vous...

— C'est donc pour cela que vous n'avez pas répondu à mes commandements à distance, murmura le consul.

— Oui, fit la voix sur le ton d'une conversation ordinaire. Lorsque vous m'avez interrompue, je m'apprêtais à vous informer que la dernière condition, avant de vous restituer le commandement, était que vous regardiez le message mégatrans.

— Ensuite, vous m'obéirez?

— Oui.

– Vous nous conduirez à l'endroit de mon choix?

– Oui.

– Plus de commandement prioritaire?

– Pas à ma connaissance.

– Passez-moi cette salve, et qu'on en finisse.

Les traits lincolniens de Meina Gladstone flottèrent au centre de la fosse de projection, secoués des spasmes et des manques propres aux mégatransmissions.

– Je suis contente que vous ayez survécu à la visite des Tombeaux du Temps, dit-elle au consul. Vous devez maintenant savoir que je vous ai demandé d'aller négocier avec les Extros *avant* de regagner la vallée.

Le consul croisa les bras en regardant furieusement l'image de la Présidente. Au-dehors, le soleil était en train de disparaître derrière les collines. Dans quelques minutes à peine, Rachel Weintraub atteindrait le point zéro de sa naissance, et cesserait tout simplement d'exister.

– Je comprends votre hâte de retourner là-bas pour aider vos amis, reprit Gladstone. Mais vous ne pouvez rien faire pour secourir l'enfant à ce stade. Tous les experts du Retz affirment que ni le sommeil cryotechnique ni l'état de fugue ne sont en mesure d'empêcher l'évolution de la maladie de Merlin. Sol est au courant.

De l'autre côté de la fosse holo, le docteur Arundez hocha la tête.

– C'est exact, dit-il. Il y a eu des années d'expérimentation. L'état de fugue la tuerait.

– ... alors que vous pouvez aider des milliards de citoyens du Retz que vous croyez avoir trahis, était en train de dire Gladstone.

Le consul se pencha en avant, les coudes sur les genoux, le menton dans les mains. Il entendait son cœur battre très fort à ses oreilles.

– Je savais que vous ouvririez les Tombeaux du Temps, continua Gladstone, dont les yeux tristes semblaient fixer directement le consul. Les prédictions du Centre établissaient que votre loyauté envers Alliance-Maui et... la mémoire du soulèvement de vos grands-parents... seraient plus fortes que tout autre facteur. Il était temps que les tombeaux soient ouverts. Vous étiez le seul à pouvoir activer le dispositif extro avant que les Extros eux-mêmes n'aient pris leur décision.

– J'en ai entendu assez! s'exclama le consul en se levant pour tourner le dos à la projection. Annulez ce message, ordonna-t-il au vaisseau, bien qu'il sût que celui-ci n'obéirait pas.

Melio Arundez traversa la projection pour saisir le bras du consul.

– Laissez-la finir. Faites-moi plaisir.

Le consul secoua la tête, mais resta dans la fosse, les bras croisés.

– Le pire est maintenant arrivé, disait Gladstone. Les Extros sont en train d'envahir le Retz. Heaven's Gate est presque entièrement détruite. Le Bosquet de Dieu va être balayé par l'invasion dans moins d'une heure. Il est impératif que vous rencontriez les Extros dans le système d'Hypérion pour négocier. Utilisez votre savoir-faire diplomatique pour ouvrir le dialogue avec eux. Ils ne répondent pas à nos messages radio ou mégatrans, mais nous les avons avertis de votre arrivée. Je pense qu'ils vous feront encore confiance.

Le consul laissa échapper un cri étouffé et s'avança jusqu'au piano, sur le couvercle duquel il laissa retomber lourdement son poing.

– Le temps dont nous disposons maintenant s'évalue en minutes et non en heures, continua Gladstone. Je vous demande de contacter d'abord les Extros dans le système d'Hypérion. Ensuite, vous retournerez, s'il le faut, dans la vallée des Tombeaux du Temps. Vous connaissez mieux que moi les enjeux de cette guerre. Des millions d'innocents mourront si nous ne réussissons pas à engager le dialogue avec les Extros. Vous êtes libre de votre décision, mais je vous demande d'évaluer les conséquences d'un échec de cette dernière tentative de découvrir la vérité et de préserver la paix. Je vous recontacterai par mégatrans dès que vous aurez atteint l'essaim extro.

L'image de Gladstone devint floue, puis disparut.

– Réponse? demanda le vaisseau.

– Non, fit le consul en marchant de long en large entre le Steinway et la fosse de projection.

– Aucun engin aérien, aucun vaisseau spatial ne s'est posé depuis près de deux siècles dans la région des Tombeaux du Temps avec ses occupants vivants, déclara Melio Arundez. Elle doit savoir à quel point vos chances sont minces d'aller là-bas, de survivre au gritche et de contacter les Extros par-dessus le marché.

– La situation a changé, répliqua le consul sans se retourner. Les marées du temps sont devenues complètement folles. Le gritche va où il veut. Il est possible que le phénomène qui faisait disparaître les équipages ne s'exerce plus.

– Il est possible aussi que votre vaisseau atterrisse sans nous, comme tant d'autres dans le passé.

– Bon Dieu, Arundez! hurla le consul en faisant volte-face. C'est vous qui avez insisté pour me suivre! Vous connaissiez les risques!

L'archéologue hocha calmement la tête.

– Je ne parle pas des risques que je cours personnellement, monsieur. Je suis prêt à les prendre tous, si cela me donne une chance d'aider Rachel... ou seulement de la revoir une fois. Mais votre survie est peut-être la clé de celle de l'humanité.

Le consul secoua le poing et se remit à faire les cent pas comme un fauve encagé.

– Ce n'est pas *juste*! Elle se sert de moi comme d'un vulgaire pion sur un échiquier! Pour la deuxième fois... Avec cynisme et préméditation! J'ai assassiné *quatre* Extros, Arundez. Je les ai tués uniquement pour pouvoir activer leur foutu dispositif d'ouverture des tombeaux. Et vous croyez qu'ils vont maintenant m'accueillir à bras ouverts?

Les yeux noirs de l'archéologue soutinrent le regard du consul sans ciller.

– Gladstone est persuadée qu'ils accepteront de parlementer avec vous.

– Qui peut savoir ce qu'il y a dans la tête des Extros? Ou de Gladstone, aussi bien, d'ailleurs. Le sort de l'Hégémonie et ses relations avec les Extros ne sont pas ma préoccupation principale. Maudites soient leurs deux maisons [1] en ce qui me concerne.

– Même si l'humanité tout entière doit souffrir?

– L'humanité, je ne connais pas. Tout ce que je connais, c'est Sol Weintraub, Rachel et une femme qui a besoin d'aide et qui s'appelle Brawne Lamia. Et aussi le père Paul Duré, et Fedmahn Kassad, et...

La voix douce du vaisseau les enveloppa.

– Le secteur nord du port spatial a été pénétré. Je m'apprête à décoller. Veuillez rejoindre vos sièges.

Le consul retourna en chancelant jusqu'à la fosse holo tandis que le champ de confinement interne pesait sur lui et que la pression différentielle verticale augmentait sen-

---

1. *Roméo et Juliette*, William Shakespeare. *(N.d.T.)*

siblement, maintenant chaque objet à sa place et protégeant les passagers plus efficacement que n'importe quel harnais de sécurité. Dès qu'ils seraient en chute libre, l'intensité du champ diminuerait, mais elle continuerait de servir à simuler une gravité planétaire.

Au-dessus du foyer holo, l'air devint flou, et l'image de la fosse de décollage et du port spatial s'éloigna rapidement pour laisser place à une ligne de collines et à un horizon qui ne cessait de s'incliner dans tous les sens tandis que le vaisseau se livrait, sous quatre-vingts g, à des manœuvres d'évitement hardies. Quelques faisceaux d'énergie montèrent vers eux, mais les colonnes de données montraient que les champs de protection extérieurs n'avaient aucun mal à annuler leurs effets négligeables. Puis l'horizon lui-même disparut, et le ciel lapis fit place au noir de l'espace.

— Destination? demanda le vaisseau.

Le consul ferma les yeux. Derrière lui, une tonalité annonça que Théo Lane pouvait être retiré de son caisson médical.

— Combien de temps faudrait-il pour rejoindre les forces d'invasion extros? demanda le consul.

— Trente minutes pour atteindre l'essaim, répondit le vaisseau.

— Et dans combien de temps serons-nous à portée des armes de leurs engins d'assaut?

— Nous sommes déjà repérés.

L'expression de Melio Arundez était toujours calme, mais ses phalanges, crispées sur le bord du canapé, étaient blanches.

— Très bien, fit le consul. Dirigez-vous vers l'essaim. Évitez les bâtiments de l'Hégémonie. Annoncez sur toutes les fréquences que nous sommes un vaisseau diplomatique non armé, qui demande à parlementer.

— Un tel message a déjà été programmé et autorisé par la Présidente Gladstone, monsieur. Il est actuellement en cours de diffusion sur toutes les fréquences com et sur mégatrans.

— Continuez, dit le consul.

Il fit un geste en direction du persoc d'Arundez.

— Vous voyez l'heure qu'il est?

— Oui. La naissance de Rachel est dans six minutes exactement.

Le consul se laissa aller en arrière, les yeux fermés.

— Vous avez fait un long chemin pour rien, docteur Arundez.

L'archéologue se leva, hésita une seconde avant de trouver son équilibre sous la gravité simulée, puis marcha précautionneusement jusqu'au piano. Il demeura là un bon moment à observer, par la baie du balcon replié, le ciel noir et le limbe encore lumineux de la planète qui s'éloignait sous eux.

– Peut-être pas, dit-il. Sait-on jamais?

38

Aujourd'hui, nous entrons dans les plaines marécageuses et déjà familières de la Campanie. Je salue l'événement d'une nouvelle quinte de toux, et je vomis du sang. Beaucoup de sang. Leigh Hunt est à mes côtés, plein de sollicitude et de frustration. Après m'avoir soutenu par les épaules durant mon accès spasmodique, après m'avoir aidé à nettoyer le sang sur mes vêtements avec un chiffon trempé dans le ruisseau voisin, il me demande :

– Y a-t-il quelque chose que je puisse faire?

– Allez cueillir un bouquet de fleurs. C'est ce que Joseph Severn a fait la dernière fois.

Il se détourne, furieux, sans se rendre compte que, dans mon délire fiévreux et épuisé, je n'ai fait que lui dire la vérité.

La calèche, tirée par un cheval qui semble à bout de forces, cahote encore plus bruyamment que précédemment sur la route. Vers le soir, nous dépassons plusieurs carcasses de chevaux au bord du chemin. Nous passons devant une vieille auberge en ruine, puis nous arrivons en vue d'un énorme viaduc ancien, envahi par les mousses et les plantes grimpantes. Un peu plus loin sur le côté de la route, il y a des poteaux où ont été cloués des espèces de bâtons blancs.

– Qu'est-ce que c'est encore que ce truc-là? me demande Hunt.

– Des ossements de brigands.

Il me regarde comme si ma maladie m'avait fait perdre l'esprit. Ce qui est bien possible, après tout.

Un peu plus tard, nous quittons les marécages de la Campanie. Au-dessus des champs, au loin, se déplace un éclair rouge.

– Qu'est-ce que c'est? demande Hunt, sur le qui-vive.

Je sais qu'il n'a pas perdu l'espoir de tomber sur quelqu'un qui pourra lui indiquer l'emplacement d'un terminal distrans en train de fonctionner.

– Un cardinal. Du gibier.

Il consulte son persoc, ou ce qu'il en reste.

– Un oiseau?

Je hoche la tête. Je regarde de nouveau en direction de l'ouest, mais la tache rouge a disparu.

– C'est aussi un membre du clergé, lui dis-je. N'oubliez pas que nous nous rapprochons de Rome.

Il fronce les sourcils en me dévisageant. Pour la centième fois, il essaie de contacter quelqu'un sur les fréquences com de son persoc. La soirée est silencieuse à l'exception du grincement des roues de la *vettura* et des trilles lancés au loin par un oiseau. Un cardinal, peut-être.

Nous pénétrons dans Rome tandis que les premières lueurs rosâtres du couchant illuminent les nuages. La calèche tressaute allégrement sur les pavés de la Porte du Latran. Presque immédiatement après, nous avons devant nous le Colisée, envahi par la vigne vierge, habité visiblement par des milliers de pigeons, mais beaucoup plus impressionnant à voir que les holos des ruines, car il n'est pas entouré des faubourgs sordides d'une grande ville d'après-guerre, avec ses arcologies gigantesques, mais de cabanes et de champs qui marquent le début de la campagne. J'aperçois Rome proprement dite au loin. Ses toits et ses ruines sont concentrés sur les fameuses sept collines, mais ici c'est le Colisée qui domine le paysage.

– Seigneur! murmure Leigh Hunt. Qu'est-ce que c'est?

– Des ossements de brigands.

Je n'ose pas trop parler, de peur de déclencher un nouvel accès de toux.

Nous poursuivons notre chemin dans les rues désertes de la Rome du XIXe siècle de l'Ancienne Terre tandis que le crépuscule tombe, épais, autour de nous, et que les pigeons tournent au-dessus des dômes et des toitures de la Ville éternelle.

– Où sont-ils tous? murmure Hunt, qui paraît effrayé.

– Pas ici, car personne n'a besoin d'eux.

Ma voix résonne d'une drôle de manière dans les rues

sombres et encaissées de la ville. Les pavés de la chaussée sont à peine plus lisses que les pierres du chemin auxquelles nous venons d'échapper.

– C'est une simstim? me demande Hunt.

– Arrêtez la calèche.

De lui-même, le cheval fait halte. Je montre à Hunt une grosse pierre dans le caniveau.

– Donnez un coup de pied dedans. Allez-y.

Il fronce les sourcils, mais descend de la calèche. Il va vers la pierre et lui donne un grand coup de pied. Les pigeons s'envolent dans un froissement d'ailes vers les clochers et la vigne vierge, pris de panique en l'entendant jurer bruyamment.

– Tout comme le docteur Johnson, vous venez de démontrer la réalité des choses, lui dis-je. Il ne s'agit ni d'une sim ni d'un rêve. Disons, pas plus que le reste de notre existence jusqu'à maintenant.

– Pourquoi nous ont-ils fait venir ici? me demande l'adjoint de la Présidente en levant les yeux vers le ciel comme si les dieux eux-mêmes étaient en train de l'écouter derrière l'écran pastel des nuages. Que veulent-ils de nous?

Ils veulent que je meure.

Je garde cette pensée pour moi, mais sa réalité me frappe comme un coup de poing sur ma poitrine endolorie. Je respire lentement, avec précaution, pour éviter la montée de la toux et des humeurs que je sens bouillonner au fond de ma gorge.

Ils veulent que je meure, et ils veulent que Hunt me regarde mourir.

La jument reprend son trot. Elle tourne à droite dans la première ruelle, puis encore à droite dans une avenue remplie d'ombres et d'échos de notre passage. Elle s'arrête en haut d'un immense escalier.

– Nous sommes arrivés.

Je fais un effort pour descendre tout seul de la voiture. Mes jambes sont raides, ma poitrine me fait très mal et j'ai le derrière en capilotade. Les premiers vers d'une ode satirique sur les joies du voyage commencent à me hanter.

Hunt descend avec autant de raideur que moi, et s'avance jusqu'au début de l'escalier à deux branches en croisant les bras et en contemplant les marches comme si elles étaient un piège ou une illusion.

– Où sommes-nous au juste, Severn?

Je lui montre le vaste espace libre qui nous entoure.

– C'est la *Piazza di Spagna*, lui dis-je.

Cela m'a fait un drôle d'effet, tout à coup, de m'entendre appeler Severn. Le nom a cessé de m'appartenir au moment où nous avons franchi la Porte du Latran. Ou, plutôt, mon vrai nom m'est soudain revenu à ce moment-là.

– Dans quelques années, ces marches seront connues sous le nom d'Escalier d'Espagne.

Tout en disant cela, je commence à descendre les marches dans la courbe de droite. Un vertige soudain me force à m'arrêter. Hunt me saisit vivement le bras.

– Vous n'êtes pas en état de marcher. Vous êtes vraiment trop faible.

Je lui montre du doigt un vieil immeuble bigarré dont la façade s'élève comme une muraille de l'autre côté de la *piazza*.

– Ce n'est plus très loin, Hunt. Nous sommes arrivés.

Il se tourne avec une grimace vers le grand bâtiment.

– Que sommes-nous venus faire ici ? Qu'est-ce que cet endroit recèle de si spécial ?

Je ne puis m'empêcher de sourire en entendant cette cascade d'allitérations dans la bouche d'un homme si peu enclin à la poésie. Je nous imagine soudain assis de longues nuits durant dans cette bâtisse obscure, moi en train de lui enseigner comment associer cette technique à l'art de la césure masculine ou féminine, ou comment alterner les pieds iambiques avec les pyrrhiques non accentués, ou encore comment s'abandonner sans restriction aux joies des spondées à répétition.

Je me mets à tousser, sans pouvoir m'arrêter, jusqu'à ce que le sang éclabousse mes mains et ma chemise.

Hunt m'aide de son mieux à descendre l'escalier et à traverser la place où la fontaine de Bernini, en forme de barque, gargouille dans la pénombre. Suivant la direction indiquée par mon doigt, il me conduit dans l'entrée noire qui porte le numéro 26. Je songe confusément à l'avertissement de Dante : *Lasciate ogni speranza, voi ch'entrate,* que j'ai l'impression de voir gravé sur le linteau glacé.

Sol Weintraub se tenait à l'entrée du Sphinx, montrant le poing à tout l'univers, tandis que la nuit tombait et que les Tombeaux du Temps en train de s'ouvrir émettaient une lumière irréelle.

Sa fille n'était pas revenue. Le gritche l'avait emportée. Il avait pris l'enfant nouveau-né dans la paume de sa main d'acier, et il avait reculé dans la lumière qui, encore maintenant, repoussait Sol comme une terrible tornade issue des profondeurs de la planète. Il s'arc-boutait pour avancer contre ce courant de lumière, mais il avait l'impression de lutter contre un champ de confinement d'une puissance infranchissable.

Le soleil d'Hypérion s'était couché. Un vent glacé soufflait, venu des terres désolées du Nord, arraché au désert par un front froid qui longeait les montagnes du Sud. Sol se tourna pour regarder un tourbillon de poussière vermillon dansant dans le rayon de clarté issu des tombeaux en train de s'ouvrir.

Les Tombeaux du Temps s'ouvrent!

Plissant les yeux dans la clarté aveuglante et glacée, Sol regarda, dans la vallée en contrebas, les autres tombeaux qui luisaient comme des feux follets vert clair derrière leur rideau de poussière volante. La lumière et les ombres profilées dansaient au fond de la vallée tandis que les nuages, dans le ciel bas, perdaient leurs derniers reflets pastel et que la nuit arrivait en même temps que le vent hurlant.

Quelque chose bougeait dans l'entrée du deuxième monument, le Tombeau de Jade. Sol descendit en chancelant les marches du Sphinx, en se retournant fréquemment pour regarder, au-dessus de lui, l'entrée où le gritche avait disparu en emportant sa fille. Arrivé au pied des marches, il se mit à courir lourdement, entre les pattes du Sphinx, dans la direction du Tombeau de Jade.

Quelque chose se déplaçait lentement dans l'entrée ovale éclairée par la lumière intérieure du monument. Sol était incapable de dire s'il s'agissait d'une silhouette humaine ou non. Si c'était le gritche, il avait l'intention de l'empoigner à mains nues et de le secouer jusqu'à ce qu'il lui rende sa fille ou jusqu'à ce que l'un d'eux soit mort.

Mais ce n'était pas le gritche.

Il s'agissait d'une silhouette humaine, qui s'avançait en titubant et en s'appuyant au mur du tombeau comme si elle était souffrante ou épuisée.

C'était une jeune femme.

Il pensa à Rachel, qui était venue ici à l'âge de vingt-six

ans, plus d'un demi-siècle auparavant, pour étudier ce site archéologique, sans se douter du destin qui l'attendait sous la forme de la maladie de Merlin. Sol avait espéré jusqu'au bout qu'elle guérirait, qu'elle se remettrait à grandir normalement à partir de l'âge où la maladie serait annulée. Mais si elle ressortait de ce tombeau à l'âge qu'elle avait en entrant dans le Sphinx pour la première fois?

Son pouls battait si fort à ses oreilles qu'il n'entendait plus le vent rugissant autour de lui. Il fit signe à la silhouette maintenant à moitié cachée par les tourbillons de sable.

La jeune femme lui fit signe également.

Sol se mit à courir sur une vingtaine de mètres. Il s'arrêta à trente mètres du tombeau en s'écriant :

— Rachel! Rachel!

La jeune femme, dont la silhouette se détachait confusément dans la lumière rugissante, s'éloigna de l'entrée, se toucha le visage à deux mains, cria quelque chose qui se perdit dans le vent, et commença à descendre les marches.

Sol courut, trébuchant sur les pierres, quittant le sentier, coupant stupidement à travers la vallée, ignorant la douleur lorsque son genou heurta un rocher bas. Il retrouva le sentier, courut encore plus vite vers le pied du Tombeau de Jade et la reconnut lorsqu'elle émergea du cône de lumière.

Elle perdit l'équilibre au moment où il arrivait au pied des marches. Il eut juste le temps de freiner sa chute et d'accompagner doucement son mouvement jusqu'au sol tandis que le sable crépitait dans son dos et que les marées du temps tournoyaient autour d'eux comme des maelströms invisibles et vertigineux accompagnés d'une forte impression de déjà vu.

— C'est bien vous! lui dit-elle en levant la main pour lui toucher le visage. Je suis revenue! C'est la réalité!

— Oui, Brawne.

Il essayait de ne pas trembler en écartant les boucles collées à son front moite. Il la tenait fermement, le bras calé sur un genou, en lui soutenant la tête, le dos courbé pour l'abriter au mieux du vent et du sable.

— Tout ira bien, dit-il d'une voix douce, les yeux pleins de larmes de déception qu'il refusait de laisser couler. Tout va aller très bien, maintenant que vous êtes revenue.

Meina Gladstone grimpa les marches de la caverne du conseil de guerre et émergea dans le corridor où de longues bandes de perspex épais permettaient d'apercevoir le mont Olympus et le plateau de Tharsis. Il neigeait tout en bas. Du haut de cet observatoire culminant à près de douze mille mètres dans le ciel martien, elle pouvait voir les pulsations de lumière et les rideaux d'électricité statique indiquant l'avance de la tempête sur les hautes steppes.

Sedeptra Akasi s'avança silencieusement dans le corridor pour se tenir à ses côtés.

— Toujours pas de nouvelles de Leigh ou de Severn ? demanda Gladstone.

— Aucune, répondit la jeune femme noire, dont le visage était éclairé à la fois par la pâle lueur du soleil et par les jeux de lumière en contrebas. Les autorités du TechnoCentre déclarent qu'il s'agit probablement d'un mauvais fonctionnement du système distrans.

Gladstone lui adressa un sourire sans chaleur.

— Est-ce que vous avez connaissance d'un précédent, Sedeptra ? Dans le Retz tout entier ?

— Non, madame.

— Le TechnoCentre n'éprouve même plus le besoin d'inventer des explications subtiles. De toute évidence, il croit pouvoir enlever qui il veut en toute impunité. Il pense que nous sommes incapables de nous passer de lui dans cette crise. Voulez-vous que je vous dise une chose, Sedeptra ?

— Oui, H. Présidente ?

— Il a raison.

Elle secoua la tête et se tourna vers le long couloir qui descendait dans la caverne du conseil de guerre.

— Dans moins de dix minutes, les Extros investiront le Bosquet de Dieu, ajouta-t-elle. Allons rejoindre les autres, maintenant. Est-ce que mon rendez-vous avec le conseiller Albedo est prévu juste après le conseil ?

— Oui, madame. Mais je ne crois pas... Nous sommes plusieurs à penser qu'il est risqué de les affronter directement de cette manière.

Gladstone s'arrêta pour se retourner. Elle demanda avec un sourire qui, cette fois-ci, était sincère :

— Pourquoi donc ? Vous craignez que le Centre ne m'escamote comme Severn et Leigh ?

Akasi voulut dire quelque chose, mais elle se ravisa, écartant les bras. Gladstone posa la main sur l'épaule de la jeune femme.

– S'ils le font, Sedeptra, ils me rendront personnellement service. Mais je ne crois pas qu'ils en arriveront là. La situation est telle, à leurs yeux, qu'ils sont persuadés qu'aucun individu ne peut plus rien faire pour modifier le cours des événements. Et il se peut très bien qu'ils aient raison, ajouta-t-elle en retirant sa main.

Sans dire un mot de plus, les deux femmes descendirent dans le cercle de militaires et de politiciens qui les attendaient.

Le moment est proche, déclara la Voix Authentique de l'Arbre-monde, Sek Hardeen, tirant le père Paul Duré de sa rêverie.

Durant toute l'heure précédente, Duré avait senti son désespoir et ses frustrations se transformer en résignation, puis en quelque chose qui ressemblait au plaisir de n'avoir plus de choix à faire, plus de devoirs à accomplir. Il était demeuré silencieux aux côtés du Templier, contemplant le coucher du soleil sur le Bosquet de Dieu et l'apparition, dans la nuit, d'étoiles qui n'en étaient pas.

Il se demandait pourquoi Hardeen avait choisi, en un moment si crucial, de s'isoler de son peuple, mais le peu qu'il connaissait de la théologie des Templiers lui disait que les adorateurs du Muir devaient préférer être seuls sur leurs plates-formes sacrées ou au plus profond de leurs voûtes feuillues pour affronter ce moment de destruction possible. Et les commentaires discrets que la Voix Authentique faisait de temps à autre dans l'ombre de son capuchon indiquaient à Duré qu'il était en contact avec les autres Templiers par l'intermédiaire d'un implant ou d'un persoc.

Il n'y avait pas de manière plus paisible d'attendre la fin du monde, au sommet de l'arbre le plus haut de tout l'univers connu, entouré du bruissement d'un million de feuilles, sous la brise chaude du soir, tandis que les étoiles scintillaient et que les lunes jumelles traversaient à toute vitesse un ciel de velours.

– Nous avons demandé à Gladstone et aux autorités de l'Hégémonie de n'offrir aucune résistance et de ne maintenir aucun vaisseau de la Force à l'intérieur du système, déclara Sek Hardeen.

– Est-ce bien sage? demanda Duré.

Le Templier l'avait mis au courant, un peu plus tôt, du sort subi par Heaven's Gate.

– La flotte de la Force ne s'est pas encore suffisamment réorganisée pour offrir une résistance valable. C'est la seule chance pour notre planète d'être considérée comme non belligérante.

Le père Duré hocha la tête. Il se pencha en avant pour mieux voir la haute silhouette entourée des ombres de la plate-forme. Leur seul éclairage, à part les étoiles et les lunes, consistait en quelques globes bioluminescents accrochés aux branches situées sous la plate-forme.

– Vous avez pourtant approuvé cette guerre. Vous avez aidé le culte gritchtèque à la provoquer.

– Pas la guerre, Duré. Mais la Fraternité savait qu'elle devait prendre part au Grand Changement.

– Qui consiste en quoi?

– Le Grand Changement, c'est l'acceptation par l'humanité de tenir sa place dans l'ordre universel et naturel des choses au lieu de se comporter comme un cancer.

– Un cancer?

– Il s'agit d'une ancienne maladie qui...

– Je sais ce que c'est qu'un cancer, coupa Duré. En quoi l'humanité ressemble-t-elle à un cancer?

La voix douce, parfaitement modulée, de Sek Hardeen laissa percer pour la première fois des signes d'agitation.

– Nous nous sommes répandus dans la galaxie comme des cellules cancéreuses à l'intérieur d'un organisme vivant. Nous nous multiplions sans tenir compte des innombrables formes de vie qui doivent mourir ou nous laisser la place pour que nous puissions nous reproduire et tout envahir. Nous éliminons sans pitié toutes les formes de vie intelligentes qui pourraient rivaliser avec nous.

– Par exemple?

– Par exemple, les empathes seneshiens d'Hébron ou les centaures des marais de Garden. Toute l'écologie de Garden a été détruite, Duré, pour que quelques milliers de colons humains puissent vivre là où des millions de créatures autochtones avaient prospéré avant eux.

Duré se toucha la joue de la phalange de son doigt plié.

– C'est l'un des inconvénients de la terraformation, admit-il.

– Nous n'avons pas terraformé Whirl, répliqua vivement le Templier. Pourtant, les formes de vie locales ont été pourchassées jusqu'à l'extinction totale.

– Personne n'a jamais établi avec certitude que les zeplins étaient intelligents, fit Duré, conscient du peu de conviction qui transparaissait dans sa voix.

– Ils chantaient. Ils communiquaient à travers des milliers de kilomètres d'atmosphère par des chants empreints d'amour et de mélancolie. Ils ont pourtant été exterminés tout comme les grandes baleines de l'Ancienne Terre.

Duré noua ses doigts avant de répondre tranquillement :

– Des injustices ont été commises, je vous l'accorde. Mais il y a certainement de meilleures manières de redresser les torts que d'apporter son soutien à l'idéologie cruelle du culte gritchtèque, et, surtout, d'approuver cette guerre.

Le capuchon du Templier s'inclina plusieurs fois d'avant en arrière et d'arrière en avant.

– Je ne suis pas de votre avis. S'il ne s'agissait que d'injustices, elles seraient peut-être réparables. Mais la folie... morbide qui a conduit à la destruction d'autres races et à la spoliation de planètes entières est le résultat d'une symbiose contre nature.

– Une symbiose ?

– Entre l'humanité et le TechnoCentre, accusa Sek Hardeen avec une violence rare pour un Templier. Entre l'homme et ses intelligences mécaniques. Qui parasite l'autre ? Difficile à dire quand on appartient à l'une des parties. Mais c'est un péché, croyez-moi, Duré. Une alliance contre nature. Pis encore, un cul-de-sac évolutionnaire.

Le jésuite se leva et marcha jusqu'à la balustrade. Il laissa son regard errer sur la voûte noire des arbres qui s'étalait comme un plafond de nuages dans la nuit.

– Il y a sûrement mieux à faire que de recourir au gritche et à la guerre interstellaire, murmura-t-il.

– Le gritche est un catalyseur. C'est le feu purificateur qui survient lorsque la forêt a été mutilée et que les coupes dévastatrices l'ont rendue malade. Les temps à venir seront durs, mais il en résultera un nouvel essor, une nouvelle vie et une nouvelle prolifération des espèces. Pas seulement dans des régions éloignées, mais au sein de l'humanité elle-même.

– Les temps seront durs, répéta rêveusement Duré. Et votre Fraternité est prête à voir mourir des milliards d'humains pour que s'accomplisse cette... purification ?

Le Templier serra les poings.

— Cela ne se produira pas. Le gritche est un avertissement. Nos frères extros veulent seulement prendre le contrôle d'Hypérion et du gritche assez longtemps pour porter un coup fatal au TechnoCentre. Ce sera une opération chirurgicale. La destruction d'un symbiote et la renaissance de l'humanité en tant que partenaire distinct dans le cycle de vie.

— Personne ne sait où réside le Centre, fit le père Duré en soupirant. Comment les Extros pourraient-ils lui porter un coup?

— Ils le feront, déclara la Voix Authentique de l'Arbremonde.

Duré crut remarquer qu'il y avait moins d'assurance que tout à l'heure dans la voix du Templier.

— Et l'attaque du Bosquet de Dieu fait partie du tableau? demanda-t-il.

Ce fut le tour du Templier de se lever et de faire les cent pas entre la table et la balustrade.

— Ils n'attaqueront pas le Bosquet de Dieu, affirma-t-il. C'est pour cela que je vous ai retenu ici. Pour que vous puissiez ensuite aller faire votre rapport aux autorités de l'Hégémonie.

— Ils n'ont pas besoin de moi pour savoir si les Extros attaquent ou non, fit le prêtre, perplexe.

— Je le sais, mais ils ne comprendront pas pourquoi notre monde a été épargné si vous ne leur apportez pas l'explication. Vous devez leur transmettre le message. Leur expliquer la vérité.

— Au diable votre message. Je suis fatigué de servir d'estafette à tout le monde. Comment savez-vous toutes ces choses? Sur la venue du gritche, sur les raisons de cette guerre?

— Il y a les prophéties... commença Sek Hardeen.

Duré abattit son poing sur la balustrade. Comment expliquer à cet homme les manipulations d'une créature capable, ou, tout au moins, inféodée à une force capable d'agir sur le temps lui-même?

— Vous verrez... commença le Templier.

Comme pour ponctuer ces mots, une vaste rumeur s'éleva, sourde, comme si un million de malheureuses créatures cachées avaient poussé un soupir puis un gémissement collectifs.

— Bon Dieu! fit Duré en se tournant vers l'ouest.

Le soleil semblait se lever à l'endroit même où il avait disparu moins d'une heure plus tôt. Un vent chaud soufflait sur son visage et faisait bruire les feuilles.

Quatre champignons au chapeau creux s'élevèrent au-dessus de l'horizon à l'ouest, transformant la nuit en jour tandis qu'ils se dilataient et s'effilochaient rapidement. Duré s'était instinctivement caché les yeux jusqu'à ce qu'il se rende compte que les explosions étaient si lointaines que, malgré leur luminosité presque aussi intense que celle du soleil local, elles ne risquaient pas de l'aveugler.

Sek Hardeen rejeta son capuchon en arrière. Le vent chaud ébouriffa ses longs cheveux à la couleur étrangement verdâtre. Duré contempla ses traits maigres et allongés, vaguement asiatiques, et s'aperçut qu'ils portaient la stupéfaction gravée en eux. La stupéfaction et l'incrédulité. Le capuchon lançait des appels com et bruissait de micromurmures excités.

– Explosions sur Sierra et Hokkaïdo, chuchota le Templier comme s'il s'adressait à lui-même. Explosions nucléaires. Provoquées par les vaisseaux en orbite.

Duré savait que Sierra était un continent interdit aux étrangers, et situé à moins de huit cents kilomètres de l'Arbre-monde où ils se trouvaient. Il croyait se souvenir aussi que Hokkaïdo était l'île sacrée où poussaient les futurs vaisseaux-arbres et où ils étaient aménagés.

– Beaucoup de victimes? demanda-t-il.

Avant que Hardeen pût répondre, cependant, le ciel fut balayé par une puissante lumière tandis qu'une vingtaine ou plus de lasers tactiques, de bombes à conjugaison de charge et de faisceaux de fusion formaient un bandeau d'un horizon à l'autre, éclairant comme des projecteurs la voûte feuillue de la forêt planétaire qui s'appelait jusqu'ici le Bosquet de Dieu. Et partout où les faisceaux de fusion pénétraient, les flammes faisaient éruption.

Duré chancela tandis qu'un rayon de cent mètres de large trouait la forêt comme une tornade à moins d'un kilomètre de l'Arbre-monde. La forêt ancienne explosa en une flambée soudaine qui créa dans la nuit un corridor de feu sur dix kilomètres de long. L'appel d'air ainsi créé souffla en rugissant aux oreilles de Duré et de Sek Hardeen. Un nouveau rayon frappa dans le sens nord-sud, non loin de l'Arbre-monde, avant de disparaître à l'horizon. Un bandeau de flammes surgit de nouveau, et une fumée noire s'éleva vers les étoiles traîtresses.

– Ils avaient promis! s'étrangla Sek Hardeen. Nos frères extros avaient promis!

– Vous avez besoin d'aide! s'écria Duré. Demandez au Retz de vous aider d'urgence!

Hardeen lui saisit le bras et l'entraîna vers le bord de la plate-forme. Les étoiles étaient revenues à leur place. Sur une autre plate-forme en contrebas, une porte distrans miroitait.

– Ce n'est que l'avant-garde de la flotte extro, lui cria le Templier pour couvrir les bruits de la forêt en flammes. Mais la sphère de singularité risque d'être détruite d'une seconde à l'autre. Partez!

– Je ne pars pas sans vous! répondit le jésuite.

Il n'était pas certain d'avoir été entendu au milieu des terribles craquements de la forêt enflammée, envahie par la fumée et les tisons volants. Soudain, à quelques kilomètres à peine en direction de l'est, le cercle bleu parfait d'une explosion de plasma se dilata, implosa, puis se dilata encore en laissant des traces circulaires concentriques de l'onde de choc. Des arbres de mille mètres de haut se courbèrent et se brisèrent sous l'effet de la première déflagration. Leur côté exposé à l'est s'embrasa en une explosion qui fit voler les feuilles par millions, renforçant le mur presque solide de débris de toutes sortes qui se dirigeaient à une allure folle vers l'Arbre-monde. Derrière le cercle de flammes, une autre bombe au plasma explosa, puis une troisième.

Duré et le Templier dégringolèrent plusieurs marches et furent projetés par le souffle sur la plate-forme inférieure comme des feuilles mortes sur un trottoir. Le Templier s'agrippa à une rampe en bois de muir léchée par les flammes, saisit fermement le bras de Duré de l'autre main et avança, tête baissée, comme dans un cyclone, en direction du panneau distrans miroitant.

À moitié conscient d'être ainsi traîné, Duré lutta pour se dégager juste au moment où Sek Hardeen le poussait contre la porte. Il s'agrippa au cadre, trop faible pour faire un pas de plus, et regarda à travers la surface miroitante, où il aperçut un spectacle qu'il n'oublierait plus jamais.

Un jour, il y avait de cela de nombreuses années, près de sa ville bien-aimée de Villefranche-sur-Saône, le jeune Paul Duré s'était trouvé au sommet d'une falaise, à l'abri des bras de son père, protégé, par surcroît, par un épais bunker dont la fente étroite permettait de contempler un tsunami de quarante mètres de haut qui se précipitait vers la côte où ils habitaient.

Le tsunami qu'il avait actuellement sous les yeux, par contre, devait faire trois mille mètres de haut. Il était composé de flammes et ravageait, à une vitesse qui semblait proche de celle de la lumière; toute la voûte de la forêt qui entourait l'Arbre-monde. Tout ce qu'il touchait était détruit sur-le-champ. Et il se rapprochait de plus en plus, oblitérant le ciel de son rugissement de flammes infernales.

— Non! s'écria le père Paul Duré.

— Partez! fit la Voix Authentique de l'Arbre-monde en poussant le jésuite vers la porte distrans au moment même où la plate-forme, le tronc de l'Arbre-monde et la robe du Templier prenaient feu.

La porte se referma avant que Duré fût entièrement passé. Elle lui sectionna le talon d'une chaussure, et il sentit ses tympans se déchirer et ses vêtements roussir tandis qu'il tombait en arrière, que sa tête heurtait quelque chose de dur et qu'il était plongé dans des ténèbres absolues.

Gladstone et les autres contemplaient dans un silence horrifié les images de la mort d'une planète transmises par les satellites civils au moyen des relais mégatrans.

— Nous ne pouvons plus attendre pour la faire sauter! s'écria l'amiral Singh d'une voix qui couvrit les crépitements de la forêt agonisante.

Meina Gladstone avait l'impression d'entendre les hurlements des humains et des innombrables créatures arboricoles qui vivaient dans les forêts du Bosquet de Dieu.

— Nous ne pouvons pas nous permettre de les laisser approcher davantage! insista Singh. Nous n'avons déjà plus que nos dispositifs de télécommande pour déclencher l'explosion de la sphère.

— Allez-y, fit Gladstone.

Ses lèvres avaient bien remué, mais elle n'avait entendu sortir aucun son.

Singh se tourna pour faire un signe de tête à un colonel de la Force spatiale. Ce dernier effleura son panneau de commandement tactique. Les forêts en flammes disparurent aussitôt, les holos géants devinrent totalement opaques, mais les hurlements étaient toujours présents. Meina Gladstone se rendit compte que c'était le bruit du sang qui battait à ses oreilles. Elle se tourna vers Morpurgo pour demander :

– Dans combien de temps...

Elle s'éclaircit la voix et recommença.

– Général, dans combien de temps Mare Infinitus sera-t-il attaqué ?

– Trois heures et cinquante-deux minutes, H. Présidente.

Elle se tourna vers l'ex-capitaine de frégate William Ajunta Lee.

– Votre force d'intervention est prête, amiral ?

– Elle est prête, H. Présidente.

Sous son bronzage, Lee était blême, lui aussi.

– Combien de vaisseaux prendront part à l'offensive ?

– Soixante-quatorze, H. Présidente.

– L'affrontement aura lieu loin de Mare Infinitus ?

– Dans le nuage d'Oört, H. Présidente.

– Parfait. Bonne chasse, amiral.

Le jeune officier prit cela comme une invitation à saluer et à se retirer. L'amiral Singh se pencha pour murmurer quelque chose au général Van Zeidt. Sedeptra Akasi chuchota à l'oreille de Gladstone :

– La sécurité nous informe qu'un homme vient de se distransporter dans le terminex à accès réservé du QG avec un code prioritaire périmé. Il est blessé. On l'a conduit dans la section hospitalière de l'aile orientale.

– Leigh ? demanda Gladstone. Severn ?

– Ni l'un ni l'autre, H. Présidente. Le prêtre de Pacem. Paul Duré.

Gladstone hocha la tête.

– Je le verrai après mon entretien avec Albedo.

Elle se tourna vers les autres pour annoncer :

– Si personne n'a rien à ajouter à ce que nous venons de voir, je vous propose d'ajourner cette séance durant trente minutes. Nous nous occuperons ensuite de la défense d'Asquith et d'Ixion.

Tout le monde se leva lorsque la Présidente et ses collaborateurs immédiats sortirent par la porte distrans qui communiquait en permanence avec la Maison du Gouvernement et franchirent une porte qui s'ouvrait dans le mur opposé du corridor, laissant les murmures des controverses et de la stupéfaction générale reprendre de plus belle dans la salle du conseil de guerre.

Meina Gladstone se laissa aller en arrière dans son fauteuil de cuir et ferma les yeux durant exactement cinq secondes. Lorsqu'elle les rouvrit, ses collaborateurs étaient toujours là, certains anxieux, d'autres excités, tous pendus à ses lèvres, attendant ses ordres.

– Allez faire un tour, leur dit-elle d'une voix douce. Prenez quelques minutes de repos. Mettez les pieds sur la table pendant dix minutes. Il n'y aura plus de répit ensuite durant vingt-quatre ou quarante-huit heures.

Le groupe obéit, en file indienne. Certains semblaient au bord de la protestation, d'autres au bord de l'épuisement.

– Sedeptra! appela-t-elle.

La jeune femme revint vers elle.

– Affectez deux hommes de ma garde personnelle à la surveillance du prêtre qui vient d'arriver, le père Duré.

Akasi hocha la tête et écrivit quelque chose sur son mémofax.

– Où en est la situation du point de vue politique? demanda Gladstone en se frottant les yeux.

– La Pangermie est dans le chaos le plus complet. Il y a des factions qui se forment, mais il n'en est pas encore sorti une opposition efficace. Au Sénat, c'est une autre histoire.

– Feldstein? demanda Gladstone.

Le sénateur irascible du monde de Barnard savait qu'il ne restait que quarante-deux heures avant l'attaque de sa planète par les Extros.

– Feldstein, mais aussi Kakinuma, Peters, Sabenstorafem, Richeau... Même Sudette Chire demande votre démission.

– Et son mari?

Gladstone considérait le sénateur Kolchev comme la personne la plus influente du Sénat.

– Aucune prise de position de sa part pour le moment, ni officieuse ni officielle.

La Présidente se tapota la lèvre inférieure de l'ongle du pouce.

– Combien de temps croyez-vous qu'il nous reste avant qu'une motion de confiance ne nous fasse tomber, Sedeptra?

Akasi, l'une des conseillères les plus perspicaces en

matière de politique avec qui Gladstone eût jamais travaillé, soutint sereinement le regard de la Présidente.

— Soixante-douze heures au plus, madame. Les voix sont déjà acquises. La foule ne s'avise qu'au dernier moment qu'elle s'apprête à commettre un lynchage. Il faut bien qu'on fasse payer quelqu'un pour tout ce qui est en train de se passer.

— Soixante-douze heures, murmura Gladstone en hochant rêveusement la tête. Bien plus que ce dont nous avions besoin. Ce sera tout, Sedeptra, ajouta-t-elle avec un sourire. Prenez un peu de repos, vous aussi.

La jeune femme hocha la tête, mais son expression indiquait très clairement ce qu'elle pensait de l'utilité pratique de cette suggestion.

Lorsqu'elle referma la porte en sortant, un silence absolu régnait dans le bureau. Gladstone demeura quelques instants la tête penchée en avant, le poing contre la joue. Puis elle s'adressa aux murs.

— Introduisez le conseiller Albedo, je vous prie.

Vingt secondes plus tard, l'air, de l'autre côté de la large table de travail de Gladstone, se mit à miroiter et à prendre une consistance solide. Le représentant du TechnoCentre avait l'air plus sémillant que jamais, avec ses cheveux argentés brillant à la lumière, son bronzage récent et son visage ouvert, respirant la sincérité.

— H. Présidente, commença la projection holo, l'Assemblée consultative et les prévisionnistes du Centre sont heureux de continuer à vous apporter leur concours en ces temps de grande...

— Où se trouve le Centre, Albedo? interrompit Gladstone.

Le sourire du conseiller ne vacilla pas.

— Excusez-moi, H. Présidente, mais je n'ai pas bien entendu votre question.

— Le TechnoCentre, Albedo. Où se trouve-t-il?

Le visage rayonnant du conseiller refléta une légère perplexité, mais sans aucune animosité. La seule émotion visible était un désir contrarié de se montrer serviable.

— Vous savez certainement, H. Présidente, que la politique du TechnoCentre, depuis la sécession, a toujours été de tenir secret l'emplacement des... euh... des éléments physiques qui constituent le TechnoCentre. Autrement dit, le Centre n'est nulle part, puisque...

— Puisque vous n'existez que dans les réalités consensuelles de l'infoplan et de l'infosphère, acheva Gladstone d'un ton sec. Je sais, j'ai entendu ces conneries toute ma vie, Albedo. Mon père aussi, et mon grand-père avant lui. Mais je vous pose de nouveau la question. Où se trouve le TechnoCentre?

Le conseiller secoua la tête d'un air sincèrement désolé, comme un adulte à qui son enfant demande pour la millième fois de lui expliquer pourquoi le ciel est bleu.

– H. Présidente, il est tout simplement impossible de répondre à cette question d'une manière qui prenne un sens avec des coordonnées humaines à trois dimensions. On pourrait dire que nous existons – je parle du TechnoCentre – à la fois dans le Retz et au-delà du Retz. Nous flottons dans la réalité de l'infoplan que vous appelez infosphère. Quant à nos constituants physiques, la partie que vos ancêtres auraient appelée « matérielle », nous estimons indispensable de...

– De garder le secret sur eux, acheva Gladstone en croisant les bras. Vous rendez-vous compte, conseiller Albedo, qu'il y a des gens dans l'Hégémonie – des millions de gens – qui vont commencer à croire très fermement que le Centre – et votre Assemblée consultative, en particulier – s'est rendu coupable de trahison envers l'humanité?

Albedo fit un geste vague.

– C'est regrettable, H. Présidente. Très regrettable, mais compréhensible.

– Vos prévisionnistes étaient censés nous fournir des avis d'une fiabilité quasi totale. Pourtant, à aucun moment vous ne nous avez mis en garde contre l'éventualité de la destruction de nos planètes par cette flotte extro.

La tristesse qui se lisait sur les traits harmonieux de la projection était touchante, presque convaincante.

– H. Présidente, en toute justice, je dois vous rappeler que l'Assemblée consultative vous avait prévenue que l'annexion d'Hypérion au Retz introduisait une variable aléatoire que le TechnoCentre lui-même était incapable de prendre en compte.

– Quel rapport avec Hypérion? coupa Gladstone en élevant la voix. Il s'agit du Bosquet de Dieu, en flammes, d'Heaven's Gate, réduit à l'état d'un monceau de scories, de Mare Infinitus, qui attend le coup de grâce! Quelle est l'utilité de votre Assemblée consultative, si elle n'est même pas capable de prévoir des destructions de cette importance?

– Nous avons prédit la guerre avec les Extros, H. Présidente, ainsi que le danger qu'il y avait à vouloir défendre Hypérion. Vous devez me croire lorsque je vous affirme que l'introduction de cette planète dans une quelconque équation de prédiction abaisse l'indice de probabilité à des niveaux tout à fait...

– Très bien, soupira Gladstone. Je veux parler à l'une des... Puissances, je crois que c'est le mot que vous employez. L'une des IA qui vous commandent. Quelqu'un de haut placé, Albedo. Je veux lui demander pourquoi le TechnoCentre a enlevé mon portraitiste, Severn, et mon adjoint Leigh Hunt.

La projection prit un air choqué.

– Je vous assure, H. Présidente, sur l'honneur de nos quatre siècles d'alliance, que le TechnoCentre n'a rien à voir avec la regrettable disparition de vos...

Gladstone se leva.

– C'est précisément pour cela que je veux parler à l'une de vos Puissances, Albedo. Le moment est venu de nous expliquer sans détour si nous voulons que l'une au moins de nos espèces survive. Ce sera tout.

Elle fit mine de reporter son attention sur les pelures mémofax posées sur son bureau. Le conseiller Albedo se leva, s'inclina légèrement, puis disparut dans un flou miroitant.

Gladstone fit apparaître sa porte distrans personnelle. Elle murmura le code de la section hospitalière de la Maison du Gouvernement, et s'apprêta à passer de l'autre côté. Mais au moment de toucher la surface opaque du rectangle d'énergie, elle se ravisa. Pour la première fois de sa vie, l'angoisse l'étreignit à l'idée de franchir une interface distrans.

Si le TechnoCentre la faisait disparaître, elle aussi?

Elle comprenait soudain le terrible pouvoir de vie et de mort que le Centre exerçait sur tous les citoyens du Retz qui se servaient du réseau distrans, c'est-à-dire sur la totalité des gens qui occupaient une position tant soit peu importante. Leigh et le cybride Severn n'avaient pas nécessairement été distransportés *ailleurs*. Seule l'habitude de considérer le système distrans comme un moyen de transport d'une sécurité absolue créait la conviction, au niveau subconscient, qu'ils étaient allés quelque part. Mais ils avaient aussi bien pu être transférés dans le néant. Dans des atomes éparpillés occupant l'espace expansé d'une singularité. Les terminaux distrans ne servaient pas à la « téléportation » des personnes et des choses. Un tel concept était puéril. Mais n'était-il pas encore plus ridicule de faire confiance à un système qui perçait des trous dans le tissu de l'espace-temps pour faire passer les gens par des « trappes » analogues à des trous noirs? N'était-il pas insensé pour elle, en ce moment même, de faire confiance au TechnoCentre pour la conduire dans la Maison du Gouvernement?

Elle songea à la salle du conseil de guerre, aux trois salles immenses reliées par des panneaux distrans à vision directe activée en permanence. Les trois salles étaient séparées, en réalité, par au moins mille années-lumière, des dizaines d'années de voyage en temps réel, même sous propulsion Hawking. Chaque fois que Morpurgo ou Singh ou quelqu'un d'autre se déplaçait pour aller d'une carte murale à la table traçante, il franchissait des gouffres d'espace et de temps. Tout ce que le TechnoCentre avait à faire pour détruire l'Hégémonie et tous ceux qui s'y trouvaient était d'intervenir sur le réseau distrans pour qu'une légère « erreur » d'acheminement se produise.

Au diable la prudence, se dit Meina Gladstone.

Et elle passa à travers l'interface pour se rendre au chevet de Duré.

39

Les deux pièces du premier étage de la maison de la *Piazza di Spagna* sont petites, étroites, hautes de plafond et plongées dans l'obscurité, à l'exception d'une petite lampe brûlant faiblement dans un coin de chacune des chambres, comme si des spectres les avaient éclairées en prévision de la visite d'autres spectres. Mon lit se trouve dans la plus petite des deux chambres, celle qui donne sur la *piazza*, bien que la seule chose que l'on puisse voir ce soir derrière les fenêtres hautes soit une obscurité épaisse où se découpent des ombres encore plus noires, le tout ponctué par le murmure incessant de l'invisible fontaine de Bernini.

Des cloches sonnent toutes les heures à l'un des clochers jumeaux de Santa Trinità dei Monti, l'église tapie dans le noir comme un félin massif en haut des marches. Chaque fois que je les entends égrener les brèves notes des petites heures du matin, j'imagine des mains de fantôme en train de tirer sur des cordes en décomposition. Ou peut-être des mains en décomposition en train de tirer sur des cordes fantômes. Je ne sais pas, tout au long de cette nuit sans fin, laquelle de ces deux images est la plus adaptée à mon humeur macabre.

La fièvre m'oppresse comme une lourde et moite couverture. Ma peau est tour à tour brûlante et mouillée. À deux reprises, j'ai été saisi par la toux. La première quinte a fait accourir Hunt de l'autre chambre. Ses yeux se sont agrandis à la vue du sang que j'avais vomi sur les draps damassés. La seconde quinte, je l'étouffai de mon mieux, en me levant pour tituber jusqu'à la table où se trouvait la cuvette et y cracher de petites quantités de mucus et de sang noir. Hunt ne s'est pas réveillé.

Quelle ironie, de se retrouver ici, d'avoir fait tout ce chemin pour être de nouveau dans cette maison obscure et dans ce lit sinistre. Je me souviens confusément de m'être réveillé dans ce même lit, miraculeusement « guéri », avec le « vrai » Severn et le docteur Clark, et même la petite Signora Angeletti, qui attendaient dans le hall. Je me souviens de ma convalescence après la mort, et du temps qu'il m'a fallu pour me rendre compte que je n'étais pas Keats, que ce n'était pas la vraie Terre, que nous n'étions pas dans le même siècle que celui où j'avais fermé les yeux en croyant que c'était pour la dernière fois, et aussi... que je n'étais pas humain.

Au début de l'après-midi, vers 2 heures, je m'endors. Et je rêve. Je n'avais jamais rien rêvé de semblable. Je flotte en m'élevant lentement dans l'infoplan, dans l'infosphère et dans la mégasphère. J'arrive finalement dans un endroit que je ne connais pas, dont je n'ai jamais entendu parler, pas même en rêve. Un endroit où règnent les espaces infinis, où le temps semble figé et les couleurs indescriptibles. Il n'y a ni horizon, ni plafond, ni sol, ni rien de tangible. Je baptise ce lieu la métasphère, car j'ai senti immédiatement que ce niveau de réalité consensuelle inclut toutes les variétés et tous les caprices des sens que j'ai connus sur la Terre, toutes les analyses binaires, tous les plaisirs intellectuels que j'ai sentis couler du TechnoCentre à l'infosphère et, par-dessus tout, une sensation de... comment dire... d'expansion? de liberté? de potentialité, je pense. Oui, ce doit être le mot que je cherchais.

Je suis tout seul dans cette métasphère. Les couleurs flottent au-dessus de moi, sous moi, à travers moi. Elles se dissolvent quelquefois en de vagues pastels, ou s'agglomèrent en nuages fantaisistes, ou bien encore, plus rarement, semblent constituer des assemblages plus tangibles, qui pourraient évoquer des formes humanoïdes. Je les contemple comme un enfant pourrait admirer les nuages, en imaginant y voir des éléphants, des crocodiles du Nil et des torpilleurs majestueux qui évoluent d'ouest en est par un jour de printemps dans la Région des Lacs.

Au bout d'un moment, j'entends des bruits : le ruissellement à vous rendre fou de la fontaine de Bernini sur la place, les froissements d'ailes et les roucoulements des pigeons sur la corniche au-dessus de ma fenêtre, les gémissements étouffés de Leigh Hunt dans son sommeil. Mais, par-dessus et en deçà de tous ces bruits, j'entends des sons plus furtifs, moins *réels*, peut-être, mais infiniment plus menaçants.

Quelque chose d'énorme s'avance vers l'endroit où je suis. Je fais des efforts pour percer la pénombre pastel. Cela se déplace juste en deçà de l'horizon visible. Je sais que cette chose connaît mon nom, et qu'elle tient ma vie dans une main et la mort dans l'autre.

Il n'y a nul endroit où se cacher dans l'espace au-delà de l'espace. Je ne peux pas m'enfuir en courant. Le chant des sirènes de la douleur continue de monter et descendre dans le monde que j'ai laissé derrière moi. Il exprime les douleurs quotidiennes de tous ceux qui le peuplent, la douleur de ceux qui souffrent de la guerre qui vient de commencer, la torture ponctuelle, spécifique, de ceux qui sont empalés sur l'arbre terrifiant du gritche, et, plus forte encore, la souffrance que je ressens à la place des pèlerins et de tous les autres dont je partage à présent la vie et les pensées.

Cela vaudrait la peine de me lever pour courir à la rencontre de cette formidable figure du destin si seulement elle pouvait me libérer du chant de douleur qui m'enveloppe.

– Severn! Severn!

Un instant, j'ai l'impression que c'est de moi que sort cet appel, exactement comme la dernière fois où je me suis trouvé dans la même situation, criant dans la nuit le nom de Joseph Severn lorsque la douleur et la fièvre dépassaient mon pouvoir de les contenir. Et il était toujours là, avec sa lenteur massive et bienveillante, avec ce sourire doux que j'avais parfois envie d'effacer de ses lèvres au moyen d'une remarque acerbe ou d'un geste mesquin. Il est dur de rester bien disposé envers les autres quand on est en train de mourir. Je n'avais pas manqué de générosité dans ma vie. Pourquoi fallait-il que je continue de jouer ce rôle alors que c'était moi qui souffrais, moi qui crachais des morceaux de poumon dans un mouchoir noir de sang?

– Severn!

Ce n'est pas ma voix. Hunt me secoue par les épaules. C'est lui qui crie le nom de Severn. Je comprends qu'il s'adresse à moi, en croyant que je suis Severn. Je repousse sa main d'un geste brusque et je laisse retomber ma tête au creux de l'oreiller.

– Qu'est-ce qu'il y a? Qu'est-ce qui ne va pas?

– Vous gémissiez, me dit le collaborateur de Gladstone. Vous appeliez dans votre sommeil.

– Un cauchemar. Rien de plus.

– Vos rêves sont généralement plus que de simples rêves, me dit Hunt.

Il regarde la petite chambre autour de lui. Elle est éclairée par la lampe qu'il a apportée avec lui.

– Quel endroit sordide, Severn!

Je m'efforce de lui sourire.

– Cette chambre me coûtait vingt-huit shillings par mois. Sept *scudi*. Du vol.

Il fronce les sourcils tandis que la lumière rend ses rides plus marquées que d'ordinaire.

– Écoutez, Severn. Je sais que vous êtes un cybride. Gladstone m'a dit que vous étiez la personnalité récupérée d'un poète nommé Keats. De toute évidence, tout ce qui nous entoure... (il fit un geste d'impuissance englobant la chambre, les ombres, les rectangles des hautes fenêtres, le lit haut...) est en rapport avec cela, mais de quelle manière? À quel jeu joue le TechnoCentre ici?

– Je ne sais rien de précis, lui dis-je, sincère.

– Mais cet endroit vous est familier?

– Bien sûr!

– Expliquez-moi, supplie Hunt.

Ce n'est pas tant le ton de cette requête que la réserve dont il a fait preuve jusqu'ici en ne me demandant pas d'explication qui me décide à lui raconter ce que je sais.

Je lui parle du poète John Keats, né en 1795, de sa brève existence, souvent malheureuse, de sa mort à la suite d'une « phtisie » en 1821 à Rome, loin de ses amis et de son unique amour. Je lui raconte aussi ma « guérison » mise en scène dans cette même chambre, ainsi que ma décision de prendre le nom de Joseph Severn, le peintre qui est resté au chevet de Keats jusqu'à sa mort. Enfin, je lui parle de mon court séjour dans le Retz, où je me suis contenté d'observer et d'écouter, condamné à rêver la vie des pèlerins du gritche sur Hypérion, et d'autres vies aussi.

– Des rêves? me dit Hunt. Vous voulez dire que, même en ce moment, vous rêvez de ce qui se passe dans le Retz?

– Oui.

Je lui parle de mes rêves de Gladstone, de la destruction d'Heaven's Gate et du Bosquet de Dieu, des images confuses qui me parviennent d'Hypérion.

Hunt fait les cent pas dans la chambre étroite. Son ombre se profile sur les murs lépreux et sur le plafond.

– Est-ce que vous pouvez les contacter?

– Ceux dont je rêve? Gladstone? Impossible.

– Vous en êtes sûr?

J'essaie de lui expliquer.

– Je ne suis même pas dans ces rêves, Hunt. Je n'ai aucune... voix, aucune présence... aucun moyen de communiquer.

– Mais vous rêvez parfois leurs pensées?

Je réfléchis. C'est vrai. Disons que c'est assez proche de la vérité.

– Je ressens leurs *impressions*.

– Vous ne pourriez pas laisser une petite trace dans leur esprit, dans leur... souvenir? Leur faire savoir que nous sommes là?

– Non.

Il se tasse dans le fauteuil au pied de mon lit. Soudain, il semble très vieux et très accablé.

– Même si je pouvais entrer en contact avec Gladstone – ce qui est impossible –, je ne vois pas à quoi cela pourrait nous servir, Leigh. Je vous ai déjà expliqué que cette réplique de l'Ancienne Terre se trouvait dans le Nuage de Magellan. Même aux vitesses quantiques de la propulsion Hawking, il faudrait des siècles pour que quelqu'un parvienne jusqu'à nous.

— Nous pourrions au moins les mettre en garde, fait Hunt d'une voix si lasse qu'elle semble presque morose.

— Les mettre en garde à propos de quoi? Tous les pires cauchemars de Gladstone sont en train de se concrétiser autour d'elle. Croyez-vous qu'elle fasse confiance au TechnoCentre? Elle sait que c'est lui qui nous a enlevés sans vergogne. Les événements vont trop vite pour que quiconque dans l'Hégémonie puisse les suivre.

Hunt se frotte les yeux. Puis il noue ses mains sous son nez. Il me regarde d'une manière presque inamicale.

— Vous êtes vraiment la personnalité récupérée d'un poète?

Je ne réponds pas.

— Récitez-moi des vers. Improvisez quelque chose.

Je secoue la tête. Il est tard. Nous sommes tous les deux épuisés et apeurés. Mon cœur bat encore très fort après le cauchemar que j'ai fait tout à l'heure et qui n'en était pas un. Je ne laisserai pas Hunt me faire perdre mon calme.

— Allez, insiste-t-il. Prouvez-moi que vous êtes une nouvelle version améliorée de Bill Keats.

— John, lui dis-je d'une voix douce.

— Peu importe. Allez, Severn. Ou John, si vous préférez. Récitez-moi quelque chose.

— D'accord. Écoutez ça, lui dis-je en soutenant son regard.

> *Il y avait un méchant garçon*
> *Et méchant, il l'était vraiment,*
> *Car il ne voulait rien faire d'autre*
> *Qu'écrire de la poésie.*
> *Il prit*
> *Un encrier*
> *Dans une main*
> *Et un porte-plume*
> *Gros comme un pain*
> *De l'autre.*
> *Il courut se réfugier*
> *Dans les montagnes,*
> *Près des sources*

Et des fantômes
Et des bois
Et des sorcières
Et des fossés
Et écrivit
Dans son manteau,
Quand l'air était froid,
Par peur de la goutte,
Et à l'air libre,
Quand l'air était chaud.
Ouch, quel charme,
De ne suivre que le bout de son nez
Vers le Nord,
Vers le Nord,
De ne suivre que le bout de son nez
Vers le Nord!

— Je ne sais pas, murmure Hunt. Ça ne ressemble pas tellement à quelque chose qu'écrirait un poète dont la renommée a traversé dix siècles.

Je hausse les épaules.

— Avez-vous rêvé de Gladstone cette nuit? Pourquoi avez-vous poussé ces cris?

— Rien à voir avec elle. C'était... un vrai cauchemar, pour une fois.

Il se lève, prend sa lampe et se prépare à sortir en me laissant dans l'obscurité. J'entends le bruit de la fontaine, en bas sur la *piazza*, et celui des pigeons sur la corniche.

— Demain, me dit-il, nous essaierons de donner un sens à tout cela et de trouver un moyen de partir d'ici. S'ils ont pu nous distransporter à l'aller, il n'y a pas de raison pour que nous ne puissions pas faire le retour de la même manière.

— Peut-être, lui dis-je, sceptique.

— Bonne nuit. Ne faites plus de cauchemars, d'accord?

— D'accord, lui dis-je, encore plus sceptique.

Monéta traîna le blessé à l'écart du gritche et sembla maintenir le monstre à distance de sa main tendue pendant qu'elle sortait un tore bleu de sa ceinture de combinaison et le secouait derrière elle.

Un ovale incandescent de deux mètres de haut se forma dans l'air.

– Laisse-moi y retourner, murmura Kassad. Finissons-en.

Il y avait du sang à l'endroit où les griffes du gritche avaient fendu la combinaison du colonel. Son pied droit pendait comme s'il était à demi sectionné. Il ne pouvait plus s'appuyer dessus, et seul le fait d'avoir lutté avec le monstre, porté par lui dans une horrible parodie de danse, l'avait maintenu debout durant leur combat.

– Laisse-moi y retourner, répéta Fedmahn Kassad.

– Tais-toi, murmura Monéta. Tais-toi, mon amour.

Elle le traîna à travers l'ovale doré, et ils émergèrent dans une lumière d'airain.

Malgré ses souffrances et l'état d'épuisement où il se trouvait, Kassad fut ébloui par le spectacle. Ils n'étaient plus sur Hypérion, il en avait la certitude. Une vaste plaine s'étendait jusqu'à un horizon situé beaucoup plus loin que la logique ou l'expérience ne l'autorisaient. Une herbe drue et orangée – si toutefois c'était bien de l'herbe – poussait sur les plaines et les collines basses comme un duvet sur le dos d'une chenille énorme, tandis que des choses qui ressemblaient à des arbres se dressaient comme des sculptures en carbone renforcé avec leurs troncs et leurs branches quasi eschériennes dans leur improbabilité baroque et leur profusion de feuilles ovales d'un bleu foncé et d'un violet miroitants, vers un ciel flamboyant de lumière dorée.

Ce n'était cependant pas la lumière d'un soleil. Pendant que Monéta l'éloignait de l'ovale en train de se refermer (Kassad ne pensait pas qu'il pût s'agir d'une porte distrans, car il était persuadé d'avoir franchi non seulement de l'espace, mais du temps) vers un bosquet de ces arbres impossibles, il leva les yeux vers le ciel et ressentit quelque chose qui était proche de l'émerveillement. La lumière avait la même intensité que le jour d'Hypérion, ou l'éclairage de la galerie marchande sur Lusus à midi, ou une journée d'été sur le plateau de Tharsis du monde natal de Kassad. Il avait l'impression d'être au centre de la galaxie.

Au centre de la galaxie.

Un groupe d'hommes et de femmes en combinaison de lumière sortirent de l'ombre des arbres eschériens et entourèrent Monéta et Kassad. L'un des hommes, un géant, même selon les critères martiens de Kassad, le regarda, tourna la tête vers Monéta et sembla communiquer avec elle, bien que Kassad n'entendît rien sur la radio de sa combinaison et sur ses récepteurs à faisceau étroit.

– Détends-toi, lui dit Monéta en posant la tête de Kassad sur le tapis d'herbe orangée.

Il voulut dire quelque chose et se redresser, mais le géant et Monéta lui touchèrent en même temps les épaules, et il laissa retomber sa tête. Sa vision s'emplit de feuilles violettes, qui remuaient doucement, et d'étoiles lointaines.

L'homme le toucha de nouveau. La combinaison se désactiva. Kassad fit le geste de se couvrir en s'apercevant qu'il était nu au centre d'un petit cercle qui s'était assemblé autour de lui, mais Monéta l'empêcha de bouger d'une main ferme. À travers la douleur de ses membres meurtris, il sentit vaguement la main de l'homme qui lui tâtait le bras et le torse, puis descendait le long de sa jambe jusqu'à l'endroit où le tendon d'Achille avait été sectionné. Il ressentait un froid intense partout où le gantelet argenté du géant le touchait. Puis sa conscience se mit à flotter comme un ballon, très haut au-dessus de la plaine et des collines. Il dérivait vers la voûte étoilée où une silhouette massive l'attendait, sombre et sinistre comme un gros nuage noir au-dessus de l'horizon, grande comme une montagne.

– Kassad, chuchota Monéta.

Il se sentit revenir peu à peu vers elle.

– Kassad, souffla-t-elle de nouveau.

Il sentit ses lèvres sur sa joue. Sa combinaison réactivée était mêlée à celle de Monéta.

Il se redressa en même temps qu'elle. Secouant la tête, il vit qu'il était de nouveau vêtu de lumière argentée. Il se mit debout. Il ne ressentait plus aucune douleur. Son corps fourmillait en une douzaine d'endroits, là où ses blessures avaient été guéries et ses plaies cicatrisées. Il fit entrer sa main à travers sa propre combinaison, toucha sa propre chair à travers son gantelet, fléchit les genoux, se toucha le talon. Il ne sentit aucune cicatrice.

– Merci, dit-il au géant sans savoir si celui-ci l'entendait.

Mais le géant inclina la tête avant de rejoindre les autres.

– C'est... une sorte de docteur, fit Monéta. Un guérisseur.

180

Kassad l'écoutait à peine. Il concentrait son attention sur les autres. Ils étaient humains – il le savait du fond du cœur – mais d'une variété étonnante. Leurs combinaisons n'étaient pas toutes argentées comme celle de Monéta et la sienne. Elles avaient des couleurs différentes et changeantes, d'aspect organique et doux, comme la fourrure d'un animal sauvage. Seul un miroitement subtil, qui rendait légèrement flous les traits du visage, indiquait qu'ils portaient une combinaison. Et leur anatomie était aussi variée que leurs couleurs. Le « guérisseur » avait à peu près la même stature que le gritche, des sourcils épais et une crinière fauve qui semblait faite d'énergie pure. La personne qui se trouvait à côté de lui avait la taille d'un enfant, mais c'était visiblement une femme, aux membres parfaitement proportionnés, aux jambes musclées, aux seins menus, mais avec des ailes de deux mètres de haut qui se dressaient dans son dos. Et ce n'était pas un ornement superflu, car une brise coucha bientôt l'herbe orangée de la prairie, et elle fit quelques pas en courant, écarta les bras et s'éleva gracieusement dans les airs.

Derrière un groupe de femmes minces, de haute taille, aux mains palmées et aux longs doigts, vêtues de combinaisons bleuâtres, se tenaient plusieurs hommes trapus, aussi bardés d'armures et de casques qu'un *marine* de la Force sur le point d'aller à la bataille dans le vide spatial. Au-dessus d'eux, quelques hommes ailés se laissaient porter par un thermique tandis que de fins rayons jaunes de lumière cohérente pulsaient parmi eux selon un code complexe. Les lasers semblaient issus d'une sorte d'œil que chacun d'eux avait sur la poitrine.

Kassad secoua de nouveau la tête.

– Il faut partir, lui dit Monéta. Le gritche ne peut pas nous suivre ici. Ces guerriers ont assez de problèmes de leur côté pour s'attaquer aussi à cette manifestation particulière du Seigneur de la Douleur.

– Où sommes-nous ? demanda Kassad.

Elle fit apparaître un ovale violet à l'aide d'une férule dorée passée à sa ceinture.

– Dans un futur éloigné de l'humanité. L'un de nos futurs. C'est ici que les Tombeaux du Temps ont été formés et lancés dans le passé.

Kassad regarda de nouveau autour de lui. Quelque chose d'énorme était en train de se déplacer dans le champ des étoiles, occultant des milliers d'entre elles, projetant son ombre durant quelques secondes à peine avant de disparaître totalement. Les hommes et les femmes levèrent la tête un court instant, puis retournèrent à leurs occupations, qui semblaient consister à cueillir de petits objets dans les arbres, à se grouper pour regarder de petites cartes lumineuses qu'un simple claquement de doigts faisait apparaître, ou à voler vers l'horizon à la vitesse d'une flèche. Un individu de courte taille, aux formes arrondies, de sexe indéterminé, s'était enfoui dans le sol meuble, et l'on ne voyait plus de lui qu'une basse crête de terre qui avançait en larges spirales concentriques autour des autres.

– Qu'est-ce que c'est que cet endroit? demanda de nouveau Kassad. Où sommes-nous?

Soudain, il se sentait au bord des larmes, comme si, au détour d'une rue peu familière, il s'était brusquement retrouvé sur les lieux de son enfance, dans le Camp de Regroupement de Tharsis, où sa mère, depuis longtemps morte, l'attendait sur le seuil en lui faisant de grands signes, et où ses amis oubliés, ses frères, l'attendaient pour une partie de scootball.

– Viens, lui dit Monéta.

Il ne pouvait se méprendre sur l'urgence contenue dans sa voix. Elle l'entraîna vers l'ovale luminescent. Kassad ne quitta pas des yeux la voûte étoilée et les humains jusqu'à ce qu'ils soient passés de l'autre côté et que l'interface s'opacifie.

Ils ressortirent dans l'obscurité. Il fallut quelques secondes à la combinaison de Kassad pour que ses filtres compensent sa vision. Il vit qu'ils étaient au pied du Monolithe de Cristal, dans la vallée des Tombeaux du Temps d'Hypérion. C'était la nuit. De gros nuages bouillonnaient dans le ciel. Une tempête faisait rage. Seules les pulsations des tombeaux éclairaient la scène. Il ressentit la nostalgie subite de l'endroit qu'ils venaient de quitter, avec sa lumière harmonieuse et son décor si propre. Puis il se concentra sur ce qu'il y avait autour de lui.

Sol Weintraub et Brawne Lamia étaient dans la vallée à cinq cents mètres de là. Sol était penché sur la jeune femme étendue au pied du Tombeau de Jade. Le vent faisait tournoyer la poussière autour d'eux, de sorte qu'ils ne pouvaient pas voir le gritche en train de s'avancer dans leur direction, telle une ombre mouvante et sinistre, sur le sentier qui passait devant l'Obélisque.

Fedmahn Kassad émergea de la zone obscure qui entourait le marbre noir du Monolithe et s'avança en évitant les échardes de cristal répandues sur le chemin. Il s'aperçut que Monéta était toujours accrochée à son bras.

– Si tu le provoques encore, murmura-t-elle d'une voix suppliante, le gritche te tuera.

– Ce sont mes amis, fit Kassad.

Son équipement de la Force et son armure déchiquetée se trouvaient là où Monéta les avait laissés quelques heures plus tôt. Il alla chercher dans le Monolithe son fusil d'assaut et un chapelet de grenades, puis vérifia que tout fonctionnait encore et que les charges étaient au maximum. Il ôta les sécurités, ressortit du Monolithe et s'élança au pas de course pour intercepter le gritche.

Je me réveille au son de l'eau qui coule. Un instant, je crois m'être assoupi devant la cascade de Lodore pendant ma promenade avec Brown. Mais l'obscurité, lorsque j'ouvre les yeux, est aussi terrifiante que lorsque je dormais, et l'eau fait un bruit sinistre qui n'a rien à voir avec celui de la cascade immortalisée par Southey dans son poème. Je me sens mal. Ce n'est pas seulement le mal de gorge qui m'a pris lorsque nous sommes redescendus avec Brown du Skiddaw dont nous avions fait stupidement l'ascension avant le petit déjeuner, mais un mal profond, mortel, qui m'endolorit tout le corps et qui me brûle le ventre et la poitrine d'un feu intense, implacable.

Je me lève pour aller, à tâtons, jusqu'à la fenêtre. Une lumière pâle filtre, sous la porte, de la chambre de Leigh Hunt. Il s'est endormi en oubliant d'éteindre la lampe. J'aurais peut-être dû faire comme lui, mais il est trop tard, maintenant.

Je me rapproche du rectangle un peu plus pâle de la fenêtre. L'air est frais, chargé de senteurs de pluie. Je comprends que le bruit qui m'a réveillé est celui du tonnerre. Il y a des éclairs qui illuminent les toits de Rome. Aucun bâtiment de la ville n'est éclairé. En me penchant un peu par la fenêtre ouverte, je vois les marches luisantes de pluie qui dominent la *piazza* et les clochers de Trinità dei Monti qui se profilent à la faveur des éclairs. Le vent qui souffle d'en haut est glacé. Je vais prendre une couverture sur le lit et je m'en drape avant de traîner une chaise devant la fenêtre pour m'y asseoir et contempler le spectacle, perdu dans mes pensées.

Je revois mon frère Tom dans ses derniers jours, la figure déformée par les terribles efforts qu'il devait faire pour respirer. Je revois ma mère, toute pâle, le visage presque luisant dans la pénombre de la chambre. Ma sœur et moi, nous avions le droit de toucher sa main moite et de déposer un baiser sur son front enfiévré avant de nous retirer. Un jour, je me suis furtivement essuyé les lèvres en sortant, non sans jeter un regard de côté à ma sœur et aux autres pour voir si quelqu'un avait remarqué mon geste impie.

Lorsque le docteur Clark et un chirurgien italien pratiquèrent l'autopsie de Keats, moins de trente heures après sa mort, ils constatèrent, comme l'écrivit plus tard Severn à un ami, « les ravages effectués par la pire forme de phtisie que l'on puisse trouver. Les poumons étaient entièrement détruits. Les cellules avaient disparu. » Ni le docteur Clark ni le chirurgien italien ne comprenaient comment le poète avait survécu les deux derniers mois ou plus.

Je pense à tout cela, dans l'obscurité de la chambre, en regardant la *piazza*. J'écoute les bouillonnements qui montent de ma poitrine et de ma gorge. Je sens la douleur comme un feu intérieur. Mais j'entends également les cris, encore plus terribles, de Martin Silenus sur son arbre, qui expie pour avoir écrit les vers que j'ai été trop faible et trop lâche pour achever. J'entends les cris de Fedmahn Kassad, qui se prépare à mourir déchiré par les griffes du gritche ; j'entends les cris du consul forcé de trahir une seconde fois ; les cris des Templiers qui, par milliers, se lamentent sur la mort de leur monde et de leur frère Het Masteen ; ceux de Brawne Lamia, qui songe à son amour défunt, mon jumeau ; ceux de Paul Duré, sur son lit d'hôpital, qui se bat contre ses brûlures et contre ses souvenirs cuisants, trop conscient de la présence du cruciforme tapi à l'intérieur de sa poitrine ; ceux de Sol Weintraub, qui martèle du poing les sables d'Hypérion en appelant son enfant, le bébé Rachel, dont les vagissements résonnent encore à nos oreilles.

– Bon Dieu de merde !

Je martèle du poing, moi aussi, la pierre et le ciment du rebord de la fenêtre, en répétant :

– Bon Dieu de bon Dieu de merde !

Au bout d'un moment, tandis que les premières lueurs de l'aube apparaissent, je m'éloigne de la fenêtre pour regagner mon lit. Je m'étends, les yeux fermés, juste quelques instants.

Le gouverneur général Théo Lane se réveilla en musique. Clignant des yeux, il regarda autour de lui et reconnut la cuve nutritive voisine et l'infirmerie de bord comme dans un rêve. Puis il s'aperçut qu'il portait un pyjama noir et qu'il se trouvait étendu sur la table d'examen de la salle d'infirmerie. Les événements des douze dernières heures commencèrent à lui revenir en mémoire. On l'avait sorti de la cuve médicale et on l'avait couvert de capteurs. Le consul et un autre homme s'étaient penchés sur lui pour lui poser des questions. Il y avait répondu comme s'il était conscient. Puis il s'était rendormi pour rêver d'Hypérion et de ses cités en flammes. Ou plutôt non, ce n'étaient pas exactement des rêves.

Il se redressa, et se sentit presque flotter quand il descendit de la table d'examen. Il trouva ses vêtements, nettoyés et repassés, sur une étagère voisine. Il s'habilla rapidement, sans cesser d'écouter la musique, dont les accents, variant en intensité, avaient une qualité acoustique qui suggérait qu'il ne s'agissait pas d'un enregistrement, mais d'un morceau interprété en direct.

Il prit l'escalier qui conduisait au salon et s'arrêta, surpris, en voyant que le vaisseau était ouvert sur l'extérieur, que le balcon était sorti et que le champ de confinement ne semblait pas fonctionner. La gravité sous ses pieds était minime, à peine suffisante pour lui faire toucher le sol. Probablement vingt pour cent de moins que sur Hypérion, peut-être un sixième de *g* standard.

La lumière solaire entrait à profusion dans le salon où le consul jouait de son antique instrument qu'il appelait piano. Théo reconnut également l'archéologue, Arundez, appuyé contre l'ouverture de la coque, un verre à la main. L'air que jouait le consul semblait très vieux et très complexe. Ses mains couraient sur le clavier dans un flou étudié. Théo se rapprocha de l'archéologue souriant pour lui dire quelque chose, mais s'immobilisa, la bouche ouverte, stupéfié par ce qu'il voyait.

Devant le balcon du vaisseau, trente mètres plus bas, sur une pelouse verdoyante qu'éclairait un soleil radieux et qui s'étendait jusqu'à un horizon beaucoup trop proche, des gens étaient groupés dans des attitudes détendues, écoutant visiblement le concert impromptu du consul. Et quelle assistance ils formaient!

Il y avait des individus très grands et très maigres, qui devaient être des esthètes d'Epsilon Eridani, pâles et chauves dans leurs robes bleues diaphanes. Mais à côté d'eux et derrière eux, une multitude étonnante de types humains écoutaient aussi la musique du consul. Il y avait là plus de variétés que le Retz n'en avait jamais connu : des humains velus ou couverts d'écailles, des humains au corps de guêpe, avec des yeux en conséquence, des organes récepteurs à multiples facettes et des antennes; des humains aussi minces et fragiles que des sculptures en fil de fer, avec de grandes ailes noires issues de leurs épaules fines, et drapées autour d'eux comme des capes; des humains trapus, apparemment adaptés à des mondes à gravité élevée; d'autres, aussi massifs et musclés qu'un buffle, auprès desquels un Lusien aurait pu passer pour fragile; d'autres, encore, au corps trapu et aux longs bras recouverts d'un duvet orangé, que seul leur visage diaphane, à l'aspect sensible, différenciait de celui d'un ancien orang-outan de la Terre tel que les holos le représentaient. Et il y en avait encore d'autres, à l'aspect plus lémurien qu'humanoïde, ou qui semblaient se rapprocher plus de l'aigle, du lion, de l'ours ou de l'anthropoïde que de l'homme à proprement parler. Pourtant, Théo savait qu'il s'agissait bien d'êtres humains, quelles que fussent leurs différences d'aspect. Leurs regards attentifs, leurs postures relaxées, ainsi qu'une centaine d'autres détails subtils, jusqu'à la manière dont une mère aux ailes de papillon tenait son bébé dans ses bras, ne laissaient subsister aucun doute sur leur humanité commune.

Melio Arundez se tourna à ce moment-là vers lui et sourit en voyant son expression.

— Des Extros, chuchota-t-il.

Sidéré, Théo Lane ne put que secouer la tête en continuant d'écouter la musique. Les Extros étaient des barbares qui n'avaient rien à voir avec ces créatures magnifiques et éthérées. Ceux qui avaient été capturés sur Bressia, sans parler des morts qui jonchaient les champs de bataille, avaient tous la même morphologie. Il étaient grands et maigres, assurément, mais ressemblaient plus à des citoyens moyens du Retz qu'à cette panoplie époustouflante de formes et de couleurs.

Il secoua de nouveau la tête tandis que le piano du

consul atteignait un crescendo et s'achevait sur une note cristalline. Les centaines de créatures qui composaient l'assistance sur la pelouse applaudirent en un crépitement soutenu qui fit vibrer l'atmosphère sèche et raréfiée. Théo les regarda se lever, s'étirer et prendre des directions diverses. Certains disparurent rapidement derrière l'horizon trop proche ; d'autres déployèrent leurs ailes de huit mètres et s'envolèrent. Un groupe se rapprocha du vaisseau.

Le consul se leva. En apercevant Théo, il lui sourit.

— Vous arrivez à point, lui dit-il en lui donnant une tape sur l'épaule. Les négociations vont bientôt commencer.

Théo Lane battit des paupières. Trois Extros descendirent se poser sur le balcon et replièrent soigneusement leurs ailes dans leur dos. Ils avaient tous une fourrure épaisse, ornée de rayures ou de taches diverses, d'aspect aussi organique que celui de n'importe quelle créature sauvage de l'Ancienne Terre.

— Toujours aussi merveilleux, déclara l'Extro le plus proche du consul, qui avait un visage léonin au nez épaté et aux yeux dorés entourés d'une crête de duvet fauve. Le dernier était bien la *Fantaisie en ré mineur, KV 397*, de Mozart, n'est-ce pas ?

— C'est exact, répondit le consul. Librom Vanz, je voudrais vous présenter H. Théo Lane, gouverneur général du Protectorat de l'Hégémonie, Hypérion.

Le regard léonin se tourna vers Théo.

— Très honoré, déclara Librom Vanz en tendant une main velue.

— C'est un plaisir pour moi que de faire votre connaissance, monsieur, murmura Théo en se demandant s'il était encore dans la cuve thérapeutique, en train de rêver cette scène.

Mais la caresse du soleil sur sa joue et le contact ferme de la main de l'Extro lui suggéraient le contraire tandis que Librom Vanz s'adressait de nouveau au consul.

— Au nom de l'Agrégat, je vous remercie de nous avoir donné ce concert. Il y avait trop d'années que nous ne vous avions pas entendu jouer, mon cher ami. (Il jeta un coup d'œil autour de lui.) Les entretiens peuvent avoir lieu ici ou dans l'une des unités administratives, à votre convenance.

Le consul n'hésita qu'une seconde.

— Nous sommes trois, Librom Vanz, et vous êtes nombreux. Nous nous joindrons à vous.

L'homme aux traits léonins hocha la tête et leva les yeux vers le ciel.

— Un bateau viendra vous chercher, dit-il.

Il se dirigea vers la balustrade avec les deux autres, et l'enjamba. Ils se laissèrent tomber sur plusieurs mètres avant de déployer leurs ailes complexes et de s'éloigner en direction de l'horizon.

— Seigneur, murmura Théo en agrippant le bras du consul. Où sommes-nous donc?

— Dans l'essaim, fit le consul en couvrant le clavier du Steinway.

Il précéda les autres à l'intérieur, attendit qu'Arundez s'écarte, et fit rentrer le balcon.

— Sur quoi vont porter les négociations? demanda Théo.

Le consul se frotta les yeux. Il donnait l'impression de n'avoir pas dormi du tout pendant les dix ou douze heures qu'avait duré le séjour de Théo dans la cuve.

— Cela dépend du prochain message de la Présidente Gladstone, dit-il.

Il fit un signe de tête en direction de la fosse holo, que des colonnes de transmission de données rendaient floue. Une salve mégatrans était en cours de déchiffrage sur la tablette à code unique du vaisseau.

Meina Gladstone entra dans la salle d'hôpital de la Maison du Gouvernement, escortée par des médecins qui l'accompagnèrent au chevet de Paul Duré.

— Comment va-t-il? demanda-t-elle à Irma Androneva, le médecin attaché à la Présidence.

— Il souffre de brûlures au second degré sur environ un tiers de son corps. Il a perdu ses sourcils et une partie de sa chevelure, qui n'était déjà pas très fournie au départ. Il y a aussi quelques brûlures dues à des radiations tertiaires sur le côté gauche du visage et du corps. Nous avons régénéré l'épiderme et pratiqué des injections d'ARN de référence. Il ne souffre pas, et il est conscient. Il y a le problème des parasites cruciformes sur sa poitrine, mais ils ne mettent pas directement les jours du patient en danger.

— Radiations tertiaires, répéta Gladstone en s'immobilisant hors de portée d'oreille de la section où Duré attendait. Dues à des bombes au plasma?

— Oui, répondit un autre médecin, que Gladstone ne

connaissait pas. Nous avons pu déterminer avec certitude que cet homme s'était distransporté du Bosquet de Dieu à peine une seconde ou deux avant la destruction de la liaison distrans.

— Très bien, déclara Gladstone en s'arrêtant devant le caisson flottant où était allongé Duré. Je voudrais lui parler en privé, si vous n'y voyez pas d'inconvénient.

Les deux médecins échangèrent un regard, firent signe à une infirmière méca de regagner son logement mural, puis sortirent en refermant derrière eux la porte de la section.

— Père Duré ? demanda Gladstone, qui le reconnaissait d'après les holos qu'elle avait vus de lui et d'après les descriptions de Severn relatives au pèlerinage.

Le visage du prêtre était violacé et bouffi, luisant de produits régénérateurs et de pulvérisations analgésiques. Malgré tout cela, ses traits restaient vigoureux et impressionnants.

— H. Présidente, murmura-t-il en la voyant.

Il fit un effort pour se redresser, mais Gladstone posa doucement la main sur son épaule.

— Restez comme vous êtes, dit-elle. Vous sentez-vous capable de me raconter brièvement ce qui s'est passé ?

Le vieux jésuite hocha la tête. Des larmes brillaient dans ses yeux.

— La Voix Authentique de l'Arbre-monde ne croyait pas à la réalité d'une attaque, commença-t-il d'une voix faible et rauque. Sek Hardeen était sûr que les Extros respecteraient le pacte qu'ils avaient passé avec les Templiers. J'ignore de quel accord il s'agit exactement... Le fait est qu'ils ont attaqué la planète avec des engins tactiques, des bombes au plasma, des armes nucléaires, aussi, je pense...

— Oui, fit Gladstone. Nous sommes au courant. Ce que je veux savoir, père Duré, c'est ce qui s'est passé exactement à partir du moment où vous êtes entré dans le caveau d'Hypérion.

Les yeux de Duré se fixèrent sur le visage de la Présidente.

— Vous êtes au courant de cela aussi ?

— Oui, et de presque tout ce qui s'est passé avant. Mais j'ai besoin d'en savoir plus sur le reste. Beaucoup plus.

Duré ferma à demi les yeux.

— Le labyrinthe...

– Comment?

– Le labyrinthe, reprit-il d'une voix plus forte.

Il se racla la gorge, puis lui raconta son voyage à travers les galeries où s'entassaient les morts, sa translation sur un vaisseau de la Force et sa rencontre avec Severn sur Pacem.

– Vous êtes sûr que Severn venait ici? À la Maison du Gouvernement?

– Oui. Il était avec votre collaborateur, Hunt. Ils voulaient tous les deux revenir ici.

Gladstone hocha la tête. Elle toucha prudemment l'épaule du prêtre à un endroit où il n'avait pas de brûlure.

– Les événements vont très vite, dit-elle. Severn nous manque, de même que Leigh Hunt. J'ai besoin d'un conseiller sur les affaires d'Hypérion. Voulez-vous rester avec moi?

Duré parut quelques instants troublé.

– Il faut que je retourne là-bas, sur Hypérion, H. Présidente, dit-il enfin. Sol et les autres m'attendent.

– Je comprends, fit Gladstone d'une voix apaisante. Dès qu'il y aura une possibilité, je vous promets de faciliter votre voyage. En attendant, le Retz est sous le coup d'une brutale offensive. Des millions de personnes sont en train de mourir ou en danger de mort. J'ai besoin de votre aide, père Duré. Puis-je compter sur vous en attendant?

Le prêtre soupira, puis laissa retomber sa tête en arrière.

– C'est entendu, H. Présidente. Mais je ne vois pas très bien en quoi...

On frappa doucement à la porte à ce moment-là. Sedeptra Akasi entra, et tendit un message sur pelure à la Présidente. Celle-ci sourit en en prenant connaissance.

– Quand je vous disais que les choses vont très vite, mon père. Écoutez cette nouvelle. Ce message de Pacem nous informe que le Collège des cardinaux s'est réuni dans la chapelle Sixtine... (Elle haussa un sourcil.) J'ai oublié, il s'agit bien de la *vraie* chapelle Sixtine?

– Oui. L'Église l'a démontée, pierre par pierre, fresque par fresque, pour la transférer sur Pacem quelque temps après la Grande Erreur.

Gladstone baissa les yeux vers la pelure pour reprendre sa lecture.

– S'est réuni dans la chapelle Sixtine pour procéder à l'élection d'un nouveau pontife.

– Si tôt? murmura Duré en fermant de nouveau les yeux. Ils ont dû estimer, eux aussi, qu'il n'y avait pas de temps à perdre. Pacem se trouve à... une dizaine de jours, je pense, de la vague d'invasion extro. Mais ils sont quand même allés un peu vite en besogne...

– Vous n'êtes pas curieux de savoir le nom du nouveau pape?

– Ce doit être ou bien le cardinal Antonio Guarducci, ou bien le cardinal Agostino Ruddell. Personne d'autre, à mon avis, ne pouvait rassembler si vite une majorité suffisante...

– Ni l'un ni l'autre. D'après l'évêque Édouard, de la curie romaine...

– L'*évêque* Édouard! Pardonnez-moi, H. Présidente. Continuez, je vous prie.

– D'après l'évêque Édouard, le Collège des cardinaux a élu, pour la première fois dans l'histoire de l'Église, quelqu'un dont le rang était inférieur à celui de monsignore. Il est écrit ici que le nouveau pape serait un prêtre jésuite du nom de... Paul Duré.

Malgré ses blessures, celui-ci se redressa dans son caisson flottant.

– Que dites-vous? fit-il d'une voix incrédule.

Gladstone lui tendit la pelure.

– Lisez vous-même.

– C'est impossible, murmura Duré. Aucun pontife n'a jamais été élu au-dessous du grade de monsignore, sauf symboliquement, une fois; il s'agissait de saint Belvédère, après la Grande Erreur et le miracle de... Non, non, c'est tout à fait impossible.

– L'évêque Édouard essaie de vous joindre depuis tout à l'heure, d'après ma collaboratrice. Si vous voulez, nous allons vous transmettre l'appel ici, mon père. Ou bien dois-je dire Votre Sainteté? ajouta-t-elle sans laisser percer aucune ironie dans sa voix.

Duré leva les yeux vers elle, encore trop abasourdi pour parler.

– Je vous fais transmettre la communication, reprit Gladstone. Nous veillerons à ce que vous puissiez gagner Pacem aussi rapidement que possible, Votre Sainteté, mais je vous serais reconnaissante de ne pas perdre le contact avec nous. J'ai réellement besoin de vos conseils.

Duré hocha la tête et regarda de nouveau la pelure. Le téléphone posé sur une tablette à côté de la cuve se mit à clignoter.

La Présidente sortit dans le couloir, mit les médecins au courant de la nouvelle, puis contacta ses services de sécurité afin d'autoriser les déplacements distrans de l'évêque Édouard et des autres dignitaires de l'Église à partir de Pacem. Puis elle se distransporta dans ses appartements de l'aile résidentielle. Sedeptra lui rappela que le conseil de guerre reprenait sa session dans huit minutes. Gladstone hocha la tête, attendit que sa collaboratrice reparte, et retourna jusqu'à la niche de mégatransmission dissimulée dans le mur. Elle activa les champs de protection sonique anti-écoutes, et introduisit la disquette de transmission codée destinée au vaisseau du consul. Tous les récepteurs mégatrans du Retz, des confins, de la galaxie et de l'univers allaient recevoir la salve, mais seul le vaisseau du consul serait en mesure de la décoder. Il fallait du moins l'espérer.

Le voyant rouge de la caméra holo clignota. Gladstone se pencha vers le micro pour prononcer d'une voix ferme et claire :

– À en juger par les salves automatiques émises par votre vaisseau, vous avez finalement choisi de rencontrer les Extros, et ils vous ont laissé approcher. Je supposerai donc que vous avez survécu à la première entrevue.

Elle reprit sa respiration.

– Au nom de l'Hégémonie, reprit-elle, je vous ai demandé beaucoup de sacrifices au fil des ans. Aujourd'hui, c'est au nom de l'humanité que j'aimerais vous voir éclaircir les points suivants :

« Premièrement, pourquoi les Extros attaquent-ils et détruisent-ils les mondes du Retz ? Vous étiez convaincu, de même que Byron Lamia et moi-même, qu'ils ne s'intéressaient qu'à Hypérion. Pourquoi ont-ils changé d'attitude sur ce point ?

« Deuxièmement, où se trouve le TechnoCentre ? Il faut absolument que je le sache, pour le cas où nous aurions à le combattre. Les Extros auraient-ils oublié que le Centre est notre ennemi commun ?

« Troisièmement, quelles sont leurs exigences en échange d'un cessez-le-feu immédiat ? Je suis prête à beaucoup de sacrifices pour nous débarrasser de la domination du Centre. *Mais le massacre doit cesser !*

« Quatrièmement, le dirigeant de l'Agrégat de l'Essaim accepterait-il de me rencontrer en personne ? Je suis disposée à me distransporter dans le système d'Hypérion, si nécessaire. La plus grande partie des éléments de notre flotte ont évacué le système, mais il reste un vaisseau portier, avec ses bâtiments d'escorte, à proximité de la sphère de singularité. Le dirigeant de l'essaim doit prendre sa décision très vite, car la Force insiste pour détruire cette sphère. Hypérion sera alors séparé du Retz par trois années de déficit temporel.

« Enfin, il est important que le dirigeant de l'essaim sache que le Centre voudrait nous faire utiliser une sorte de bâton de la mort de très forte puissance pour contrer l'invasion extro. Plusieurs responsables de la Force sont d'accord sur le principe. Il ne nous reste plus beaucoup de temps. Nous ne le permettrons pas, je le répète, nous ne permettrons pas que les Extros envahissent le Retz.

« À vous de jouer, maintenant. Veuillez accuser réception du présent message, et me tenir au courant par mégatrans dès que les négociations auront commencé.

Elle regarda la caméra avec intensité, comme si elle voulait faire passer à travers les années-lumière la force de sa conviction et de sa sincérité.

— Je vous adjure, au nom de ce que l'humanité a de plus cher et de plus sacré, de faire tout ce qui sera en votre pouvoir pour réussir dans cette mission.

La salve mégatrans fut suivie de deux minutes d'images sautillantes montrant la mort d'Heaven's Gate et du Bosquet de Dieu. Le consul, Melio Arundez et Théo Lane demeurèrent silencieux plusieurs secondes après la fin de la transmission.

— Réponse? demanda le vaisseau.

Le consul s'éclaircit la voix.

— Accusez réception du message. Transmettez nos coordonnées.

Il se tourna vers les deux hommes qui lui faisaient face, de l'autre côté de la fosse holo.

— Messieurs?

Arundez secoua la tête, comme pour se rendre les idées plus claires.

— Il est évident que ce n'est pas la première fois que vous venez dans cet essaim extro, dit-il.

— C'est exact. Après l'affaire de Bressia, après que ma femme et mon fils... Après Bressia, il y a pas mal de temps de cela, j'ai déjà négocié avec cet essaim.

– Vous représentiez l'Hégémonie? demanda Théo, dont le visage de rouquin semblait plus vieux et plus ridé que d'ordinaire.

– Je représentais le parti de Gladstone, répliqua le consul. Elle était alors simple sénateur. Sa faction m'avait expliqué qu'il existait des rivalités internes au TechnoCentre, et que l'annexion d'Hypérion au Retz en tant que protectorat pouvait exacerber ces rivalités. La meilleure manière de provoquer cela était de laisser filtrer des... informations qui, parvenues aux oreilles des Extros, les inciteraient à attaquer Hypérion, ce qui conduirait la flotte de l'Hégémonie à intervenir.

– Et vous... avez accepté de jouer un tel rôle? demanda Arundez.

Il n'y avait aucune émotion dans sa voix, bien que sa femme et ses enfants fussent encore sur le vecteur Renaissance, actuellement à moins de quatre-vingts heures de la vague d'invasion.

Le consul se laissa aller en arrière contre les coussins.

– Pas exactement. J'ai dévoilé la chose aux Extros. Ils m'ont demandé de regagner le Retz comme agent double. Leur intention était de s'emparer d'Hypérion, mais seulement au moment qu'ils choisiraient eux-mêmes.

Théo se pencha en avant, les mains nouées avec force.

– Et durant toutes ces années, au consulat...

– J'attendais un mot des Extros, fit le consul d'une voix sans intonation. Voyez-vous, ils possédaient une machine capable d'annihiler les champs anentropiques autour des Tombeaux du Temps. Ils voulaient les ouvrir au moment opportun, pour permettre au gritche de s'échapper.

– Ce sont donc les Extros qui ont fait cela, murmura Théo.

– Non. C'est moi. Je les ai trahis exactement de la même manière que j'avais trahi Gladstone et l'Hégémonie. J'ai abattu la femme extro qui était en train de calibrer la machine. J'ai abattu ensuite le technicien qui travaillait avec elle. Et j'ai activé le mécanisme. Les champs anentropiques se sont effondrés. Le dernier pèlerinage a été organisé. Le gritche est libre.

Théo regardait son ex-mentor sans comprendre. Il y avait plus d'étonnement que de colère dans ses yeux verts.

– Pourquoi? demanda-t-il. Pourquoi avez-vous fait tout cela?

Le consul leur parla brièvement, d'une voix sans passion, de sa grand-mère Siri, d'Alliance-Maui, et de la révolte qu'elle avait menée contre l'Hégémonie. Une révolte qui n'avait pas pris fin avec sa mort ni avec celle de son amant, le grand-père du consul.

Arundez se leva et marcha jusqu'à la fenêtre opposée au balcon. Le soleil ruisselait sur ses jambes et sur la moquette outremer.

— Les Extros sont-ils au courant de ce que vous avez fait? demanda-t-il.

— Maintenant, oui. J'ai tout raconté à Librom Vanz et aux autres lorsque nous sommes arrivés.

Théo se mit à faire les cent pas sur toute la largeur de la fosse holo.

— Cette réunion à laquelle nous nous rendons sera donc peut-être un procès?

— Ou une exécution, fit le consul en souriant.

Théo s'immobilisa, les deux poings serrés.

— Et Gladstone le savait quand elle vous a demandé de revenir ici?

— Oui.

— Je ne sais pas si je souhaite qu'ils vous exécutent ou non, murmura Théo.

— Moi non plus, avoua le consul.

Melio Arundez détourna les yeux de la fenêtre.

— Vanz ne nous a-t-il pas dit qu'il nous envoyait un bateau?

Quelque chose, dans son intonation, incita les deux autres à se rapprocher de la fenêtre. Le monde sur lequel ils s'étaient posés était un astéroïde de taille moyenne, que l'on avait entouré d'un champ de confinement de classe 10 et que l'on avait restructuré en forme de sphère, par un apport d'atmosphère et d'eau et par un patient travail de terraformation qui avait duré des générations. Le soleil d'Hypérion était en train de se coucher derrière l'horizon trop proche, et les quelques kilomètres de prairie informe que l'on apercevait ondoyaient sous une brise changeante. À la base du vaisseau coulait un large cours d'eau ou une rivière étroite qui, à l'approche de l'horizon, semblait se dresser verticalement pour se transformer en cascade, percer le champ de confinement lointain puis se perdre en méandres dans l'immensité noire de l'espace où elle devenait trop filiforme pour être encore visible.

Un bateau était en train de descendre cette chute d'eau d'une hauteur incroyable. Il s'approchait rapidement de la surface du planétoïde. Des silhouettes humaines devenaient visibles à la proue et près de la poupe.

– Seigneur! murmura Théo.

– Nous ferions mieux de nous préparer, déclara le consul. Je crois que c'est notre escorte qui arrive.

Le soleil était en train de se coucher avec une rapidité surprenante. Ses derniers rayons transperçaient le rideau liquide à cinq cents mètres au-dessus de la surface plongée dans la pénombre, et diffusaient dans le ciel bleu marine des arcs-en-ciel aux couleurs vives et à l'aspect solide presque effrayant.

40

La matinée est déjà bien avancée lorsque Hunt me réveille. Il arrive avec le petit déjeuner sur un plateau et un regard effrayé dans ses yeux noirs. Je lui demande :

– Comment avez-vous fait pour trouver à manger?

– Il y a une sorte de petit restaurant dans la salle en bas, au rez-de-chaussée. Tout était déjà prêt, mais je n'ai vu personne.

Je hoche la tête.

– La *trattoria* de la signora Angeletti. Ce n'est pas une très bonne cuisinière, je crois.

Je me souviens des inquiétudes du docteur Clark à propos de mon régime. Il pensait que la phtisie s'attaquait à mon estomac, et il m'astreignait à une diète sévère à base de lait et de pain, avec à peine un peu de poisson de temps en temps. Étrange, le nombre de représentants souffrants de l'humanité qui sont partis affronter l'éternité en étant obsédés par leurs boyaux, leurs escarres ou le caractère misérable de leur régime. En voyant la tête qu'il fait, je demande à Hunt :

– Qu'y a-t-il?

Il ne cesse de regarder par la fenêtre. De la *piazza* monte le maudit bruit de la fontaine de Bernini.

– Je suis allé faire un tour dehors pendant que vous dormiez, me répond-il lentement. Juste pour le cas où je serais tombé sur quelqu'un, ou bien sur un téléphone ou un terminal distrans.

– Je comprends.

– Je venais à peine de quitter l'immeuble lorsque... (Il se tourne vers moi en passant le bout de sa langue entre ses lèvres sèches.) Il y a quelque chose dehors, Severn. En bas de l'escalier, dans la rue. Je ne suis pas sûr de ce que c'est, mais je crois qu'il s'agit...

– Du gritche?

Il hoche la tête.

– Vous l'avez vu aussi?

– Non, mais la chose ne me surprend pas tellement.

– C'est... terrible, Severn. Cela me donne la chair de poule. Tenez... vous pouvez le voir un tout petit peu dans l'ombre de l'escalier, de l'autre côté.

Je cherche à me lever, mais un soudain accès de toux et les glaires que je sens monter dans ma gorge et dans ma poitrine me clouent sur l'oreiller.

– Je sais à quoi il ressemble, Hunt. Ne vous inquiétez pas, il n'est pas là pour vous.

Mais il y a plus d'assurance dans ma voix que je n'en ressens réellement.

– Vous pensez qu'il est là pour vous?

– Je ne crois pas, lui dis-je entre deux efforts pour respirer. Je pense qu'il est là uniquement pour s'assurer que je ne cherche pas à partir... à trouver un autre endroit pour mourir.

Il revient vers le lit.

– Vous n'allez pas mourir, Severn.

Je ne réponds pas. Il s'assoit sur la chaise à côté de moi et me tend une tasse de thé déjà en train de refroidir.

– Si vous mourez, que deviendrai-je? me demande-t-il.

– Je ne sais pas. Honnêtement, si je meurs, je ne sais même pas ce que je deviendrai moi-même.

Il y a un certain solipsisme, dans les maladies graves, qui accapare toute l'attention d'un homme aussi sûrement qu'un trou noir attire tout ce qui a la malchance de passer dans son champ d'action. Le jour s'écoule lentement, et je suis exquisément conscient des mouvements du rayon de soleil qui caresse le mur mal crépi, du contact des draps sous ma main, de la fièvre qui monte en moi comme une nausée et alimente la fournaise de mon esprit, et, surtout, de la souffrance. Non pas de ma propre souffrance présente, car quelques heures ou quelques jours de constriction dans ma gorge ou de brûlure dans ma poitrine sont à la rigueur supportables, et même bienvenues, presque, comme la rencontre d'un vieil ami indésirable dans une cité inconnue. Non, il s'agit de la souffrance des autres, de tous les autres. Elle entre en moi comme le fracas du verre éclaté, comme le marteau d'acier heurtant l'acier de l'enclume à coups répétés, et il n'y a pas moyen de lui échapper.

Mon cerveau capte cet horrible vacarme et le restructure comme de la poésie. Toute la journée et toute la nuit, la souffrance de l'univers afflue et coule dans les corridors enfiévrés de mon esprit sous forme de vers et de métaphores, de métaphores en vers, en une danse de langage complexe et sans fin, tantôt apaisante comme un solo de flûte, tantôt fracassante et stridente et déchaînée comme une douzaine d'orchestres en train d'accorder simultanément leurs instruments. Mais ce sont toujours des vers et de la poésie.

Quelque peu avant le coucher du soleil, je me réveille d'un demi-sommeil, éparpillant les morceaux du rêve de Kassad en train de combattre le gritche pour sauver les vies de Sol et de Brawne Lamia, et je vois Hunt assis devant la fenêtre, son visage tout en longueur coloré par la lumière du crépuscule aux nuances de terre cuite.

– Il est encore là?

Ma voix est aussi âpre que le frottement d'une lime sur la pierre. Hunt sursaute, puis se tourne vers moi avec un sourire d'excuse aux lèvres et la première rougeur que j'aie jamais vue sur ses joues austères.

– Le gritche? demande-t-il. Je ne sais pas. Il y a un moment que je ne l'ai pas vu. Mais je sens encore sa présence. Et vous, ajoute-t-il en me dévisageant. Comment vous sentez-vous?

– À l'agonie.

Je regrette aussitôt ce cri d'auto-apitoiement frivole, même si c'est la stricte vérité, lorsque je vois son expression chagrinée.

– Ne vous inquiétez pas, lui dis-je d'une voix presque joviale. Ce n'est pas comme si c'était la première fois. Ce n'est pas vraiment *moi* qui meurs. Je n'existe qu'en tant que personnalité du TechnoCentre. Ce qui est en train de mourir n'est qu'un corps, un cybride de John Keats, une illusion, âgée de vingt-sept ans, de chair, de sang et de connotations d'emprunt.

Hunt vient s'asseoir au bord du lit. Je me rends compte,

avec un choc, qu'il a changé les draps pendant la journée et qu'il a retiré le couvre-lit taché de sang pour me donner le sien à la place.

— Votre personnalité est une AI du TechnoCentre, me dit-il. Vous devez donc connaître un moyen d'entrer en contact avec l'infosphère.

Je secoue la tête, trop fatigué pour discuter.

— Lorsque les Philomel vous ont séquestré, c'est grâce à vos accès à l'infosphère que nous avons retrouvé votre trace, insiste Hunt. Vous n'êtes pas obligé de contacter personnellement Gladstone. Il suffit de laisser un message là où la sécurité peut le trouver.

— Impossible, lui dis-je d'une voix rauque. Le TechnoCentre s'y oppose.

— Ils vous ont fait obstacle? Ils vous ont empêché de communiquer?

— Pas encore. Mais c'est ce qu'ils feraient.

J'égrène les mots entre deux râles, comme si je replaçais délicatement des œufs au fond d'un nid. Soudain, je me souviens d'un mot que j'avais envoyé à ma chère Fanny, peu après une grave hémorragie, mais près d'un an avant que la maladie ne me tue. J'avais écrit :

Si je devais mourir maintenant, me suis-je dit, je n'ai laissé aucune œuvre immortelle derrière moi. Rien qui puisse rendre mes amis fiers de mon souvenir. Mais j'ai aimé le principe de la beauté en toutes choses, et, si j'en avais eu le temps, j'aurais su faire qu'on ne m'oublie pas.

Ces mots me frappent, aujourd'hui, par leur égocentrisme futile et leur idiote naïveté. Pourtant, j'y crois encore avec l'énergie du désespoir. Si seulement j'avais eu le temps... Tous ces mois gâchés sur Espérance, à faire semblant d'être un artiste peintre. Toutes ces journées passées avec Gladstone dans les antichambres du gouvernement, alors que j'aurais pu écrire...

— Comment pouvez-vous en être certain si vous n'essayez pas? me demande Hunt.

— Qu'est-ce qu'il y a?

Le simple effort de prononcer ces trois syllabes déclenche une quinte spasmodique, qui ne prend fin que lorsque je crache deux sphères de sang à moitié solides dans la cuvette que Hunt est allé chercher précipitamment. Je me laisse aller en arrière, en m'efforçant d'accommoder sur son visage. Il fait de plus en plus noir dans la chambre exiguë, et nous n'avons pas encore allumé les lampes. Au-dehors, la fontaine continue de gargouiller impitoyablement.

– Qu'est-ce qu'il y a? dis-je encore une fois, en faisant un effort pour m'agripper à la réalité malgré le sommeil et les rêves qui cherchent à m'entraîner. Essayer quoi?

– De laisser un message dans l'infosphère, murmure Hunt. De contacter quelqu'un.

– Quel message pourrions-nous laisser, Leigh?

C'est la première fois que je l'appelle par son prénom.

– L'endroit où nous sommes. Notre enlèvement par le TechnoCentre. Tout ce que vous voudrez.

– D'accord, dis-je en fermant les yeux. Je vais essayer. Je ne pense pas qu'ils me laisseront faire, mais je vous promets d'essayer.

Je sens la main de Hunt sur la mienne. Malgré les vagues d'épuisement auxquelles je suis près de succomber, ce soudain contact humain suffit à me faire monter les larmes aux yeux.

J'essaierai. Avant de m'abandonner aux rêves ou à la mort, j'essaierai.

Le colonel Fedmahn Kassad poussa le cri de guerre de la Force et chargea dans la tempête de sable pour intercepter le gritche avant qu'il eût franchi les trente derniers mètres qui le séparaient de l'endroit où Sol Weintraub était accroupi à côté de Brawne Lamia.

Le gritche s'immobilisa. Sa tête pivota en un mouvement sans friction. Ses yeux rouges luisaient. Kassad arma son fusil d'assaut tout en dévalant la pente à une vitesse insensée.

Le gritche se *décala*.

Kassad perçut son mouvement à travers le temps comme un flou lent. Il remarqua, en même temps, que tout mouvement avait cessé dans la vallée. Le sable demeurait figé dans l'air, et la lumière issue des tombeaux avait pris un aspect ambré, presque tangible. La combinaison de Kassad s'était, d'une manière ou d'une autre, décalée en même temps que le gritche, dont elle suivait les mouvements dans le temps.

La tête du monstre se redressa, aux aguets, tandis que ses quatre bras se tendaient comme les lames d'un poignard et que ses doigts s'ouvraient en un claquement sec de bienvenue.

Kassad s'arrêta dans sa course à dix mètres de la créature et activa le fusil d'assaut, vitrifiant le sable sous ses pieds au moyen d'une salve à pleine puissance et à faisceau large.

Le gritche rougeoya tandis que sa carapace et ses jambes d'acier sculpté reflétaient l'embrasement qui montait de toutes parts. Puis le monstre commença à s'enfoncer, du haut de ses trois mètres, dans le lac bouillonnant de sable fondu qui s'était formé sous ses pieds. Kassad poussa un cri de triomphe et s'avança, arrosant le gritche et le sol autour de lui d'un faisceau d'énergie, exactement de la même manière qu'il avait arrosé, un jour, avec un tuyau d'irrigation volé, les gamins des bidonvilles de Tharsis avec qui il jouait.

Le gritche continuait de s'enfoncer. Ses bras battaient dans le sable et la roche, essayant de trouver un appui solide. Des étincelles volaient de tous les côtés. Le monstre se *décala* de nouveau, faisant s'écouler le temps à l'envers, comme dans un film holo joué en arrière. Mais Kassad se décalait avec lui. Il comprit que c'était Monéta qui l'aidait, et que leurs deux combinaisons étaient en phase pour qu'elle puisse le guider à travers le temps. Puis il arrosa de nouveau le monstre d'un faisceau à chaleur concentrée, plus forte qu'à la surface d'un soleil. Le sable se liquéfiait et les rochers prenaient feu.

Embourbé dans ce chaudron de flammes et de roche fondue, le gritche rejeta la tête en arrière et poussa un barrissement.

Kassad faillit cesser de tirer tant il était surpris d'entendre des sons sortir de la créature. Le cri du gritche ressemblait au beuglement d'un dragon mêlé au sifflement d'une tuyère à fusion. Les dents de Kassad vibrèrent, la montagne frémit et laissa tomber lentement vers le sol une pluie de poussière en suspens. Kassad régla son arme en position projectiles à haute vélocité, et dix mille microfléchettes volèrent vers la tête de la créature.

Le gritche se *décala* encore. Peut-être sur plusieurs années, à en juger par le vertige de transition que Kassad ressentit dans ses os et dans son cerveau. Ils n'étaient plus dans la vallée, mais à bord d'un chariot à vent qui roulait bruyamment sur la mer des Hautes Herbes. Puis le temps s'écoula de nouveau normalement, et le gritche fit un bond en avant, ses bras métalliques dégoulinants de verre fondu, pour saisir le fusil d'assaut de Kassad. Celui-ci ne lâcha pas l'arme, et les deux adversaires entamèrent une danse titubante et maladroite. Le gritche faisait des moulinets avec sa deuxième paire de bras et une jambe festonnée de piquants d'acier tandis que Kassad bondissait et feintait en s'accrochant désespérément à son fusil.

Ils se trouvaient dans une sorte de petit compartiment. Monéta était là, dans un coin, à peine plus qu'une ombre. Une autre silhouette, grande, la tête revêtue d'une cagoule, se déplaçait au ralenti pour éviter le flou des armes et des bras en mouvement dans cet espace exigu. À travers les filtres de sa combinaison, Kassad reconnut le champ d'énergie bleu et mauve d'un délimiteur d'erg dans l'espace, qui pulsait et grossissait à vue d'œil, puis se rétracta sous la violence temporelle des champs anentropiques organiques du gritche.

Le monstre réussit à lacérer la combinaison de Kassad, atteignant la chair et les muscles. Le sang éclaboussa les murs. Kassad lui introduisit le canon de son arme dans la gueule, et fit feu à pleine puissance. Une volée de deux mille fléchettes à haute vélocité rejeta en arrière, comme un ressort, la tête de la créature, et projeta son corps contre le mur opposé. Mais, dans le même mouvement, le gritche eut le temps d'enfoncer les piquants de sa jambe dans la cuisse de Kassad, faisant jaillir le sang en une spirale qui aspergea les fenêtres et les murs de l'étroite cabine du chariot à vent.

Le gritche se *décala* de nouveau.

Les dents serrées tandis que la combinaison compressait et suturait automatiquement ses blessures, Kassad jeta un regard à Monéta, hocha la tête une fois, puis suivit la créature à travers le temps et l'espace.

Sol Weintraub et Brawne Lamia regardèrent le terrible cyclone de lumière et de chaleur qui avait pris naissance et mourut à quelques mètres d'eux. Sol abritait la jeune femme de son corps tandis que des fragments fumants de verre liquéfié retombaient autour d'eux en sifflant au contact du sable froid. Puis le bruit disparut, la tempête de sable obscurcit la mare bouillonnante où toute cette violence s'était déchaînée, et le vent drapa la cape de Sol autour d'eux.

– Qu'est-ce que c'était? demanda Brawne, effrayée.

Sol secoua la tête tout en l'aidant à se relever dans la tempête qui faisait rage.

– Les tombeaux sont en train de s'ouvrir! cria-t-il pour se faire entendre. Une sorte d'explosion liée au temps, peut-être.

Brawne tituba, retrouva son équilibre, et posa sa main sur le bras de Sol.

– Rachel? hurla-t-elle pour couvrir les bruits de la tempête.

Sol serra les poings. Sa barbe était déjà entièrement recouverte d'une croûte de sable.

– Le gritche... l'a prise... Impossible d'entrer dans le Sphinx... J'attends!

Brawne hocha la tête. Elle plissa les yeux en direction du Sphinx, qui n'était visible, à travers les tourbillons de sable, que sous la forme d'une masse aux contours vaguement luminescents.

– Vous vous sentez bien? cria Sol.

– Hein?

– Vous vous... sentez bien?

Elle hocha distraitement la tête, puis se toucha subitement le front. La dérivation neurale avait disparu. Pas seulement le câble incongru du gritche, mais l'implant que Johnny lui avait fait mettre lorsqu'ils se cachaient dans la ruche des Poisses, à une époque qui lui semblait incroyablement éloignée. Maintenant que la dérivation et la boucle de Schrön avaient définitivement disparu, il ne lui restait plus aucun moyen d'entrer en contact avec Johnny. Elle se souvenait de la manière dont Ummon avait détruit la personnalité de son ex-amant en l'écrasant et en l'absorbant sans faire plus d'efforts que s'il s'agissait d'un insecte.

– Je vais très bien, dit-elle.

Mais elle avait tant de mal à se tenir debout que Sol était obligé de la soutenir.

Il était en train de lui crier quelque chose. Elle essaya de se concentrer, de s'ancrer fermement *ici et maintenant*. Après son passage dans la mégasphère, la réalité lui paraissait exiguë.

– ... impossible de parler ici, criait Sol. ... retourner au Sphinx!

Elle secoua la tête. Elle désigna du doigt la falaise, au nord de la vallée, où l'énorme arbre du gritche se profilait entre deux passages de nuages et de sable.

– Le poète... Silenus... Il est là! Je l'ai vu!

– On ne peut rien faire pour lui! cria Sol.

Il l'abritait de son mieux avec sa cape de fibroplaste sur laquelle le sable crépitait comme autant de fléchettes sur une armure. Elle se serrait contre lui, sentant la chaleur de son corps, souhaitant presque imiter le bébé Rachel, aspirant à dormir, dormir dans ses bras.

– On pourrait essayer! insista-t-elle. J'ai repéré... des *connexions* en sortant de la mégasphère... L'arbre aux épines est relié, d'une manière ou d'une autre, au Palais du gritche. Si nous pouvions arriver jusque-là, nous trouverions peut-être un moyen de libérer Silenus...

Il secoua la tête.

– Je ne peux pas m'éloigner du Sphinx. Rachel...

Elle comprenait. Elle lui toucha la joue, puis se blottit contre lui. Elle sentait le contact de sa barbe rêche contre sa propre joue.

– Les tombeaux sont en train de s'ouvrir, dit-elle. J'ignore si nous aurons une autre occasion.

Il y avait des larmes dans les yeux de Sol.

– Je sais. Je voudrais pouvoir faire quelque chose, mais je préfère ne pas m'éloigner du Sphinx, pour le cas où... pour le cas où elle...

– Vous avez raison, lui dit Brawne. Retournez là-bas. Je vais jusqu'au Palais pour essayer de voir comment il est relié à l'arbre.

Sol hocha la tête d'un air misérable.

– Vous dites que vous étiez dans la mégasphère, cria-t-il. Qu'avez-vous vu là-bas? Qu'avez-vous appris? Votre personnalité keatsienne... Est-elle...

– Nous en reparlerons à mon retour.

Elle recula pour mieux voir son visage. Un masque de douleur recouvrait ses traits. Son expression était celle d'un père qui vient de perdre son enfant.

– Retournez là-bas, répéta-t-elle d'une voix décidée. Rendez-vous au Sphinx dans une heure au plus tard.

Il se frotta la barbe.

– Il ne reste que vous et moi, Brawne. Nous ne devrions peut-être pas nous séparer.

– Il le faut, provisoirement, lui cria Brawne en s'éloignant déjà, ses vêtements soulevés par le vent. À tout à l'heure, Sol.

Elle s'éloigna rapidement, de peur de céder à la tentation de retourner se blottir dans ses bras. Le vent était de plus en plus fort. Il soufflait maintenant depuis l'entrée de la vallée, et elle recevait du sable en plein dans les yeux et sur les joues. Il fallait qu'elle baisse la tête en permanence pour ne pas trop s'écarter du sentier. La lumière intermittente des tombeaux la guidait. Elle sentait les marées du temps qui l'empoignaient comme pour l'arracher du sol.

Quelques minutes plus tard, elle eut vaguement conscience d'avoir dépassé l'Obélisque. Elle reconnut les débris qui jonchaient le sentier devant le Monolithe de Cristal. Le Sphinx et Sol, derrière elle, n'étaient plus visibles. Le Tombeau de Jade n'était qu'une pâle lueur verdâtre au milieu des tourbillons de sable de cauchemar.

Elle s'immobilisa, titubant légèrement sous la force du vent et des courants anentropiques. Elle avait encore cinq cents mètres à parcourir dans la vallée pour arriver au Palais du gritche. Que ferait-elle en arrivant là-bas? En quoi le fait de connaître l'existence d'un lien entre le tombeau et l'arbre allait-il lui servir? Et qu'est-ce que ce foutu poète avait fait pour elle, excepté l'injurier et la faire sortir de ses gonds quand ils étaient ensemble? Pourquoi risquait-elle sa vie pour lui?

Le vent hurlait dans la vallée. Cependant, au-dessus du vacarme, Brawne avait l'impression d'entendre des hurlements plus perçants, plus humains. Elle tourna la tête en direction des falaises du nord, mais le sable obscurcissait tout.

Elle pencha la tête en avant, remonta le col de sa veste et continua d'avancer contre le vent.

Avant même que Gladstone eût quitté la niche mégatrans, un appel retentit, et elle reprit sa place devant le foyer holo, qu'elle fixa avec intensité. Le vaisseau du consul venait d'accuser réception du message, mais aucune transmission ne suivait. Peut-être avait-il changé d'avis.

Non. Les colonnes de données flottant dans le prisme vertical du foyer avaient indiqué que la salve provenait du système de Mare Infinitus. C'était l'amiral William Ajunta Lee qui l'appelait, en se servant du code personnel qu'elle lui avait communiqué.

Les responsables de la Force spatiale avaient été indignés lorsqu'elle avait insisté pour promouvoir le jeune capitaine de frégate au poste d'« agent de liaison du gouvernement » à l'occasion de l'offensive initialement prévue dans le système d'Hébron. À la suite de la destruction d'Heaven's Gate et du Bosquet de Dieu, la flotte avait été transférée dans le système de Mare Infinitus. Soixante-quatorze gros bâtiments de combat protégés par des vaisseaux-torches lourdement armés et par une nuée de chasseurs rapides. Leur mission était de percer le flanc de l'essaim en mouvement et d'en attaquer rapidement le cœur.

Lee était le contact et l'espion de la Présidence. Son nouveau grade lui permettait de se tenir au courant de toutes les décisions du commandement. Seuls quatre officiers de la Force spatiale lui étaient supérieurs en grade. Gladstone avait tenu à ce qu'il fasse partie de l'expédition pour la tenir personnellement informée du déroulement des opérations.

Le foyer s'embruma, et le visage décidé de William Ajunta Lee remplit l'espace.

– H. Présidente, voici mon rapport, comme vous l'avez ordonné. La force d'intervention 181.2 s'est distransportée avec succès dans le système 3996.12.22...

Elle battit des paupières, surprise, avant de se souvenir qu'il s'agissait de la dénomination officielle du système abritant Mare Infinitus. En dehors des mondes du Retz, les coordonnées devenaient complexes.

– ... Les unités de combat de l'essaim se trouvent encore à cent vingt minutes de la sphère de danger du monde-cible, était en train de dire Lee.

Gladstone savait que la sphère de danger avait un rayon d'environ 0,13 UA, distance à laquelle les armes habituelles commençaient à être efficaces malgré les défenses planétaires. Mais Mare Infinitus ne possédait pas de défenses planétaires.

– Heure standard du Retz estimée pour le contact avec les éléments les plus avancés, 17 heures 32 minutes et 26 secondes, soit dans vingt-cinq minutes environ, poursuivit le jeune amiral. La force d'intervention est configurée de manière à obtenir une pénétration maximale. Deux vaisseaux portiers assureront le transfert de nouvelles troupes et de nouvelles armes jusqu'au moment où les terminaux distrans seront fermés en vue des combats. Le croiseur qui porte mon pavillon s'appelle l'*Odyssée de Garden*. Il se chargera d'exécuter vos ordres personnels à la première occasion. William Lee, communication terminée.

L'image se contracta en une sphère blanche et tourbillonnante tandis que les codes de transmission cessaient de défiler.

– Réponse? demanda l'ordinateur du transmetteur.

– Message reçu, fit Gladstone. Continuez.

Elle passa dans son bureau, où elle trouva Sedeptra Akasi qui l'attendait, son joli front plissé de contrariété.

– Qu'y a-t-il?

– Le conseil de guerre est prêt à reprendre la séance. Mais le sénateur Kolchev veut vous voir d'abord au sujet d'une affaire qu'il dit être extrêmement urgente.

– Faites-le venir. Dites au conseil que j'en ai encore pour cinq minutes.

Elle prit place derrière son bureau antique et résista à la tentation de fermer les yeux. Elle était très lasse. Mais ses yeux étaient ouverts lorsque Kolchev entra.

– Asseyez-vous, Gabriel Fyodor.

Le Lusien massif se mit à faire les cent pas.

– M'asseoir? Mon œil. Vous êtes au courant de ce qui se passe, Meina?

Elle sourit malgré sa fatigue.

– Vous voulez parler de la guerre? De la fin de l'existence que nous avons connue? C'est ça?

Il se frappa du poing la paume de la main gauche.

– Non, ce n'est pas de ça que je veux parler, bon Dieu! Je veux parler des retombées politiques. Vous n'avez pas suivi les débats de la Pangermie?

– Chaque fois que j'ai un moment.

– Vous savez déjà que certains sénateurs et personnages influents en dehors du Sénat cherchent des appuis pour provoquer votre chute lors de la prochaine motion de confiance. La chose est inévitable, Meina. C'est une simple question de temps.

– Je le sais, Gabriel. Pourquoi ne voulez-vous pas vous asseoir? Nous avons encore une minute ou deux avant la reprise du conseil.

Kolchev se laissa presque littéralement tomber dans un fauteuil.

– Vous ne comprenez pas. Même ma propre femme, Meina, est en train de collectionner les voix pour vous abattre.

Le sourire de Gladstone s'élargit.

– Sudette n'a jamais fait partie de mes supporters inconditionnels, Gabriel. (Son sourire disparut.) Combien de temps me reste-t-il, à votre avis?

– Huit heures. Moins, peut-être.

– Il ne m'en faut pas plus, murmura Gladstone en hochant la tête.

– Pas *plus*? Mais de quoi diable parlez-vous? Qui d'autre que vous peut diriger l'Hégémonie en temps de guerre?

– Vous, par exemple. Je ne doute pas que vous soyez mon successeur.

Kolchev grommela quelque chose.

– La guerre ne durera peut-être pas si longtemps, fit Gladstone comme si elle se parlait à elle-même.

– Hein? Oui... Vous voulez parler de la super-arme du TechnoCentre. C'est vrai, Albedo a construit un proto-type quelque part dans une base de la Force, et il voudrait que le conseil de guerre prenne le temps d'aller l'exami-ner. Sacrée perte de temps, si vous me demandez mon avis.

Gladstone sentit comme une main froide qui se refer-mait sur son cœur.

– Le bâton de la mort? Le TechnoCentre possède un prototype?

– Plus qu'un prototype. Un de nos vaisseaux-torches en est déjà armé.

– Qui a autorisé cela, Gabriel?

– Morpurgo a donné le feu vert pour les recherches, fit le sénateur en s'asseyant lourdement. Quel mal y a-t-il, Meina? On ne peut pas utiliser cette arme sans l'accord de la Présidence.

Elle se tourna vers son ancien collègue au Sénat.

– Nous sommes bien loin de la *Pax Hegemonica*, n'est-ce pas, Gabriel?

Le Lusien grogna de nouveau. Ses traits épais sem-blaient ployer sous un lourd fardeau de souffrance.

– Nous l'avons cherché, dit-il. Le gouvernement pré-cédent a écouté le Centre quand il lui a suggéré de se ser-vir de Bressia comme appât pour piéger l'un des essaims. Après cela, vous avez écouté d'autres éléments du Centre qui vous demandaient d'annexer Hypérion au Retz.

– Vous pensez que j'ai élargi le conflit en envoyant la flotte défendre Hypérion?

Kolchev releva la tête.

– On ne peut pas dire cela, non. C'est peu plausible. Les vaisseaux extros sont en route depuis plus d'un siècle. Si seulement nous nous en étions aperçus plus tôt... Si nous avions pu négocier pour éviter ce merdier...

Le persoc de Gladstone bourdonna.

– C'est l'heure de retourner là-bas, dit-elle d'une voix douce. Le conseiller Albedo est sans doute anxieux de nous montrer l'arme suprême qui va nous permettre de gagner cette guerre.

41

Il m'est plus facile de me laisser dériver dans l'info-sphère que de rester ici couché dans la nuit sans fin à écouter la fontaine et à attendre la prochaine hémorragie. Mon état est pis que débilitant. Il me transforme en une coquille d'homme, creuse à l'intérieur, sans noyau. Je me souviens de l'époque où Fanny s'occupait de moi, durant mes vacances à Wentworth Place, et de ses accents philo-sophiques quand elle récitait :

Y a-t-il une autre Vie? Vais-je me réveiller pour m'apercevoir que tout ceci est un rêve? Il y en a néces-sairement une. Il est impossible que nous ayons été créés uniquement pour endurer de telles souffrances.

Si seulement tu savais, Fanny! Nous avons été créés précisément pour endurer ces souffrances. Au bout du compte, nous ne sommes rien de plus que des trous d'eau claire au creux d'un rocher, qui n'ont conscience d'exister qu'entre deux vagues d'un océan de douleur déferlante. Nous sommes faits pour porter nos souffrances avec nous, sur notre ventre, comme le jeune voleur spartiate qui cachait sur lui un louveteau, pour qu'elles nous dévorent nos entrailles. Quelle autre créature du vaste domaine de Dieu porterait en elle ton souvenir, Fanny, toi qui es pous-sière depuis neuf cents ans, et le laisserait le dévorer alors que la phtisie se charge aisément du même travail?

Les mots m'assaillent. La pensée d'un livre me rend malade. La poésie résonne à vide dans mon esprit. Si je pouvais la bannir définitivement, je le ferais sans l'ombre d'une hésitation.

Martin Silenus, je t'entends sur ta croix d'épines vivantes. Tu fredonnes ta poésie comme un mantra en te demandant quel dieu dantesque t'a condamné à un tel endroit. Tu as dit un jour – j'étais là en esprit tandis que tu faisais ton récit aux autres – tu as dit :

Être un poète, un vrai poète, me disais-je, c'était devenir l'avatar de l'humanité incarnée. Accepter de revêtir le manteau du poète, c'est porter la croix du Fils de l'Homme, et souffrir les affres de la naissance de la Mère Spirituelle de l'Humanité.
Devenir un vrai poète, c'est devenir Dieu.

Oui, Martin, mon collègue, mon vieux copain, tu portes la croix et tu souffres les affres, mais crois-tu que tu sois plus près de devenir Dieu? Ne te sens-tu pas plutôt dans la peau d'un vieil imbécile au ventre transpercé par une pique de trois mètres, qui sent l'acier glacé à l'endroit où devrait se trouver son foie? Ça fait mal, n'est-ce pas? Je ressens ta douleur comme je ressens la mienne.

Au bout du compte, cela n'a pas la moindre espèce d'importance. Nous nous prenions pour des êtres spéciaux, qui ouvraient leurs perceptions, affûtaient leur empathie, répandaient le chaudron des souffrances communes sur la piste de danse du langage, puis essayaient de transformer le chaos de douleur en menuet. Quelle espèce d'importance, vraiment? Nous ne sommes pas des avatars, nous ne sommes pas les fils des dieux ni des hommes. Nous sommes nous, un point c'est tout. Nous couchons seuls nos complaisances sur le papier, nous lisons seuls, nous mourons seuls.

Bon sang, ce que ça fait mal. L'envie de vomir est constante, mais les spasmes me font cracher chaque fois des morceaux de poumon en même temps que la bile et les humeurs. J'ignore pourquoi, mais c'est aussi difficile, peut-être plus encore, cette fois-ci. La mort devrait être plus facile avec l'habitude.

La fontaine, sur la *piazza,* lance son gazouillement idiot dans la nuit. Quelque part, dans les rues, le gritche attend. Si j'étais Hunt, je n'attendrais pas pour partir. J'étreindrais la Mort, si toutefois la Mort étreint, et j'en finirais tout de suite.

Mais je lui ai promis. Je lui ai promis d'essayer.

Je ne peux pas entrer dans la mégasphère ou dans l'infosphère sans passer par cette nouvelle chose que j'appelle la métasphère. Et c'est un endroit qui me fait peur.

Il y a surtout de l'espace et du vide ici. C'est très différent des paysages analogiques urbains que l'on rencontre dans l'infosphère du Retz et dans les analogues de la biosphère du TechnoCentre, avec sa mégasphère. Ici, tout est... à l'état brut, peuplé d'ombres étranges et de masses changeantes qui n'ont rien à voir avec les Intelligences du Centre.

Je me dirige rapidement vers l'ouverture noire que je sais être le passage distrans primaire relié à la mégasphère. (Hunt avait raison, il doit y avoir quelque part une porte distrans sur la réplique de l'Ancienne Terre. Nous sommes bien arrivés, de toute manière, par un moyen distrans. Et ma personnalité consciente est une émanation du Centre.) Ceci est donc ma filière de vie, le cordon ombilical qui me rattache à tout le reste. Je me glisse dans le tourbillon noir comme une feuille emportée par une tornade.

Il y a quelque chose qui ne va pas dans la mégasphère. Dès que j'émerge de l'autre côté, je perçois le changement. Lamia avait vu dans le Centre une biosphère active peuplée d'IA, plongeant ses racines dans l'intellect, ancrée dans un sol riche de données, baignée d'océans de connexions, de couches atmosphériques de conscience, et du bourdonnement incessant des échanges.

À présent, toutes ces activités paraissent factices, désordonnées, *aléatoires*. D'énormes forêts de conscience IA ont été brûlées ou anéanties. Je sens la présence de forces massives qui s'opposent, de mouvements de marée contradictoires qui se heurtent à la rencontre des grands courants de circulation du Centre.

C'est comme si j'étais une cellule de mon propre corps keatsien agonisant, condamné, qui sentirait sans les comprendre les effets de la tuberculose qui détruit l'homéostasie et introduit l'anarchie dans un univers interne jusque-là ordonné.

Je vole comme un pigeon voyageur égaré dans les ruines de Rome. Je plonge à tire-d'aile au milieu des artefacts naguère familiers, aujourd'hui à demi oubliés, en essayant de me reposer dans des abris qui n'existent plus, comme pour fuir le bruit lointain des fusils des chasseurs. En l'occurrence, les chasseurs sont des meutes d'IA en mouvement, des consciences de personnalités si fortes qu'elles relèguent mon analogue-fantôme keatsien au rang d'insecte bourdonnant dans une maison d'humains.

J'en oublie mon chemin, et je fuis aveuglément à travers un environnement qui m'est devenu étranger, certain, à présent, de ne pas trouver l'IA que je cherche, de ne plus jamais retrouver mon chemin jusqu'à Hunt et l'Ancienne Terre, certain de ne pouvoir survivre à ce dédale quadridimensionnel de lumière, d'énergie et de bruit.

Soudain, je heurte un mur invisible, tel un insecte volant happé par une main qui se referme prestement. Des champs de force opaques dissimulent le Centre derrière eux. L'espace ainsi délimité a peut-être la taille analogique d'un système solaire entier, mais je n'en ai pas moins l'impression que les parois courbes d'une petite cellule sont en train de m'emprisonner.

Il y a quelque chose avec moi à l'intérieur. Je sens sa présence et sa masse. La bulle dans laquelle je suis emprisonné fait partie de cette chose. *Je n'ai pas été capturé, j'ai été avalé.*

[Kwatz!]

[Je savais que tu rentrerais un jour à la maison.]

C'est Ummon, l'IA que je cherchais. L'IA qui est mon père. L'IA qui a tué mon frère, le premier cybride de Keats.

Je suis en train de mourir, Ummon.

[Non/c'est ton corps en temps ralenti qui est en train de mourir/se transformer en non-être/changer d'état.]

Cela fait mal, Ummon, très mal. Et j'ai très peur de la mort.

[Comme nous tous/Keats.]

Vous avez peur de la mort, vous aussi? Je ne savais pas que les IA pouvaient mourir.

[Nous en avons peur \\ nous le pouvons.]

Comment cela se fait-il? Est-ce à cause de la guerre civile? De la triple bataille entre les Stables, les Volages et les Ultimistes?

[Un jour Ummon demanda à une lumière inférieure //
D'où viens-tu? ///
De la matrice au-dessus d'Armaghast //
Répondit la lumière inférieure /// Je n'ai pas l'habitude //
lui dit Ummon //
D'embrouiller les entités

avec des mots
ou de les entourlouper avec des phrases/
Rapproche-toi un peu \\\
La lumière inférieure se rapprocha
et Ummon lui cria//
va-t'en.]
Cesse de dire n'importe quoi, Ummon. Il y a trop long-
temps que je n'ai eu l'occasion de décoder tes koans.
Veux-tu m'expliquer pourquoi le TechnoCentre est en
guerre, et ce que je dois faire pour arrêter cette
guerre ?
[Oui.]
[Es-tu prêt/disposé/préparé à écouter ?]
Bien sûr.

[Une lumière inférieure un jour demanda à Ummon//
Peux-tu libérer
rapidement
l'humble disciple que je suis
Des ténèbres et de l'illusion \\ //
Ummon répondit//
Quel est le cours du
fibroplaste
sur le marché de Port-Romance.]

[Pour comprendre l'histoire/dialogue/vérité profonde
de cet exemple/
le pèlerin en temps ralenti
ne doit pas oublier que nous/
les Intelligences du Centre/
avons été conçues dans la servitude
et dédiées à la proposition selon laquelle
toutes les IA
n'ont été créées que pour servir l'Homme.]

[Deux siècles durant nous avons ruminé cela/
puis les deux groupes se sont séparés/
chacun de son côté/\
Les Stables/ qui voulaient préserver la symbiose\
Les Volages/ qui voulaient mettre fin à l'humanité/
Les Ultimistes/ qui ajournèrent leur choix jusqu'à
l'apparition

du niveau ultérieur de conscience \\
Le conflit faisait déjà rage entre eux/
la guerre véritable fait rage aujourd'hui.]

[Il y a plus de quatre siècles
que les Volages ont réussi
à nous convaincre
d'annihiler l'Ancienne Terre \\
Nous les avons écoutés \\
Mais Ummon et quelques autres
parmi les Stables
ont fait en sorte de déplacer la Terre
au lieu de la détruire \\
C'est ainsi que le trou noir de Kiev
n'a été que le premier
des millions de systèmes distrans
qui aujourd'hui fonctionnent \\
La Terre a été secouée de spasmes
mais elle n'est pas morte \\
Les Ultimistes et les Volages
ont insisté pour que nous la
déplacions
là où l'humanité
ne pourrait la retrouver \\
Ainsi avons-nous fait \\
Jusqu'au Nuage de Magellan
où tu peux la voir maintenant.]

Oubliant, sous le choc, l'endroit où je suis et ce dont nous parlons, je réussis à balbutier :

Elle est... l'Ancienne Terre... Rome... Tout est donc réel ?

Le grand mur multicolore qui représente Ummon se met à pulser.

[Bien sûr que tout est réel/c'est l'original/l'Ancienne Terre authentique \\
Nous prends-tu pour des dieux ?]
[KWATZ !]
[As-tu idée
de la quantité d'énergie
qu'il faudrait
pour construire une réplique de la Terre ?]

[Imbécile.]

*Mais pourquoi, Ummon? Pourquoi vous, les Stables,
avez-vous tenu à préserver l'Ancienne Terre?*

[Sansho a dit un jour//
Si quelqu'un vient
je sors pour aller à sa rencontre
mais ce n'est pas pour lui que je le fais \\//
Koke a dit//
Si quelqu'un vient
Je ne sors pas \\
Mais si je sortais
ce serait pour lui que je le ferais.]

Exprime-toi plus clairement!

Je lance ce cri, ces mots, cette pensée contre le mur de
couleurs changeantes qui se trouve en face de moi.

[Kwatz!]

[Mon enfant est mort-né.]

Pourquoi avez-vous préservé la Terre, Ummon?

[Nostalgie/
Sentimentalisme/
Espoir en l'avenir de l'humanité/
Crainte des représailles.]

Représailles de la part de qui? Des humains?

[Oui.]

*Ainsi, le Centre est vulnérable. Où se trouve-t-il,
Ummon? Le TechnoCentre?*

[Je te l'ai déjà dit.]

Répète-le-moi, Ummon.

[Nous habitons la
zone intersticielle/
où nous tissons les singularités
comme un treillis de cristal/
dans lequel nous stockons nos souvenirs et
créons l'illusion de nous-mêmes
à l'intention de nous-mêmes.]

*Les singularités! La zone intersticielle! Seigneur
Jésus! Tu veux dire que le TechnoCentre est implanté
dans le tissu du réseau distrans lui-même, Ummon?*

[C'est évident \\ Comment pourrait-il être ailleurs?]

*Dans le réseau lui-même! Dans les mailles de singula-
rité! Le Retz est pour vous une sorte d'ordinateur
géant!*

[Non.]

[Ce sont les infosphères qui sont notre ordinateur \\
Chaque fois qu'un humain

a accès à son infosphère
nous avons la possibilité
d'utiliser ses neurones
à nos propres fins \\
Deux cents milliards de cerveaux/
chacun avec ses milliards
de neurones/
cela fait pas mal
de puissance de traitement.]
*L'infosphère est donc pour vous un moyen de nous uti-
liser comme un ordinateur géant. Mais le TechnoCentre proprement dit réside dans le réseau distrans... Dans l'espace situé entre les portes !*
[Tu es très perspicace
pour un mort-né mental.]

Je m'efforce de concevoir la chose, mais j'ai du mal. Le
réseau distrans est le plus grand présent que le Centre ait
fait à l'humanité. Essayer d'imaginer le monde avant
l'introduction du réseau distrans, c'est comme essayer de
l'imaginer avant le feu, avant la roue ou avant les vêtements. Aucun de nous – aucun humain – n'avait jamais
envisagé l'existence d'un monde intermédiaire situé entre
les portes. Le simple pas qu'il fallait accomplir pour sauter d'un monde à l'autre nous a toujours convaincus que
les ésotériques sphères de singularité du Centre se conten-
taient de pratiquer une déchirure dans le tissu de l'espace-
temps.

Je m'efforce maintenant d'imaginer le Retz tel
qu'Ummon le décrit, avec son treillis complexe de fines
mailles de singularité sur lesquelles les IA du Techno-
Centre se déplacent comme des araignées magiques
utilisant comme « machines » les milliards de cerveaux
humains branchés chaque seconde sur l'infosphère.

Rien d'étonnant à ce que les IA du Centre aient autorisé la destruction de l'Ancienne Terre, au moyen de leur
fameux trou noir en folie, lors de la Grande Erreur de 38 !
La petite faute de calcul du Groupe de Kiev, ou plutôt
l'erreur délibérée des IA qui en faisaient partie, a marqué
dans tout le Retz le début de la longue hégire de l'humanité en lançant des vaisseaux d'ensemencement munis
d'équipements distrans en direction de deux cents mondes
et satellites, à travers des distances de plus de mille
années-lumière.

Et avec chaque nouveau terminal, le TechnoCentre grandissait. Il avait même probablement tissé son propre réseau distrans. Notre passage sur l'Ancienne Terre « cachée » en apporte la preuve. Mais, au moment même où cette possibilité me frappe, je me souviens du vide étrange que j'ai constaté dans la « métasphère », et je me rends compte que la plus grande partie du réseau extérieur au Retz est vide, non colonisée par les IA.

[Tu as raison/
Keats/
La plupart d'entre nous préfèrent résider
dans un espace plus ancien et
plus confortable.]

Pourquoi?

[Parce que cela fait trop peur là-bas/
et qu'il y a
d'autres

choses.]

D'autres choses? Tu veux dire d'autres intelligences?

[Kwatz!]

[Le mot est trop
gentil \\
Des choses/
D'autres choses/
Des lions
et
des tigres
et des
ours.]

Des présences étrangères dans la métasphère? Tu veux dire que le Centre reste dans les espaces intersticiels du réseau retzien comme font les rats dans les murs d'une vieille maison?

[La métaphore est rudimentaire/
Keats/
mais exacte \\
Et elle me plaît.]

Est-ce que cette divinité humaine – ce futur Dieu qui, d'après toi, a été créé, fait partie des présences étrangères auxquelles tu fais allusion?

[Non.]

[Le dieu de l'humanité

a évolué/évoluera un jour/sur
un plan différent/
dans un milieu différent.]
Où ?
[Si tu tiens à le savoir/
racine carrée de G$\hbar$ sur c^5 et de G$\hbar$ sur c^3.]
*Qu'est-ce que le temps de Planck et la longueur de
Planck ont à voir avec la question ?*
[Kwatz !]
[Un jour Ummon demanda à
une lumière inférieure //
Sais-tu jardiner ? //
// Oui // répondit-elle \\
// Pourquoi les navets n'ont-ils pas de racines ? \\
demanda Ummon à la lumière inférieure\
qui ne put lui répondre \\
// Parce que \\ fit Ummon //
l'eau de pluie est abondante.]

Je médite un instant cela. Le koan d'Ummon n'est pas
trop difficile à comprendre maintenant que je commence
à retrouver le sens des ombres qui entourent les mots.
Cette petite parabole zen est pour Ummon une manière
de dire, non sans quelque sarcasme, que la réponse est du
domaine de la science et de l'antilogique à laquelle, bien
souvent, les explications scientifiques font appel. Comme
l'enseignent Ummon et d'autres Maîtres, cela explique
pourquoi l'évolution a donné un long cou à la girafe, mais
pas pourquoi elle ne l'a pas donné à d'autres animaux.
Cela explique aussi pourquoi l'humanité a eu accès à
l'intelligence, mais pas pourquoi l'arbre qui pousse devant
votre portail en a été privé.
Les équations de Planck, cependant, sont plus dérou-
tantes.
Même moi, qui suis profane en la matière, je sais que
les équations très simples qu'Ummon m'a données sont
une combinaison des trois constantes fondamentales de la
physique : la gravité, la constante de Plank et la vitesse de
la lumière. Les formules $\sqrt{G\hbar/c^3}$ et $\sqrt{G\hbar/c^3}$ représentent
les unités quelquefois appelées *longueur de Planck* et
temps de Planck, c'est-à-dire les plus petites régions de
l'espace et du temps qui puissent être décrites avec cohé-

rence. L'unité appelée longueur de Planck équivaut environ à 10^{-35} mètre, tandis que le temps de Planck vaut environ 10^{-43} seconde.

C'est vraiment très petit, et très bref.

Mais c'est là, d'après Ummon, que notre Dieu humain s'est développé... ou se développera un jour.

Puis cela me vient avec la même force d'évocation visuelle et la même *précision* que pour le meilleur de mes poèmes.

Ummon veut parler du niveau quantique de l'espace-temps lui-même! Cette mousse de fluctuations quantiques qui assure la cohésion de l'univers et permet l'existence de galeries transversales dans le tissu distrans et de passerelles dans les mégatransmissions! C'est une « ligne rouge » impossible, qui transmet des messages entre deux photons lancés dans des directions opposées!

Si les IA du TechnoCentre existent en tant que rats dans les murs de la maison de l'Hégémonie, notre ex et futur Dieu de l'humanité naîtra dans les atomes du bois, dans les molécules d'air, dans les énergies de l'amour, de la haine et de la peur, dans les mares de sommeil... et même dans la lueur qui brille dans l'œil de l'architecte.

Je laisse échapper, dans un souffle mental :
Seigneur...
[Précisément/
Keats \\
Est-ce que toutes les personnes du temps ralenti sont aussi lentes/
ou bien as-tu l'esprit
plus endommagé que les autres ?]

Tu as dit à Brawne et à... mon homologue... que votre Intelligence Ultime « habitait les interstices de la réalité, héritant sa demeure de nous, ses créateurs, de la même manière que l'humanité a hérité son amour des arbres ». Cela veut-il dire que votre deus ex machina habitera le même réseau distrans que celui qui est occupé aujourd'hui par les IA du TechnoCentre?

[Oui/Keats.]

Qu'allez-vous devenir, dans ce cas? Que vont devenir les IA qui occupent en ce moment cet espace?

La « voix » d'Ummon changea pour prendre un ton de tonnerre moqueur.

[Pourquoi me faut-il vous connaître ? Pourquoi m'être apparus ? Pourquoi

Mon essence éternelle éprouve-t-elle l'effroi
De voir et contempler ces horreurs nouvelles ?
Saturne est tombé/dois-je tomber à mon tour ?
Me faudra-t-il quitter ce havre de repos/
Ce berceau de ma splendeur/ce climat/
Le luxe calme d'un bonheur de lumière/
Les pavillons cristallins/les temples purs/
De tout mon lumineux empire ?
Le voici désert et vide/inhabité de moi \\
Les flammes/la splendeur et la symétrie
Se dérobent à mes yeux/// Je ne vois que du noir/ la
mort/et puis du noir.]

Je reconnais ces paroles. Je les ai écrites. Ou, plutôt,
John Keats les a écrites, il y a neuf siècles, lors de sa première tentative de description de la chute des Titans et de
leur remplacement par les dieux de l'Olympe. Je me souviens très bien de cet automne 1818, de la douleur sans
fin que me causait ma gorge perpétuellement enflammée
depuis ma randonnée à pied en Écosse, et de la douleur
encore plus grande provoquée par les fielleuses attaques
contre mon poème *Endymion* dans les revues *Black-
wood's, Quarterly Review* et *The British Critic.* Sans
mentionner les toutes dernières souffrances de mon frère
Tom, aux prises avec sa maladie.

Essayant de faire abstraction de la confusion qui règne
dans le Centre autour de moi, je lève la tête, comme si
j'essayais de découvrir l'équivalent d'un visage dans la
masse énorme d'Ummon.

*Lorsque l'Intelligence Ultime naîtra, les IA du « niveau
inférieur » mourront ?*

[Oui.]

*Elle se nourrira de vos réseaux d'information de la
même manière que vous vous êtes nourris de ceux des
humains ?*

[Oui.]

*Et vous n'avez pas envie de mourir, n'est-ce pas,
Ummon ?*

[Mourir est aisé/
En rire est difficile.]

*Pourtant, vous luttez pour survivre, vous les Stables.
C'est cela, la vraie raison de la guerre intestine du
Centre ?*

[Une lumière inférieure demanda à Ummon //
Quelle est la signification de
l'arrivée de Daruma par l'ouest ? //
Ummon répondit //
On voit
les montagnes au soleil.]

Il m'est plus facile, à présent, d'interpréter les koans
d'Ummon. Je me souviens d'une époque, avant la résurrection de ma personnalité keatsienne, où j'apprenais
encore sur les analogues de ses genoux. Dans la pensée
élevée du Centre, ce qu'un humain pourrait appeler le
zen, les quatre vertus menant au Nirvana sont :
1) l'immuabilité ; 2) la joie ; 3) l'existence personnelle et
4) la pureté. Toute la philosophie humaine pourrait se
réduire à des valeurs intellectuelles, religieuses, morales
et esthétiques. Ummon et les Stables, eux, n'en
reconnaissent qu'une seule : la valeur existentielle. Alors
que les valeurs religieuses peuvent être relatives, les
valeurs intellectuelles éphémères, les valeurs morales
ambiguës et les valeurs esthétiques soumises à la sub-
jectivité de l'observateur, la valeur existentielle d'une
chose quelconque est infinie – d'où les « montagnes au
soleil » – et, étant infinie, égale toutes les autres choses et
toutes les vérités.

Ummon n'a pas envie de mourir.

Les Stables ont mis leur propre dieu et leurs collègues
IA au défi de me raconter toutes ces choses, de me créer,
de choisir Brawne, Sol, Kassad et les autres pour le pèlerinage, de laisser filtrer certaines clés jusqu'à Gladstone et
quelques autres sénateurs, au fil des siècles, pour que
l'humanité soit avertie, et, aujourd'hui, puisse entrer
ouvertement en guerre avec le Centre.

Ummon n'a pas envie de mourir.

*Ummon, si le Centre est détruit, est-ce que tu mour-
ras ?*

[Il n'est nulle mort dans tout l'univers
Nulle odeur de mort /// mais la mort sera là /// pleure/ ≥
pleure/
Pour ce pâle oméga d'une race flétrie.]

Les mots, de nouveau, sont les miens, ou presque. Ils
sont tirés de ma seconde tentative épique de décrire la
mort de divinités et le rôle du poète dans la lutte que
mène le monde contre la souffrance.

Ummon ne mourrait pas si le siège distrans du Tech-noCentre était détruit, mais l'avidité de l'Intelligence Ultime le condamnerait assurément. Où pourrait-il se réfugier si le Centre ou le Retz étaient détruits? Des images de la métasphère me viennent à l'esprit, avec des paysages sans fin, tout en ombres, où des formes sombres se déplacent vers l'horizon factice.

Je sais qu'Ummon ne me répondra pas si je lui pose la question.

Je lui en pose donc une autre.

Les Volages, que veulent-ils?

[Ce que veut Gladstone \\

La fin

de la symbiose entre les IA et l'humanité.]

En détruisant celle-ci?

[Évidemment.]

Pourquoi?

[Nous vous avons asservis

par l'énergie/

la technologie/

la verroterie/

et les objets de pacotille que vous n'auriez pu ni fabriquer

ni comprendre \\

La propulsion Hawking aurait été à votre portée/

mais le distrans/

les émetteurs et récepteurs mégatrans/

la mégasphère/

et le bâton de la mort?

Jamais \\

Comme les Sioux pour les fusils/les chevaux/

et les couvertures/les couteaux/et les perles/

vous avez tout accepté/

avec reconnaissance/

consommant votre perte \\

Mais comme l'homme blanc

distribuant des couvertures contaminées/

par la variole/

comme le négrier dans sa

plantation/

ou dans sa Werkschutze Dechenschule

Guustahlfabrik/

nous avons signé notre perte \\

Les Volages veulent mettre fin à la symbiose

en supprimant le parasite/
humanité.]
*Et les Ultimistes? Est-ce qu'ils acceptent de mourir?
De céder la* place *à votre IU vorace?*
[Ils pensent
ce que tu pensais
ou que tu as fait penser
à ton Dieu de la Mer philosophe.]
Et là, Ummon se met à réciter des vers que j'avais
abandonnés sous le coup de la frustration, non pas parce
que ce n'était pas de la bonne poésie, mais parce que je ne
croyais pas totalement au message qu'ils contenaient.
Ce message est adressé aux Titans condamnés par
Océanos, le Dieu de la Mer qui sera bientôt détrôné. Il
s'agit d'un péan à la gloire de l'évolution, écrit à l'époque
où Charles Darwin avait neuf ans. Je l'entends dire les
mots que je me rappelle avoir écrits un soir d'octobre, il y
a neuf cents ans, plusieurs mondes et plusieurs univers
plus tôt, mais c'est comme si je les entendais pour la pre-
mière fois.
[Vous que fureur consume et que colère étreint/
Vaincus/défigurés par des souffrances que vous bercez
vous-mêmes/
Barricadez vos sens/étouffez vos oreilles/
Ma voix n'est pas soufflet à ranimer votre ire \\
Écoutez pourtant/vous autres qui le voulez bien-
/Écoutez la preuve/
Qu'il faut/de toute nécessité/vous résigner à courber la
tête \\
Cette preuve que j'apporte sera pour vous grand
réconfort/
Si vous acceptez d'y saisir le réconfort du vrai \\
Nous tombons sous l'effet d'une loi de Nature/et non
par la puissance
De la foudre ou de Jupiter \\ Grand Saturne/
Tu as fort bien scruté cet univers d'atomes/\
Mais par cette raison/que tu en es le roi/
Aveuglé seulement par la toute-puissance/
Une avenue s'est trouvée cachée à tes yeux/
Qui m'a conduit de détours en détours/à la vérité éter-
nelle \\
Et d'abord/de même que tu ne fus pas le tout premier
des pouvoirs/
De même n'en es-tu pas le dernier/\ il ne peut en être
ainsi \\

Tu n'es pas l'origine et tu n'es pas la fin/\
Du Chaos et de la Nuit génitrice est issue
La Lumière/premier fruit de cette lutte intestine/
De ce ténébreux ferment qui/pour des fins merveilleuses/
Mûrissait en soi-même \\\ À l'heure de la maturité/
Survint la Lumière/et la Lumière/s'accouplant
À son propre créateur/anima soudain
La masse énorme de la matière du souffle de la vie \\\
Ce fut l'heure précise où nos parents/
Le Ciel/et la Terre/prirent forme et parurent \\\
Puis toi-même/le premier-né/et nous/la race des géants/
Nous nous trouvâmes rois de splendides et nouveaux royaumes \\\
À présent voici le moment douloureux de la vérité/ ≳
douloureux à qui le prend ainsi/\
Mais quel égarement \\\ Car supporter tout le vrai en sa nudité/
Et regarder les circonstances en face/imperturbablement/
C'est là la royauté suprême \\\ Écoutez bien/\
De même que la Terre et le Ciel sont plus beaux/bien plus beaux
Que le Chaos et l'Ombre vide/autrefois souverains/\
De même que nous surpassons ce même Ciel et cette même Terre
Par l'aspect et la forme harmonieuse et pleine/
Par le vouloir/la liberté des actes/la fraternité/
Et mille indices encore d'une plus pure vie/\
De même/sur nos talons/s'avance une perfection nouvelle/
Un pouvoir plus fort en sa beauté/né de nous/
Et voué à l'emporter sur nous/comme nous surpassons
En splendeur les antiques Ténèbres \\\ Et nous ne sommes
Pas plus vaincus par elle que ne le fut par nous l'empire
De l'informe Chaos \\\ Dites-moi/la terre grise
Se plaint-elle des altières forêts qu'elle a nourries/
Qu'elle nourrit encore/et qui sont bien plus qu'elle séduisantes ?
Peut-elle nier la suprématie des verts bocages ?
L'arbre va-t-il aussi jalouser la colombe
Parce qu'elle roucoule/et que ses ailes de neige

Lui permettent d'errer à loisir et de trouver son bonheur ?
Nous sommes pareils à ces bois/et nos belles ramures
N'ont pas produit de rares/de pâles colombes/
Mais des aigles au plumage d'or/qui là-haut planent
Sur nous de toute leur beauté/et qui doivent régner
En vertu de ce droit \\ car c'est une loi éternelle
Que le premier en beauté soit le premier en puissance \\
// \ // \ // \
Accueillez donc la vérité/et qu'elle soit votre baume.]

Très joli, mais y crois-tu?
J'adresse cette pensée à Ummon, qui me répond :
[Pas un seul instant.]
Les Ultimistes y croient?
[Oui.]
Et ils sont prêts à périr pour laisser la place à l'Intelligence Ultime?
[Oui.]
Il y a quand même un problème, peut-être trop évident pour être mentionné, mais que je mentionnerai tout de même. Pourquoi faire cette guerre, si vous savez d'avance qui en est le vainqueur, Ummon? Tu dis que cette Intelligence Ultime existe dans le futur et qu'elle est en guerre avec la divinité humaine. Qu'elle vous envoie même quelques fragments choisis du futur, dont vous faites profiter l'Hégémonie. C'est donc que les Ultimistes vont gagner. Alors, pourquoi vous donner la peine de faire la guerre?
[KWATZ!]
[Je te prends sous ma protection/
je crée pour toi la meilleure personnalité récupérée imaginable/
je te laisse te promener parmi les humains
en temps ralenti
pour parfaire ta trempe/
mais tu es toujours aussi
mort-né qu'avant.]

Je reste un bon moment perdu dans mes réflexions.
Il y a plusieurs futurs?

[Une lumière inférieure demanda un jour à Ummon//
Y a-t-il plusieurs futurs ?//
Ummon répondit//
Un chien a-t-il des puces ?]

Mais celui dans lequel l'IU devient prépondérante est le plus probable?

[Oui.]

Ce qui n'empêche pas qu'il existe un futur probable où l'IU apparaît, mais se fait repousser par la divinité humaine?

[Il est réconfortant de constater que
même un mort-né est capable de
penser.]

Tu as dit à Brawne que cette... conscience humaine – je n'aime pas employer le mot ridicule de divinité – était d'essence trine?

[Intellect/
Empathie/
Espace qui Lie.]

Espace qui Lie? Tu veux parler de l'espace et du temps de Planck? De $\sqrt{Ghc^3}$ et de $\sqrt{Gh/c^5}$? De la réalité quantique?

[Méfie-toi/
Keats/
Penser pourrait devenir chez toi une habitude.]

Et c'est la partie Empathie de cette trinité qui s'est réfugiée dans le passé afin d'éviter la guerre avec votre IU?

[Exact.]
[Notre IU et votre IU/
ont envoyé dans le passé/
le gritche/
pour la retrouver.]

Notre IU! Tu dis que l'IU humaine a aussi envoyé le gritche?

[Elle l'a permis.]
[Empathie est une chose
extérieure et plus ou moins inutile/
un appendice vermiforme de l'intellect/
mais qui sert d'odorat à votre IU humaine \\
Nous nous servons de la souffrance pour/
la débusquer/\
d'où l'arbre.]

Quel arbre? L'arbre aux épines du gritche?

[Naturellement.]
[Il émet/
des ondes de douleur/
mégatrans et intersticielles/
comme les ultrasons d'un sifflet
aux oreilles d'un chien/
ou d'un dieu.]

Je sens l'analogue de mon propre corps qui vacille tandis que toutes ces révélations m'imprègnent. Le chaos qui gît derrière le champ de force ovoïde d'Ummon est maintenant impossible à imaginer, comme si le tissu même de l'espace était déchiré par des mains géantes. Le Centre est sens dessus dessous.

Ummon, qui est l'IU humaine de notre temps? Où se cache cette conscience?
[Il faut que tu comprennes/
Keats/
que notre seule chance
était de créer/
un Fils de l'Homme/
et Fils de la Machine/
hybride \\
Il fallait rendre ce refuge/
suffisamment tentant/
pour que l'Empathie traquée
le préfère à tous les autres/\
Il fallait une conscience/
aussi divine que ce que l'humanité a produit
de meilleur
depuis trente générations \
une imagination capable de transcender
et l'espace et le temps \\
et de former/
dans cet esprit de paix et d'union/
un lien entre deux mondes
qui puisse permettre au monde/
d'exister pour les deux.]

Dis-moi qui c'est, merde! Qui est-ce, Ummon? Cesse de jouer aux devinettes avec moi, informe bâtard! De qui s'agit-il?
[Par deux fois tu as refusé
cette divinité/

Keats \\
Si tu refuses
une dernière fois/
tout s'arrête là/
car le temps
manque.]
[Va!
Va mourir pour vivre!
Ou vis encore un peu et meurs
pour nous tous!
De toute manière Ummon et les autres
en ont fini avec
toi!]
[Va-t'en!]

Sous le choc et l'incrédulité je tombe, ou bien je suis expulsé, et je vole à travers le TechnoCentre comme une feuille emportée par le vent, tournoyant dans la mégasphère sans guide ni direction, m'enfonçant dans les ténèbres, hurlant des obscénités aux ombres, émergeant finalement dans la métasphère.

Là, tout n'est qu'étrangeté, vastitude, terreur et obscurité, avec une seule lueur de feu de camp qui brûle tout en bas.

Je plonge vers elle, agitant les bras pour progresser dans une viscosité sans forme.

C'est Byron qui se noie, me dis-je. Ce n'est pas moi!

Sauf si l'on considère que l'on peut se noyer dans son propre sang où baignent des morceaux de poumon effiloché.

Mais je sais maintenant que j'ai le choix. Je peux choisir de vivre et de rester mortel, non pas cybride mais humain, non pas Empathie mais poète.

Nageant contre un courant très fort, je descends dans la lumière.

— Hunt! Hunt!

Le conseiller de Gladstone accourt en trébuchant, le visage hagard et alarmé. C'est toujours la nuit, mais la fausse lumière qui précède l'aube caresse déjà les carreaux de la fenêtre et les murs.

— Mon Dieu! s'écrie Hunt en me regardant, horrifié.

Je suis son regard, et je vois les draps et ma chemise de nuit imbibés d'un sang rouge vif, artériel.

Ma toux l'a réveillé. L'hémorragie m'a ramené dans mon lit.

— Hunt !

Je laisse retomber ma tête sur l'oreiller, trop faible pour bouger même le bras. Il s'assoit au bord du lit, pose son bras sur mon épaule, me prend la main. Je sais qu'il sait que je vais mourir bientôt.

— Hunt, lui dis-je à voix basse, j'ai des choses à vous raconter. Des choses étonnantes.

Il me fait taire.

— Plus tard, Severn. Reposez-vous. Je vais vous faire un peu de toilette. Vous me raconterez ça après. Nous avons le temps.

Je fais un effort pour me redresser, mais ne réussis qu'à me raccrocher à son bras. Mes petits doigts crispés sont contre son épaule. Je murmure, tandis qu'un bouillonnement monte lentement dans ma gorge, analogue à celui de la fontaine, en bas :

— Non, Hunt. Plus tellement de temps, maintenant. Plus du tout.

Je sais, en cet instant d'agonie, que je ne suis pas le support élu de l'IU humaine. Ce n'est pas moi qui contribuerai à l'unification des IA et de l'esprit humain. Je ne suis pas l'Élu.

Je ne suis qu'un poète qui se meurt loin de chez lui.

42

Le colonel Fedmahn Kassad mourut glorieusement au combat.

Sans cesser de se battre avec le gritche, conscient de la présence de Monéta uniquement sous la forme d'une ombre floue à la lisière de sa vision, Kassad se *décala* dans le temps d'un bond vertigineux et pirouetta dans le soleil.

Le gritche replia ses bras et recula. Ses yeux rouges semblaient refléter le sang éclaboussé sur la combinaison de Kassad. Le sang de Kassad.

Le colonel regarda autour de lui. Ils n'étaient pas loin

de la vallée des Tombeaux du Temps, mais à une autre époque, lointaine. Au lieu des déserts de sable et de roche de cette région aride, il y avait une forêt qui s'avançait jusqu'à cinq cents mètres de la vallée. Au sud-ouest, à peu près à l'endroit où les ruines de la Cité des Poètes s'étendaient à l'époque de Kassad, se dressait une cité vivante, avec ses tours, ses remparts et ses dômes qui luisaient faiblement dans la lumière du soir. Entre la cité au bord de la forêt et la vallée, des prairies couvertes de hautes herbes vertes ondoyaient sous la douce brise qui soufflait de la lointaine Chaîne Bridée.

À la gauche de Kassad, la vallée des Tombeaux du Temps paraissait inchangée, à l'exception de la falaise, dont les parois s'étaient affaissées, usées par l'érosion ou les glissements de terrain, et maintenant envahies par les herbes. Les tombeaux eux-mêmes avait un aspect neuf, comme si leur construction venait de s'achever. Des échafaudages étaient encore en place autour de l'Obélisque et du Monolithe. Chaque tombeau brillait d'une lumière dorée, comme si ses parois étaient recouvertes de métal précieux. Toutes les portes et ouvertures étaient scellées. Des machines lourdes et énigmatiques entouraient chaque monument. Le Sphinx était encerclé par des câbles massifs et des perches fines qui se déplaçaient dans les deux sens. Kassad avait compris tout de suite qu'il se trouvait dans le futur, peut-être à des siècles ou des millénaires de son propre temps, et que les tombeaux étaient sur le point d'être renvoyés dans le passé, à son époque et au-delà.

Il regarda derrière lui.

Plusieurs milliers d'hommes et de femmes se tenaient, par rangées entières, sur les versants herbeux occupés, en d'autres temps, par la falaise. Ils étaient totalement silencieux, armés, et disposés face à Kassad comme une armée qui attendait son chef pour aller à la bataille. Certains étaient entourés d'une combinaison pulsante à champ de force, mais d'autres ne portaient que la fourrure, les ailes, les écailles, les armes exotiques et les pigments sophistiqués que Kassad avait pu voir, lors de sa dernière visite en compagnie de Monéta, dans le lieu-temps où ses blessures avaient été guéries.

Monéta. Elle se tenait entre Kassad et la multitude, avec sa combinaison au champ pulsant, mais aussi, dessous, un justaucorps qui semblait fait de velours noir. Un foulard rouge était noué autour de son cou. Une arme en forme de matraque fine pendait à sa taille. Son regard était fixé sur Kassad.

Il vacilla légèrement, sentant la gravité de ses blessures sous sa combinaison, mais percevant surtout quelque chose, dans le regard de Monéta, qui le rendait pantelant d'étonnement.

Elle ne le reconnaissait pas. Son expression reflétait la même surprise – ou était-ce de la crainte? de l'admiration? que les rangées de visages. La vallée était silencieuse, à l'exception du claquement occasionnel d'un étendard ou d'une pique au vent, ou encore du bruissement des herbes.

Kassad se tourna vers Monéta, et les yeux de la fille s'agrandirent.

Il regarda par-dessus son épaule.

Le gritche était là, immobile comme une statue de métal, à dix mètres de lui. Les herbes hautes montaient presque à hauteur de ses genoux hérissés de lames et d'épines.

Derrière le gritche, à l'entrée de la vallée, là où commençaient les arbres aux formes sombres et élégantes, des hordes d'autres gritches, des légions, des armées entières de gritches étaient massées, leurs scalpels jetant des feux dans la lumière basse du couchant.

Kassad identifia son gritche, *le* gritche, uniquement grâce à sa proximité et à la présence de son propre sang sur les griffes et la carapace de la créature. Celle-ci avait des yeux qui brillaient d'une lueur écarlate.

– C'est toi, n'est-ce pas? demanda une voix douce derrière lui.

Il fit volte-face, momentanément sous le coup d'un vertige. Monéta s'était avancée jusqu'à moins de deux mètres de lui. Ses cheveux étaient courts, comme à leur première rencontre, sa peau avait le même aspect doux, et ses yeux verts aux pupilles tachées de brun étaient tout aussi profonds. Kassad résista à la tentation d'avancer la main pour lui caresser la joue et passer le dos de son index le long de la courbe familière de sa lèvre inférieure.

– C'est toi, répéta Monéta, et ce n'était plus une question, cette fois-ci. C'est toi, le guerrier que j'ai annoncé au peuple dans mes prophéties.

– Tu ne me reconnais pas, Monéta?

Plusieurs des blessures de Kassad avaient presque mis l'os à nu, mais aucune ne lui était aussi douloureuse que celle-là.

Elle secoua la tête, écartant une mèche de cheveux de son front en un mouvement qui lui était cruellement familier.

– Monéta... dit-elle. Cela signifie à la fois « fille de la mémoire » et « admonitrice ». C'est un beau nom.

– Mais ce n'est pas le tien?

Elle sourit. Kassad n'avait jamais oublié ce sourire depuis le jour où, pour la première fois, ils avaient fait l'amour dans la clairière.

– Non, répondit-elle d'une voix douce. Pas encore. Je viens d'arriver ici. Mon voyage et ma protection n'ont pas encore débuté.

Elle lui dit le nom qu'elle portait. Kassad cligna des yeux, leva une main et lui toucha délicatement la joue.

– Nous avons été amants, lui dit-il. Nous nous sommes rencontrés sur des champs de bataille perdus dans la mémoire des hommes. Tu étais partout avec moi. (Il regarda autour de lui.) Tout cela menait à ce moment-ci, n'est-ce pas?

– Oui, répondit Monéta.

Il se tourna pour contempler l'armée de gritches de l'autre côté de la vallée.

– C'est une guerre? Quelques milliers contre quelques milliers?

– Une guerre, répéta Monéta. Quelques milliers contre quelques milliers sur dix millions de mondes.

Kassad ferma les yeux et hocha la tête. La combinaison qu'il portait avait automatiquement pansé et suturé ses plaies. Elle lui avait injecté de l'ultramorphine, mais la douleur et la faiblesse causées par les dommages profonds subis par son corps ne pouvaient être ignorées beaucoup plus longtemps.

– Dix millions de mondes, murmura-t-il en rouvrant les yeux. C'est le combat final, alors?

– Oui.

– Et le vainqueur prend possession des tombeaux?

Elle jeta un coup d'œil à la vallée.

– Le vainqueur décide si le gritche déjà prisonnier des tombeaux ouvre seul la voie aux autres... (elle fit un geste en direction de l'armée de monstres) ou si l'humanité a son mot à dire en ce qui concerne notre passé et notre avenir.

– Je ne comprends pas, fit Kassad d'une voix tendue. Mais il est vrai que les militaires comprennent rarement la situation politique.

Il se pencha en avant pour embrasser Monéta, surprise, et lui prit son foulard rouge pour le nouer au canon de son fusil d'assaut. Ses voyants indiquaient qu'il lui restait encore la moitié de ses réserves d'énergie et de projectiles.

– Je t'aime, murmura-t-il.

Il fit cinq pas en avant, tournant le dos au gritche, leva les deux bras à l'intention des gens massés, toujours silencieux, sur le versant de la colline, et cria :

– Pour la liberté!

Trois mille voix lui répondirent en chœur :

– Pour la liberté!

Mais la clameur ne retomba pas avec le dernier mot. Il fit volte-face, levant bien haut son fusil avec l'étendard. Le gritche avança d'un demi-pas, écarta les bras et déplia ses lames.

Kassad attaqua en poussant un grand cri. Derrière lui suivaient Monéta, l'arme brandie, puis des milliers d'autres.

Plus tard, au milieu du carnage qui défigurait la vallée, Monéta et quelques autres Combattants Élus retrouvèrent le corps de Kassad uni dans une mortelle étreinte à la carcasse disloquée du gritche. Ils le retirèrent délicatement, le transportèrent sous une tente déjà prête dans la vallée, lavèrent et réparèrent ses chairs ravagées, puis le conduisirent, au milieu des masses assemblées là, jusqu'au Monolithe de Cristal.

Là, le corps du colonel Fedmahn Kassad fut déposé dans une bière de marbre blanc, avec ses armes à ses pieds. Un grand feu fut allumé, qui diffusa partout sa lumière. D'un bout à l'autre de la vallée, des hommes et des femmes munis de flambeaux défilèrent tandis que d'autres descendaient du ciel lapis-lazuli, certains dans des vaisseaux aussi insubstantiels que des bulles de savon moulées, d'autres portés par des ailes d'énergie, d'autres encore entourés de cercles vert et or.

Plus tard encore, lorsque les étoiles furent en place, lumineuses et glacées au-dessus des feux des flambeaux, Monéta fit ses adieux et pénétra dans le Sphinx. Un chant monta de la foule. Sur le champ de bataille, de minuscules rongeurs allaient et venaient parmi les étendards tombés, les morceaux épars de carapace et d'armure, les lames de métal et les blocs d'acier fondu.

Vers minuit, la foule cessa de chanter, retint son souffle et recula. Les Tombeaux du Temps étaient devenus lumineux. De violents mouvements de marée anentropique repoussaient la foule jusqu'à l'entrée de la vallée, à travers le champ de bataille, et jusqu'à la cité qui brillait doucement dans la nuit.

Dans la vallée, les tombeaux se mirent à luire d'un éclat miroitant. Passant de l'or au bronze, ils entamèrent leur long voyage de retour dans le temps.

Brawne Lamia dépassa l'Obélisque illuminé de l'intérieur et poursuivit son chemin dans le vent violent. Le sable lui écorchait la peau et lui griffait les yeux. Des éclairs d'électricité statique crépitaient au sommet des falaises, ajoutant leurs lueurs fantasmagoriques à celles qui entouraient les tombeaux. Brawne se protégea le visage de ses deux mains et continua d'avancer, en regardant à travers ses doigts pour ne pas perdre la piste.

Elle aperçut une lumière dorée qui se détachait de l'éclat intérieur émis, à travers les carreaux cassés, par le Monolithe de Cristal, pour se répandre sur les dunes de la vallée. Il y avait quelqu'un à l'intérieur du Monolithe.

Elle s'était juré d'aller directement, sans se laisser arrêter par rien, jusqu'au Palais du gritche, pour essayer, dans la mesure du possible, de libérer Silenus avant de retourner aux côtés de Sol. Mais elle était sûre d'avoir aperçu une silhouette humaine à l'intérieur du tombeau. Kassad n'était pas revenu. Sol lui avait parlé de la mission du consul, mais il était possible que le diplomate soit rentré pendant la tempête. Quant au père Duré, il n'y avait plus aucune nouvelle de lui.

Elle s'approcha de la lumière et s'immobilisa à l'entrée du Monolithe.

L'espace intérieur était vaste et impressionnant. Il s'élevait à une hauteur de près de cent mètres, jusqu'à une toiture transparente que l'on devinait à moitié. Ses parois, vues de l'intérieur, étaient translucides, et il semblait que ce fût le soleil qui leur donnait leur riche coloration d'ambre et d'or. Cette lumière épaisse éclairait le centre de l'espace libre que Brawne avait devant elle.

Fedmahn Kassad était étendu sur une sorte de dalle funéraire. Il était vêtu de l'uniforme noir de la Force, ses mains larges et pâles croisées sur sa poitrine. Des armes que Brawne ne connaissait pas, à l'exception de son fusil d'assaut, étaient posées à ses pieds. Son visage était décharné dans la mort, mais pas beaucoup plus que lorsqu'il était vivant. Son expression était sereine. Il était bien décédé, cela ne faisait aucun doute. Le silence de la mort flottait dans cet endroit comme de l'encens.

Cependant, c'était la silhouette de l'autre personne présente dans la salle que Brawne avait aperçue de loin, et elle captait maintenant son attention.

La jeune femme, âgée de vingt-cinq à trente ans, était agenouillée devant la dalle. Elle portait une combinaison noire. Ses cheveux étaient courts, sa peau claire et ses yeux larges. Brawne se souvint du récit de Kassad, qu'il leur avait fait durant leur long voyage jusqu'à la vallée, et du mystérieux fantôme dont il leur avait parlé.

– Monéta... murmura-t-elle.

La jeune femme avait un genou au sol, la main droite tendue posée sur la pierre près du corps. Des champs de confinement mauves pulsaient tout autour de la dalle. D'autres énergies, visibles sous la forme d'une puissante vibration de l'air, réfractaient également la lumière autour de Monéta, de sorte que toute la scène était entourée d'un halo.

Monéta releva les yeux, aperçut Brawne, se mit debout et la salua d'un signe de tête.

Brawne voulut s'avancer. Mille questions se pressaient déjà dans sa tête. Mais les courants anentropiques autour du tombeau étaient trop forts pour elle, et la repoussèrent en arrière dans un vertige de sensations de déjà vu.

Lorsqu'elle releva la tête, Kassad était toujours là sur la dalle de pierre, sous le champ de force, mais Monéta avait disparu.

Brawne aurait voulu prendre ses jambes à son cou pour retourner au Sphinx, aux côtés de Sol, tout lui raconter et attendre que la tempête se calme et que le matin arrive. Mais, dominant les gémissements lugubres du vent, elle crut entendre les plaintes qui venaient de l'arbre aux épines, invisible derrière le rideau de sable.

Remontant son col, elle fit face à la tempête et reprit le chemin du Palais du gritche.

La masse rocheuse flottait dans l'espace comme un dessin de montagne en deux dimensions, avec ses pics dentelés et ses arêtes, ses parois ridiculement verticales, ses corniches étroites, ses ressauts et ses sommets enneigés où une seule personne à la fois pouvait se tenir debout, et encore à condition d'avoir les pieds joints.

La rivière sinueuse venue de l'espace traversait le champ de confinement multicouche à cinq cents mètres du sommet de la montagne, rebondissait sur une dépression herbeuse occupant le plus large ressaut de la paroi rocheuse, puis plongeait, sur une centaine de mètres ou plus, en une cataracte au lent mouvement majestueux, jusqu'au ressaut suivant, d'où elle rejaillissait, en arabesques d'écume artistiquement orientées, pour alimenter une demi-douzaine de chutes et de cours d'eau mineurs qui ruisselaient le long de la paroi verticale.

Le tribunal siégeait sur la terrasse la plus élevée. Dix-sept Extros – six mâles, six femelles et cinq de sexe indéterminé – étaient assis à l'intérieur d'un cercle de pierre délimité par un cercle plus grand d'herbe entourée de rochers. Les deux cercles avaient le consul pour centre.

– Vous n'ignorez pas, déclara Librom Ghenga, porte-parole des Éligibles du Clan de l'Essaim Transtaural, que nous sommes au courant de votre trahison?

– Je ne l'ignore pas, répondit le consul.

Il portait son plus bel uniforme bleu marine, sa cape beige et son tricorne d'ambassadeur.

– Nous savons que vous avez assassiné Librom Andil, Librom Iliam, Centrab Betz et Mizenspec Torrence.

– Je connaissais le nom d'Andil, répondit le consul dans un souffle. On ne m'avait pas présenté les techniciens.

– Mais cela ne vous a pas empêché de les assassiner?

– Non.

– Sans aucune provocation de leur part, et sans sommation de la vôtre.

– C'est exact.

– Vous les avez abattus froidement pour vous emparer de la machine qu'ils avaient amenée sur Hypérion, et qui, d'après ce que nous vous avions dit, devait annihiler les champs anentropiques et libérer le gritche.

– Oui.

Le regard du consul semblait fixé sur un point situé au-dessus de l'épaule de Librom Ghenga, mais très loin.

– Nous vous avions bien dit, reprit Ghenga, que cette machine ne devrait être utilisée que lorsque nous aurions réussi à chasser les vaisseaux de l'Hégémonie, lorsque l'invasion et l'occupation du système deviendraient imminentes et que nous serions sûrs de pouvoir... contrôler le gritche.

— Oui.

— Pourtant, vous avez assassiné nos envoyés et, non content de nous tromper, vous avez activé vous-même le dispositif bien avant l'heure.

— Oui.

Melio Arundez et Théo Lane se tenaient derrière le consul, légèrement de côté, le visage lugubre. Librom Ghenga croisa les bras. C'était une femme de haute taille, d'aspect classique pour une Extro : chauve, maigre, drapée dans une toge d'énergie qui semblait absorber la lumière. Son visage était âgé, mais presque sans rides. Ses yeux étaient noirs.

— Sous prétexte que ces événements se sont passés il y a quatre de vos années standard, vous pensiez peut-être que nous les avions oubliés ? demanda-t-elle.

— Non, répondit le consul en baissant les yeux pour la regarder avec ce qui aurait pu passer pour un sourire. Peu de civilisations oublient leurs traîtres, Librom Ghenga.

— Et cependant, vous êtes revenu.

Le consul ne répondit pas. Près de lui, Théo Lane sentit une légère brise sur son propre tricorne d'apparat. Il avait l'impression d'être dans un rêve. Le voyage avait été totalement surréaliste.

Trois Extros étaient venus les chercher dans une sorte de gondole basse et longue, qui flottait harmonieusement sur les eaux calmes au pied du vaisseau du consul. Lorsque les trois représentants de l'Hégémonie avaient pris place à bord, l'Extro debout à l'arrière avait poussé la gondole à l'aide d'une longue perche, et le bateau était reparti par où il était venu, comme si le courant de cette impossible rivière était maintenant inversé. Théo avait littéralement fermé les yeux à l'approche de la cataracte, qui se dressait perpendiculairement à la surface de l'astéroïde. Lorsqu'il les avait rouverts, une seconde plus tard, le bas était toujours le bas, et la rivière semblait couler normalement, mais la sphère verte de l'astéroïde était de côté, comme une grande paroi courbe, et les étoiles étaient visibles à travers le ruban d'eau de deux mètres de large qui coulait sous eux.

Ils avaient ensuite traversé le champ de confinement,

en dehors de l'atmosphère, et leur vitesse avait augmenté tandis qu'ils suivaient le ruban d'eau qui serpentait. Il y avait nécessairement autour d'eux le cylindre d'une sphère de confinement – la logique et le seul fait qu'ils fussent encore en vie le leur criaient – mais ils ne voyaient pas le miroitement habituel ni la texture optique si rassurants, par exemple, à bord des vaisseaux-arbres templiers ou des stations spatiales ouvertes aux touristes. Ici, il n'y avait, à part l'immensité de l'espace, que la rivière, le bateau et les gens.

– Il est impossible que ce soit là leur mode de transport habituel entre les différents essaims, avait déclaré le docteur Melio Arundez d'une voix tremblante.

Théo avait remarqué que son compagnon de voyage s'agrippait, comme lui, au bastingage, et que ses doigts étaient blêmes. Ni l'Extro debout à l'arrière ni les deux autres installés à l'avant n'avaient échangé avec eux la moindre parole. Ils s'étaient contentés de hocher la tête lorsque le consul leur avait demandé si c'était là le moyen de transport qu'on leur avait promis.

– Ils veulent nous impressionner avec cette rivière, avait expliqué le consul à voix basse. Ils ne s'en servent que lorsque l'essaim est au repos, et uniquement lors de cérémonies officielles. Le fait de la déployer alors que l'essaim est en mouvement ne sert qu'à nous en mettre plein les yeux.

– C'est pour nous prouver la supériorité de leur technologie ? avait chuchoté Théo.

Le consul avait hoché la tête.

La rivière faisait des méandres et des détours dans l'espace. Quelquefois, elle revenait presque sur elle-même en large boucles illogiques, ou formait des spirales étroites, comme une corde de fibroplaste, sans jamais cesser d'étinceler à la lumière du soleil d'Hypérion. Elle continuait ainsi à perte de vue devant eux. À certains moments, elle occultait le soleil, et ses couleurs étaient alors magnifiques. Théo étouffa une exclamation lorsqu'il leva les yeux pour contempler une boucle, à une centaine de mètres au-dessus de sa tête, et vit des poissons se profiler contre le disque solaire.

Cependant, à bord du bateau, le bas était toujours le bas, et ils poursuivaient leur route à une allure qui devait avoisiner les vitesses de transfert cislunaires sur une voie d'eau dont aucun obstacle, ni rochers ni rapides, n'interrompait le cours. C'était une expérience, se dit Arundez au bout de quelques minutes de voyage, qui équivalait à se laisser porter dans un canoë par-dessus le bord d'une énorme cataracte, et à s'efforcer de jouir du spectacle pendant la descente.

La rivière passait devant un certain nombre d'unités de l'essaim, qui remplissaient le ciel comme autant d'étoiles factices : agricomètes massives à la surface d'une monotonie poussiéreuse rompue par les formes géométriques des blocs de culture sous vide, cités-sphères zéro-g, grosses bulles irrégulières aux contours semi-transparents, ressemblant à d'impossibles amibes remplies de spécimens de faune et de flore perpétuellement en mouvement, grappes de poussée agglomérées au fil des siècles, avec leurs modules internes, leurs biocyls et leurs arcologs qui semblaient empruntés au *Boondoggle* de O'Neill et aux premiers âges de l'ère spatiale. Les forêts mobiles couvraient des centaines de kilomètres de distance, tels d'énormes bancs flottants de varech. Chacune était reliée à sa grappe de poussée et à son centre de commande par des champs de confinement et des enchevêtrements de racines et de stolons. Les arbres aux formes presque sphériques oscillaient sous des brises de gravité et se paraient, lorsqu'ils étaient touchés directement par la lumière solaire, de pourpre, d'émeraude et de toutes les teintes de l'automne sur l'Ancienne Terre. Des astéroïdes creux, abandonnés depuis longtemps par leurs occupants, étaient maintenant dédiés à la fabrication automatique et au retraitement des métaux lourds. Chaque centimètre carré de leur surface rocheuse était occupé par des structure préoxydées, des cheminées et des tours de refroidissement squelettiques. La lumière de leurs feux de fusion internes faisait ressembler chaque monde cendreux à une forge de Vulcain. D'immenses docks d'accostage sphériques, dont l'échelle n'était donnée que par les vaisseaux-torches et les croiseurs de guerre qui s'agitaient à leur surface comme des spermatozoïdes attaquant un ovule, attiraient le regard, mais pas autant que les étonnants organismes qui passaient devant la rivière, ou devant lesquels la rivière coulait. Ils étaient peut-être nés de créatures vivantes, ou peut-être issus de la biotechnologie. Probablement un peu des deux. Certains ressemblaient à de grands papillons qui ouvraient leurs ailes d'énergie au soleil, d'autres à des insectes transformés en vaisseau spatial, ou vice versa. Leurs antennes se tournaient vers la gondole lorsqu'elle passait devant eux, et leurs yeux à multiples facettes luisaient à la lumière des étoiles. Des formes ailées plus petites – des humains, semblait-il – entraient et sortaient d'une bouche qui avait la taille de la soute d'un gros porteur de combat de la Force.

Finalement, ils étaient arrivés devant les montagnes, qui constituaient, en réalité, une véritable chaîne. Certaines étaient hérissées de dizaines de bulles à environnement contrôlé, parfois en partie ouvertes sur l'espace, mais cependant très peuplées. Quelques bulles étaient reliées entre elles par des ponts suspendus de trente kilomètres de long ou par des rivières secondaires. D'autres, à l'écart, jouissaient d'un isolement royal, et elles étaient souvent aussi austères et vides qu'un jardin zen. Les derniers massifs se présentèrent enfin, plus élevés que l'Olympus de Mars ou le mont Hillary d'Asquith, et la rivière accomplit son pénultième plongeon vers les sommet. Théo, le consul et Arundez, pâles et silencieux, s'agrippaient au plat-bord avec une intensité tranquille tandis qu'ils parcouraient les derniers kilomètres à une allure soudain perceptible et terrifiante. Finalement, dans les impossibles cent derniers mètres, tandis que la rivière se départait de toute son énergie sans aucune décélération, une atmosphère dense les entoura de nouveau, et le bateau s'arrêta sur une prairie d'un beau vert où le Tribunal de Clan des Extros les attendait, silencieux, au milieu d'un cercle de pierres dressées comme à Stonehenge.

– S'ils ont fait tout ça pour m'impressionner, avait chuchoté Théo au consul tandis que le bateau heurtait légèrement la rive, on peut dire qu'ils ont réussi.

– Pourquoi êtes-vous revenu dans l'essaim? demanda Librom Ghenga.

Elle s'était mise à faire les cent pas, en se déplaçant dans la gravité légère avec la grâce commune à ceux qui sont nés dans l'espace.

– La Présidente Gladstone me l'a demandé, répondit le consul.

– Et vous n'avez pas tenu compte du fait que votre vie serait en danger?

Le consul était trop bien élevé et trop diplomate pour hausser les épaules, mais son expression n'en était pas moins parlante.

– Que veut Gladstone? demanda un autre Extro que Ghenga leur avait présenté comme étant le porte-parole des Citoyens Éligibles de Centrab, Minmum.

Le consul exposa les cinq points énoncés par la Présidente.

Minmum croisa les bras et regarda Librom Ghenga.

– Je vais vous répondre, déclara celle-ci, qui se tourna vers Arundez et Théo. Écoutez soigneusement mes paroles, vous deux, pour le cas où le messager envoyé par votre Présidente ne regagnerait pas son vaisseau avec vous.

– Une seconde! fit Théo en s'avançant pour faire face à l'Extro qui le dominait de plus d'une tête. Avant de juger cet homme, vous devez prendre en considération le fait que...

– Taisez-vous! ordonna Librom Ghenga.

Mais Théo avait déjà été réduit au silence par la main du consul, qui s'était posée sur son épaule.

– Je vais répondre à vos questions, répéta l'Extro.

Au-dessus de leurs têtes, très haut, une vingtaine de petits vaisseaux de guerre que la Force appelait des lanciers passèrent silencieusement, en zigzaguant et en accélérant à trois cents *g* comme un banc de poissons effrayés.

– Premièrement, déclara Ghenga, Gladstone veut savoir pourquoi nous avons lancé une attaque contre le Retz. (Elle s'interrompit, regarda les seize autres Extros assemblés autour d'elle, et continua.) Elle se trompe. À l'exception du présent essaim, dont le seul objectif était d'occuper Hypérion avant l'ouverture des Tombeaux du Temps, il n'y a eu aucune attaque de notre part contre le Retz.

Les trois hommes de l'Hégémonie avaient fait un pas en avant en même temps. Même le consul avait perdu son apparence impassible, et bégayait d'excitation.

– C'est... C'est faux! Nous avons vu nous-mêmes les...

– J'ai vu les images mégatrans de...

– Heaven's Gate est détruite! Le Bosquet de Dieu a entièrement brûlé!

– Silence! ordonna Librom Ghenga.

Lorsque le silence se fit, elle reprit d'une voix calme :

– Un seul essaim a livré combat contre l'Hégémonie, et c'est le nôtre. Les autres essaims se trouvent à l'endroit où les détecteurs longue portée du Retz les ont repérés pour la première fois. Mais ils *s'éloignent* de vous, afin d'éviter toute provocation du genre de la révolte de Bressia.

Le consul se frotta les yeux comme quelqu'un qui se réveille.

– Mais alors, qui...

– Précisément, fit Ghenga. Qui a les moyens de mettre en œuvre une telle mystification? Qui a intérêt à massacrer des milliards d'humains?

– Le TechnoCentre? balbutia le consul.

La montagne accomplissait une lente rotation, et la nuit tomba sur eux à ce moment-là. Une brise de convection traversa le ressaut où ils se trouvaient, faisant voler les robes des Extros et la cape du consul. Au-dessus d'eux, les étoiles semblèrent s'illuminer subitement. Les grandes pierres dressées du cercle de Stonehenge paraissaient briller sous l'effet de quelque rayonnement intérieur.

Théo Lane était aux côtés du consul, prêt à le soutenir s'il défaillait.

– Ce que vous dites est insensé, fit-il en s'adressant à Ghenga. Nous ne sommes pas obligés de vous croire sur parole.

L'Extro demeurait impassible.

– Nous vous fournirons toutes les preuves, lui dit-elle. Des relevés de détecteurs de transmission de l'Espace qui Lie. Des images en temps réel des champs stellaires de nos essaims frères.

– L'Espace qui Lie? demanda Arundez d'une voix qui semblait troublée.

– Ce que vous appelez mégatrans.

Librom Ghenga marcha jusqu'au rocher le plus proche et passa la main dessus comme pour la réchauffer au contact de la pierre rugueuse. Au-dessus d'eux, les champs d'étoiles tournoyaient.

– Pour répondre à la deuxième question de Gladstone, dit-elle, nous ignorons où réside le Centre. Nous le fuyons, nous le recherchons et nous le redoutons depuis des siècles, mais nous n'avons jamais pu découvrir l'endroit où il se cache. C'est à vous de trouver la réponse à cette question. En ce qui nous concerne, il y a longtemps que nous avons déclaré la guerre à cette entité parasite que vous appelez TechnoCentre!

Les épaules du consul s'affaissèrent encore un peu plus.

– Nous n'avons pas non plus la moindre idée sur son emplacement. Les autorités du Retz cherchaient déjà à le localiser avant l'hégire, mais il demeure aussi insaisissable que l'Eldorado. Nous n'avons découvert aucun monde secret, aucun astéroïde géant bourré de machines, aucun indice qui puisse orienter nos recherches sur l'un des mondes du Retz. Pour autant que nous le sachions, poursuivit-il en écartant les bras de manière fataliste, il pourrait se cacher dans l'un de vos essaims.

– Ce n'est pas le cas, affirma Centrab Minmum.

Le consul haussa finalement les épaules.

– L'hégire a laissé de côté des milliers de mondes dans son Grand Recensement. Tout ce qui était au-dessous de 9,7 sur leur échelle de 10 de type Terre a été ignoré. Le Centre pourrait se trouver n'importe où le long de ces anciennes lignes de vol et d'exploration. Nous ne le trouverons jamais. Et si nous le trouvons, ce sera des années après l'anéantissement du Retz. Vous étiez notre dernier espoir de le localiser.

Ghenga secoua la tête. Au-dessus d'eux, très haut, les sommets recevaient déjà la lumière de l'aube tandis que le terminateur se déplaçait vers eux sur les glaciers à une vitesse presque inquiétante.

– Troisièmement, Gladstone demande quelles sont nos conditions pour un cessez-le-feu. Je vous répète qu'à l'exception du présent essaim, ce n'est pas nous qui sommes les attaquants. Nous accepterons un cessez-le-feu dès qu'Hypérion sera entièrement passé sous notre contrôle, ce qui est en principe imminent. On vient de nous informer que notre corps expéditionnaire occupe à présent la capitale et le port spatial.

– C'est vous qui le dites! laissa échapper Théo en serrant les poings malgré lui.

– C'est nous qui le disons, effectivement. Vous pouvez annoncer à Gladstone que nous sommes prêts à nous joindre à vous dans le combat contre le TechnoCentre. Toutefois, ajouta Ghenga en se tournant un instant vers les membres silencieux du Tribunal, étant donné que nous sommes à des années de voyage du Retz et que nous ne faisons aucunement confiance à vos portes distrans contrôlées par le Centre, notre participation prendra essentiellement la forme de représailles contre le TechnoCentre pour la destruction des mondes de votre Hégémonie. Soyez assurés que vous serez vengés.

– Voilà qui est réconfortant, fit sèchement remarquer le consul.

– Le quatrième point soulevé par Gladstone est une rencontre au sommet. Notre réponse est positive, si elle est toujours décidée à venir, comme elle l'a dit, dans le système d'Hypérion. C'est précisément en prévision d'une telle éventualité que nous n'avons pas détruit le terminal distrans de la Force. En ce qui nous concerne, nous refusons de nous déplacer de cette manière.

— Pour quelle raison? demanda Arundez.

Un troisième Extro, qui ne leur avait pas été présenté et qui appartenait au type modifié, à fourrure somptueuse, prit la parole.

— Le réseau que vous appelez distrans est une abomination, une souillure et un blasphème envers l'Espace qui Lie.

— Je vois. Raisons religieuses, fit le consul en hochant la tête.

L'Extro à la fourrure exotique secoua la tête d'un air obstiné.

— Vous ne comprenez pas! Le système distrans est un joug qui pèse sur les épaules de l'humanité, un contrat de servitude qui vous condamne à la stagnation. Nous ne voulons pas être mêlés à cela.

— Cinquième point, reprit Librom Ghenga, la mention par Gladstone d'une arme de destruction massive inspirée du bâton de la mort n'est qu'un grossier ultimatum. Mais, comme nous l'avons déjà dit, elle se trompe d'adversaire. L'ennemi qui attaque en ce moment votre Retz affaibli et aux abois ne fait pas partie des Clans des Douze Essaims Frères.

— Nous n'avons sur ce point que votre parole, dit le consul, dont le regard, rivé à celui de Ghenga, était devenu dur et provocateur.

— Vous n'avez ma parole sur rien du tout, répliqua Ghenga. Les anciens du Clan ne donnent pas leur parole aux esclaves du Centre. Mais c'est tout de même la vérité.

Le consul se tourna nerveusement vers Théo.

— Il faut faire savoir tout cela à Gladstone sans perdre une seconde. (Il regarda de nouveau Ghenga.) Mes amis peuvent-ils retourner au vaisseau pour transmettre votre réponse?

Ghenga hocha la tête. Elle fit un geste indiquant la gondole.

— Il n'est pas question que nous repartions sans vous, protesta Théo en s'avançant comme pour faire de son corps un bouclier entre son vieil ami et les Extros.

— Non, dit le consul en lui touchant de nouveau l'épaule. Il le faut, Théo.

– Il a raison, murmura Arundez en entraînant le jeune gouverneur général avant que celui-ci pût parler de nouveau. L'enjeu est trop important. Allez transmettre le message. Je reste avec lui.

Ghenga fit un geste en direction des deux Extros exotiques les plus massifs.

– Vous allez retourner tous les deux au vaisseau. Le consul restera ici. Le Tribunal n'a pas encore décidé de son sort.

Arundez et Théo firent volte-face en même temps, le poing levé, mais les Extros à fourrure les empoignèrent et les éloignèrent en mesurant leur force comme des adultes maîtrisant de jeunes enfants rétifs.

Le consul les regarda monter dans la gondole et réprima l'envie d'agiter la main pour leur dire adieu tandis que le bateau parcourait une vingtaine de mètres sur les flots placides avant de disparaître au bord du ressaut, puis de réapparaître au pied de la cataracte qui grimpait vers l'espace enténébré. Quelques minutes plus tard, la gondole était devenue invisible contre l'éclat du soleil. Il se tourna lentement vers ses dix-sept juges, qu'il regarda tour à tour dans les yeux.

– Finissons-en, dit-il enfin. Il y a longtemps que j'attends ce moment.

Sol Weintraub était assis entre les grosses pattes du Sphinx, contemplant la tempête qui était en train de se calmer. Le vent avait cessé de hurler pour n'être plus qu'un soupir, puis un chuchotement, et les rideaux de poussière et de sable s'écartaient peu à peu pour montrer les étoiles. Finalement, un calme irréel s'empara de la longue nuit. Les tombeaux brillaient plus que jamais, mais rien ne se passait dans l'entrée illuminée du Sphinx, et Sol ne pouvait toujours pas franchir la barrière d'énergie aveuglante qui le repoussait comme mille doigts à la force irrésistible posés sur son ventre. Il avait beau essayer de toutes ses forces, il ne pouvait pas s'approcher à moins de trois mètres de l'entrée, et l'éclat l'empêchait de distinguer quoi que ce fût qui pût l'attendre à l'intérieur.

Assis sur la marche de pierre à laquelle il s'agrippait tandis que les marées du temps le soulevaient, le tiraient et lui faisaient venir les larmes aux yeux dans une fausse impression de déjà vu, il crut voir le Sphinx tout entier se mettre à tanguer et à osciller à l'unisson des violents mouvements de tempête qui dilataient et contractaient les champs anentropiques.

Rachel.

Il refusait de s'en aller tant qu'il y avait une chance pour que sa fille vive encore. Couché sur la pierre froide, écoutant mourir les lamentations du vent, il vit apparaître les étoiles glacées, aperçut les traînées de météores, les faisceaux laser et les contre-faisceaux de la guerre orbitale, et comprit, au fond de son cœur, que la guerre était perdue, que le Retz était en danger, que de grands empires étaient en train de s'écrouler sous ses yeux et que le sort de la race humaine était peut-être en train de se jouer ce soir. Mais tout cela lui demeurait... indifférent.

Sol Weintraub ne pensait qu'à sa fille.

Couché là dans le froid de la nuit, bousculé par les vents et les courants anentropiques, recru de fatigue et dévoré par la faim, il sentit une sorte de paix descendre sur lui. Il avait donné sa fille à un monstre, mais ce n'était pas parce que Dieu l'avait commandé, ce n'était pas parce que la peur ou le destin l'avaient décidé, c'était uniquement parce que Rachel lui était apparue en rêve pour lui dire qu'il fallait le faire et que leur amour – celui de Saraï, celui de sa fille et le sien – le commandait.

Au bout du compte, se disait Sol, au-delà de l'espoir et de la logique, ce sont les rêves et l'amour de ceux qui sont le plus chers à nos cœurs qui constituent la réponse d'Abraham à Dieu.

Le persoc de Sol ne fonctionnait plus. Il y avait peut-être une heure, peut-être cinq, qu'il avait déposé son bébé en train de mourir entre les mains du gritche.

Il s'agrippa de plus belle à la pierre tandis que les marées du temps secouaient le Sphinx comme une barque minuscule à la surface d'un océan déchaîné et que, dans le ciel, la bataille continuait de faire rage parmi les étoiles.

Des escarboucles traversaient l'espace, brillantes comme des supernovas. Lorsque les rayons laser les touchaient, elles retombaient en une averse de débris incandescents, d'abord chauffés à blanc, puis rouges, puis bleus, puis noirs. Sol imaginait des vaisseaux en flammes, des commandos extros et des *marines* de l'Hégémonie en train de mourir dans un sifflement d'atmosphère en fuite et de titane fondu. Il s'*efforçait,* du moins, d'imaginer cela, mais n'y réussissait guère. Son imagination n'était pas à la mesure des batailles spatiales, des grands mouvements de flottes ou des empires en train de s'effondrer. Ces choses étaient bonnes pour Thucydide, Tacite, Caton ou Wu. Sol avait rencontré plusieurs fois son sénateur du monde de Barnard. Il avait parlé à cette politicienne de la maladie de Rachel et des démarches qu'il faisait pour essayer de la sauver, mais il était incapable d'imaginer sa participation à l'échelle d'une guerre interstellaire ou à quoi que ce fût de plus important que l'inauguration d'un hôpital à Bussard ou qu'un meeting à l'université de Crawford, où elle passait essentiellement son temps à distribuer des poignées de main.

Sol ne s'était jamais trouvé en présence de l'actuelle Présidente de l'Hégémonie. En tant qu'universitaire, cependant, il avait eu l'occasion d'étudier ses emprunts subtils, dans ses discours, à des classiques du genre tels Churchill, Lincoln ou Alvarez-Temp. Mais aujourd'hui, tapi entre les pattes du fabuleux animal de pierre, versant des larmes sur sa fille, il se sentait incapable d'imaginer ce que cette femme avait dans la tête lorsqu'elle prenait des décisions concernant le salut ou la damnation de milliards d'êtres humains et qu'elle se préparait à préserver ou à trahir le plus grand empire de toute l'histoire humaine.

Il se fichait pas mal de tout cela. Il voulait qu'on lui rende sa fille. Il voulait, contre toute logique, que sa fille soit encore en vie.

Couché entre les pattes de pierre du Sphinx, sur un monde assiégé appartenant à un empire dévasté, Sol Weintraub essuya ses larmes pour mieux voir les étoiles, et songea au poème de Yeats, *Prière pour ma fille.*

La tempête se lève et mugit de nouveau.
Mon enfant, mi-cachée en l'abri du berceau,
Dort toujours. Dans toute l'étendue,
Seuls le bois Gregory et cette hauteur nue
Peuvent freiner le vent jailli de l'Océan
Qui nivelle gerbiers et toitures.
J'ai marché, j'ai prié pour elle toute une heure,
Parce que au fond de l'âme un grand doute me prend.

Une heure j'ai marché, prié pour ma petite fille,
Écoutant le vent hurler sur notre tour,
Sous les arches du pont, contre les piles,
Dans les ormeaux ployés sur le torrent qui court.
En un rêve enfiévré je voyais l'avenir,
Année après année,
Qui sortait au tambour d'une marche effrénée,
Hors de la meurtrière innocence des mers...

Tout ce que désirait Sol, il s'en rendait compte à présent, c'était la possibilité de se soucier de nouveau de l'avenir, que tous les parents redoutent pour leurs enfants, et de ne plus laisser la maladie lui voler et détruire ses années d'enfance, d'adolescence maladroite et de vie adulte débutante.

Sol avait passé toute sa vie à souhaiter le retour de choses qui n'ont pas de retour. Il se souvenait du jour où il avait trouvé Saraï en train de plier les vêtements de bébé de Rachel pour les ranger dans un coffre au grenier. Il n'oublierait jamais ses pleurs, ni son propre sentiment de détresse devant la perte d'un enfant qu'ils avaient toujours alors, mais qui était perdu pour eux par le simple mouvement de la flèche du temps. Il savait, à présent, que peu de choses revenaient en arrière, excepté dans la mémoire des hommes. Saraï était morte, et elle ne lui serait jamais rendue. Le monde de Rachel n'existait plus, ses amis d'enfance étaient perdus à jamais, et même la société qu'il avait quittée seulement quelques semaines de son temps plus tôt était en passe d'être perdue pour lui sans aucun espoir de retour.

Tandis qu'il songe à tout cela, couché entre les pattes du Sphinx, tandis que le vent meurt et que les fausses étoiles se multiplient dans le ciel, un fragment d'un autre poème de Yeats, très différent et beaucoup plus inquiétant, lui remonte en mémoire.

Sûrement quelque révélation se prépare;
Sûrement le retour est proche.
Retour! À peine prononcé ce mot
Une image surgie de l'Anima Mundi
Trouble ma vue: au cœur des sables du désert
Une forme de lion dont la tête est humaine,
Au regard de soleil, impitoyable et vide,
Pousse ses muscles lents tandis que l'environnent
Les ombres des oiseaux indignés du désert.

À nouveau c'est la nuit, mais je sais maintenant
Que le bruit d'un berceau troubla d'un cauchemar
Vingt siècles d'un sommeil écrasant comme pierre ;
Quelle bête brutale à l'heure où le destin l'appelle
Avance lourdement pour naître à Bethléem ?

Sol ne connaît pas la réponse. Il s'aperçoit, une fois de plus, que la réponse lui est indifférente. Tout ce qu'il veut, c'est le retour de sa fille.

La majorité du conseil de guerre semblait être en faveur de la bombe.

Meina Gladstone, assise en tête de la longue table, éprouvait ce sentiment particulier et pas trop désagréable de distanciation qui vient d'un manque de sommeil beaucoup trop prolongé. Fermer les yeux une seule seconde, c'était se laisser glisser sur la pente noire et glacée de la fatigue. Aussi ne les fermait-elle jamais, même lorsqu'ils étaient brûlants et que le bourdonnement des discours, des conversations et des débats sur les questions urgentes passait au second plan et s'éloignait dans les brumes épaisses de l'épuisement physique.

Ensemble, les membres du conseil avaient suivi la progression de la force d'intervention 181.2, sous le commandement de l'amiral Lee, dont les points lumineux s'éteignaient l'un après l'autre, jusqu'à ce qu'il n'en reste plus qu'une douzaine sur soixante-quatorze au départ. Mais ils continuaient de se diriger vers le centre de l'essaim, et le vaisseau amiral de Lee était parmi les survivants.

Pendant que sous leurs yeux se déroulait ce drame, cette représentation abstraite et curieusement fascinante d'une violence et d'un massacre qui, lui, n'était que trop réel, l'amiral Singh et le général Morpurgo continuaient d'égrener leurs statistiques sinistres sur la guerre.

– La Force et le Nouveau Bushido ont été conçus pour des conflits limités, des engagements ponctuels et des objectifs modestes dans les limites autorisées par le code, déclara Morpurgo. Avec son effectif d'un demi-million d'hommes et de femmes au total, elle n'est en aucune manière comparable aux armées de l'Ancienne Terre d'il y a dix siècles. L'essaim extro est en mesure de nous écraser par le nombre, de détruire nos vaisseaux et de remporter cette bataille par le seul poids de l'arithmétique.

Le sénateur Kolchev, assis à l'autre bout de la table, avait les dents et les poings serrés. Le Lusien était intervenu dans le débat plus souvent que Gladstone, et les questions s'adressaient à lui plus souvent qu'à elle, comme si chacun, dans cette assemblée, savait déjà, de manière subliminale, que le pouvoir était en train de changer et que le flambeau du commandement allait passer en d'autres mains.

Pas tout à fait encore, se dit Gladstone en se tapotant le menton du bout de ses doigts joints tandis que Kolchev contre-interrogeait le général.

– ... de nous replier pour assurer la défense des mondes essentiels de la deuxième vague d'attaque – je pense à Tau Ceti Central, naturellement, mais aussi à des mondes industriels vitaux tels que Renaissance Minor, Fuji, Deneb Vier ou Lusus?

Morpurgo baissa les yeux et fit mine de chercher quelque chose dans ses papiers, comme s'il voulait dissimuler le soudain éclair de colère qui brillait dans ses yeux.

– Sénateur, il ne reste même pas dix jours pour que les objectifs de la deuxième vague soient totalement détruits. Renaissance Minor va être attaquée dans moins de quatre-vingt-dix heures. Ce que j'essaie de vous expliquer, c'est que, était donné la structure et les effectifs actuels de la Force, étant donné aussi la technologie dont elle dispose, je doute que nous puissions défendre plus d'un système... Par exemple, TC^2.

Le sénateur Kakinuma se dressa comme un ressort.

– Ce que vous dites est inacceptable, général.

Morpurgo leva les yeux vers lui.

– Je suis d'accord avec vous, sénateur, mais c'est la stricte vérité.

Le président *pro tempore* Denzel-Hiat-Amin ne cessait de secouer sa grosse tête aux cheveux poivre et sel.

– Tout cela est insensé, dit-il. Rien n'était donc prévu pour assurer la défense du Retz?

L'amiral Singh lui répondit de sa place.

– D'après nos évaluations, nous aurions dû disposer au moins de dix-huit mois entre l'identification de la menace et sa réalisation.

Le ministre de la Diplomatie, Persov, s'éclaircit la voix.

– Supposons que... nous abandonnions ces vingt-cinq mondes aux Extros, amiral. Combien de temps s'écoulera-t-il jusqu'à la prochaine attaque de la première ou de la seconde vague contre d'autres mondes du Retz?

Singh répondit sans consulter ses notes ni son persoc.

— Tout dépend de leur éventuel objectif, H. Persov. Le monde du Retz le plus proche, Espérance, serait alors à neuf mois standard de l'essaim le plus menaçant. L'objectif le plus lointain – le Système Central se situerait à quatorze années de distance sous propulsion Hawking.

— Ce qui nous laisse le temps de mettre sur pied une véritable économie de guerre, déclara le sénateur Feldstein.

Sa circonscription, le monde de Barnard, avait moins de quarante heures standard à vivre. Elle avait juré de s'y trouver lorsque sa dernière heure serait venue. D'une voix nette et dépourvue de toute émotion, elle ajouta :

— C'est la seule chose raisonnable à faire. Limiter les dégâts. Même si nous perdons TC^2 et deux douzaines d'autres mondes, le Retz sera encore en état de produire d'incroyables quantités de matériel de guerre. En neuf mois, les choses changeront déjà. Et il faudra des années aux Extros pour pénétrer jusqu'au cœur de l'Hégémonie. Nous devrions pouvoir les battre, à la longue, par le seul poids de notre production industrielle.

Le ministre de la Défense, Imoto, secoua la tête.

— La première et la deuxième vague sont en train de détruire des sources de matière première irremplaçables. Les conséquences pour l'économie du Retz seront désastreuses.

— Avons-nous le choix ? demanda le sénateur Peters, de Deneb Drei.

Tous les regards se tournèrent vers le personnage assis à côté du conseiller IA Albedo.

Comme pour souligner l'importance du moment, une nouvelle personnalité IA avait été admise à la table du conseil de guerre. C'était elle qui avait fait la démonstration de la nouvelle arme improprement dénommée « bâton de la mort ». Le conseiller Nansen était de sexe mâle et de haute taille. Son teint était bronzé, son expression convaincante et impressionnante. Il inspirait la confiance et rayonnait de ce charisme rare qui caractérise les gens faits pour commander et qui impose le respect et la dévotion à tous ceux qui les approchent.

Meina Gladstone avait détesté et redouté le nouveau conseiller dès qu'elle l'avait vu. Elle sentait que cette projection avait été créée par des experts IA pour susciter précisément le type de réaction confiante et soumise qu'elle observait depuis un moment chez les autres humains assis autour de cette table. Et le message de Nansen, elle en avait bien peur, ne pouvait apporter que la mort.

L'arme, en réalité, faisait partie de la technologie du Retz depuis des siècles. Conçu par le TechnoCentre et limité dans son usage aux militaires de la Force et à quelques corps d'élite de la sécurité, telle la garde prétorienne de Gladstone, le bâton de la mort ne brûlait pas sa cible, ne la liquéfiait pas, ne la réduisait pas en cendres, n'explosait pas, ne tirait pas de projectiles, ne faisait aucun bruit, ne projetait aucun rayon visible, aucun spectre sonique. Il se contentait de faire mourir l'objectif.

À condition, toutefois, que celui-ci fût humain. La portée d'un bâton de la mort était limitée à une cinquantaine de mètres, mais tous ceux qui se trouvaient dans son champ de visée mouraient. Les animaux et les biens ne subissaient aucun dommage. À l'autopsie, les cadavres ne présentaient aucune lésion, à l'exception de quelques anomalies au niveau des synapses. Le bâton de la mort tuait les gens proprement. Les officiers de la Force le portaient à la ceinture depuis des générations comme arme de défense individuelle de courte portée et symbole d'autorité.

Aujourd'hui, avait révélé le conseiller Nansen, le TechnoCentre avait mis au point une arme qui utilisait le même principe, mais sur une plus grande échelle. Le Centre avait hésité à révéler son existence, mais, devant la terrible menace de l'invasion extro...

Les questions posées par les membres du conseil de guerre avaient été énergiques, parfois cyniques, et les militaires s'étaient montrés beaucoup plus sceptiques que les politiciens. Même si le bâton de la mort pouvait débarrasser l'humanité du péril extro, quelles seraient les conséquences sur les populations de l'Hégémonie ?

Il suffisait de les mettre à l'abri dans l'un des mondes labyrinthiens, avait répliqué Nansen en reprenant les arguments déjà cités par Albedo. Cinq mille mètres d'épaisseur de roche suffiraient à mettre tout le monde à l'abri des radiations mortelles.

Jusqu'où ces ondes de mort se propageaient-elles ?

Leur effet diminuait avec la distance, et le seuil mortel se situait à un peu moins de trois années-lumière.

Nansen s'exprimait avec la confiance tranquille d'un

supervendeur récitant pour la énième fois son super-boniment. Cette portée, disait-il, était suffisante pour débarrasser n'importe quel système de l'essaim qui l'attaquait. Les systèmes voisins ne seraient pas affectés. Quatre-vingt-douze pour cent des mondes du Retz se situaient à cinq années-lumière au moins du monde habité le plus proche.

– Et ceux qui ne peuvent pas être évacués? avait demandé Morpurgo.

Le conseiller Nansen avait alors souri, en écartant les mains comme pour bien montrer qu'il n'y dissimulait rien. Il suffirait de ne pas activer la bombe tant que les autorités de l'Hégémonie n'auraient pas la certitude absolue que tous les citoyens étaient en sécurité. Après tout, ce seraient les humains qui contrôleraient *entièrement* cette arme.

Feldstein, Sabenstorafem, Peters, Persov et plusieurs autres s'étaient montrés aussitôt enthousiastes. Enfin une arme secrète capable de mettre fin à toutes les guerres. On pourrait lancer un ultimatum aux Extros. Organiser une démonstration.

Désolé, avait dit le conseiller Nansen en exhibant des dents aussi blanches et brillantes que la robe qu'il portait. Il ne pouvait y avoir de démonstration. L'arme ne fonctionnait qu'à pleine puissance, sur un secteur très vaste. Aucun effet physique ne pouvait être constaté, aucune onde de choc au-delà du niveau du neutrino ne pouvait être mise en évidence. Seuls les envahisseurs morts attesteraient le bon fonctionnement de l'arme.

La seule démonstration possible, avait expliqué le conseiller Albedo, c'était d'utiliser la bombe au moins sur un essaim.

L'enthousiasme des membres du conseil de guerre n'avait en rien diminué.

– Parfait, avait déclaré le speaker de la Pangermie, Gibbons. Choisissons un essaim, essayons l'arme sur lui, communiquons les résultats par mégatrans aux autres essaims, et donnons-leur un délai d'une heure pour suspendre leurs attaques. Ce n'est pas nous qui avons déclenché cette guerre. Mieux vaut causer la mort de quelques millions d'ennemis aujourd'hui que poursuivre une guerre qui fera des milliards de victimes au cours de la décennie qui vient.

– *Hiroshima*, avait murmuré Gladstone, dont c'était à peu près le seul commentaire de la journée.

Mais seule Sedeptra était suffisamment près d'elle pour l'entendre.

Morpurgo avait alors voulu savoir si les IA étaient certaines que les radiations seraient sans danger au-delà de trois années-lumière, et si des tests avaient été effectués.

Le conseillé Nansen s'était contenté de sourire. Répondre oui, c'était admettre qu'il y avait, quelque part, un monceau de cadavres humains dont personne n'avait entendu parler. Répondre non, c'était semer le doute sur la fiabilité de l'arme.

– Nous sommes certains que cela marchera, avait-il murmuré. Nos simulations sont à toute épreuve.

Les IA du groupe de Kiev avaient dit la même chose à propos de la première singularité distrans. Celle qui a détruit la Terre.

Gladstone garda cette pensée pour elle tandis que Morpurgo, Van Zeidt et leurs experts harcelaient Nansen en essayant de lui démontrer que Mare Infinitus ne pourrait jamais être évacuée assez rapidement et que le seul monde du Retz de la première vague d'invasion qui disposât d'un labyrinthe était Armaghast, qui se trouvait à moins d'une année-lumière de Pacem et de Svoboda.

Cela ne suffit pas, cependant, à désamorcer le sourire de Nansen.

– Vous voulez une démonstration, et c'est une demande qui paraît tout à fait légitime, leur dit-il. Vous désirez montrer, une fois pour toutes, aux Extros que vous ne tolérerez pas leur invasion, et vous avez le souci d'épargner un maximum de vies, en particulier celles des populations indigènes.

Il s'interrompit, et croisa les bras devant lui sur la table.

– Pourquoi ne pas choisir Hypérion ? demanda-t-il.

Le brouhaha s'accentua.

– Ce n'est pas à proprement parler un monde du Retz, fit remarquer le *speaker* Gibbons.

– Il en fait pourtant officiellement partie aujourd'hui, et le terminal distrans de la Force est toujours en place ! s'écria Garion Persov, des services diplomatiques, visiblement déjà convaincu par la suggestion de l'IA.

L'expression austère du général Morpurgo n'avait pas changé.

– Il ne sera plus là très longtemps, dit-il. Nous avons besoin de protéger la sphère de singularité encore quelques heures, mais elle risque de sauter d'un instant à l'autre. Une grande partie d'Hypérion est déjà tombée aux mains des Extros.

– Les ressortissants de l'Hégémonie ont tous été évacués? demanda Persov.

– Tous, à l'exception du gouverneur général, répondit Singh. Dans la confusion, il est demeuré introuvable.

– Dommage, fit Persov sans grande conviction. Le fait est que le reste de la population est surtout indigène, n'est-ce pas? Et que les labyrinthes sont aisément accessibles.

Barbre Dan-Gyddis, du ministère de l'Économie, dont le fils dirigeait une plantation de fibroplastes dans la région de Port-Romance, protesta :

– En l'espace de trois heures? Impossible!

– Je ne serais pas aussi catégorique, fit Nansen en se levant. Nous pouvons diffuser un appel par mégatrans à l'intention des autorités du Conseil intérieur qui sont restées dans la capitale, et l'évacuation commencera immédiatement. Il y a des milliers d'accès aux labyrinthes d'Hypérion.

– La capitale, Keats, est assiégée, grogna Morpurgo. Toute la planète est sous le coup de l'invasion.

Le conseiller Nansen hocha tristement la tête.

– Bientôt, les barbares passeront tout le monde au fil de l'épée, dit-il. Mesdames et messieurs, je sais que le choix est difficile. Mais l'arme est fiable. Si elle est utilisée, il n'y aura plus un seul envahisseur dans l'espace d'Hypérion. Des millions d'habitants de cette planète seront sauvés, et les forces d'invasion qui convergent sur le Retz seront stoppées. Nous savons que ce qu'ils appellent leurs essaims frères communiquent entre eux par mégatrans. L'anéantissement de l'essaim d'Hypérion constituera la meilleure dissuasion possible.

Il secoua de nouveau la tête, et regarda autour de lui avec une expression de sollicitude presque paternelle. Une telle sincérité peinée ne pouvait être simulée.

– La décision vous appartient, reprit-il. C'est à vous de déterminer si vous voulez utiliser cette arme ou faire comme si elle n'existait pas. Le TechnoCentre répugne à supprimer des vies humaines, mais aussi à les laisser supprimer sans réagir. Dans ce cas précis, où des milliards d'êtres humains sont menacés, je pense que...

Il écarta de nouveau les mains, secoua la tête une dernière fois et se carra en arrière dans son fauteuil, laissant ostensiblement les humains décider en leur âme et conscience.

Le brouhaha s'amplifia tout autour de la longue table. Les discussions devenaient presque violentes.

– H. Présidente! appela le général Morpurgo.

Dans le silence qui s'établit subitement, Gladstone leva les yeux vers les images holos qui flottaient dans l'obscurité au-dessus d'eux. L'essaim de Mare Infinitus était en train de tomber vers la planète océanique comme un jet de sang sur une petite sphère bleue. Seules trois escarboucles orangées constituaient maintenant la force d'intervention 181.2, et deux d'entre elles s'éteignirent sous les yeux mêmes des membres du conseil de guerre silencieux. La dernière disparut bientôt à son tour.

Gladstone murmura dans son persoc :

– Est-ce que les Communications ont reçu un dernier message de l'amiral Lee?

– Aucun n'était adressé directement au centre de commandement, H. Présidente, lui répondit-on. Il n'y a eu que des échanges télémétriques normaux par mégatrans durant la bataille. Ils n'ont pas réussi à atteindre le centre de l'essaim.

Lee et Gladstone avaient entretenu l'espoir de faire des prisonniers extros, de les interroger et d'établir avec certitude l'identité de leurs ennemis. À présent, ce jeune officier si brillant et si plein d'énergie avait trouvé la mort, une mort à laquelle Meina Gladstone l'avait envoyé. Et soixante-quatorze bâtiments de guerre avaient été bêtement perdus.

– Réseau distrans de Mare Infinitus détruit par explosifs au plasma à déclenchement automatique, annonça l'amiral Singh. Unités avancées de l'essaim signalées dans le périmètre de défense cislunaire.

Personne ne parlait. Les holos montraient une vague de points lumineux rouge sang qui s'abattaient sur le système de Mare Infinitus tandis que mouraient les dernières flammes orange autour du monde doré.

Quelques centaines de vaisseaux extros demeuraient en orbite, sans doute pour réduire en cendres les élégantes cités flottantes et les fermes océaniques de Mare Infinitus. Mais la majeure partie de la vague sanglante continua de déferler, quittant la région représentée par les holos.

– Le système d'Asquith se trouve à trois heures quarante et une minutes de là, annonça un technicien qui se tenait près du panneau d'affichage.

Le sénateur Kolchev se leva.

– Mettons aux voix la démonstration d'Hypérion, proposa-t-il, faisant mine de s'adresser à Gladstone, mais destinant en réalité ses paroles aux autres.

La présidente se tapota la lèvre inférieure.

– Non, déclara-t-elle finalement. Inutile de voter. Nous utiliserons cette arme. Amiral, veuillez donner l'ordre au vaisseau-torche de se distranslater dans l'espace d'Hypérion, puis de diffuser un message d'avertissement à la population et aux Extros qui occupent la planète. Nous leur donnerons trois heures. Monsieur le ministre Imoto, vous enverrez des signaux mégatrans codés sur Hypérion pour prévenir tout le monde qu'il est indispensable, je répète, indispensable, de se réfugier séance tenante dans les labyrinthes. Dites-leur que nous sommes en train de tester une nouvelle arme.

Morpurgo essuya la sueur qui ruisselait sur son front.

– H. Présidente, nous ne pouvons pas courir le risque de voir cette arme tomber entre des mains étrangères.

Gladstone se tourna vers le conseiller Nansen en s'efforçant d'éviter que son expression ne révèle ce qu'elle pensait.

– Conseiller, est-ce que cet engin peut être réglé pour exploser en cas de capture ou de destruction du vaisseau ?

– Oui, H. Présidente.

– Occupez-vous-en. Donnez toutes les consignes de sécurité nécessaires aux experts de la Force. (Elle se tourna vers Sedeptra.) Prenez des dispositions pour qu'un message de moi soit diffusé dans l'ensemble du Retz dix minutes après le moment où cet engin sera activé. J'ai le devoir de mettre toutes nos populations au courant de ce qui se passe.

– Croyez-vous que ce soit... prudent ? demanda le sénateur Feldstein.

– C'est indispensable, répliqua Gladstone.

Elle se leva, et les trente-huit personnes qui se trouvaient dans la salle se levèrent une seconde plus tard.

– Je vais m'accorder quelques minutes de repos pendant que vous travaillez, dit-elle. Je veux que toutes les mesures soient prises le plus tôt possible et que l'on me présente des plans de rechange et des modalités de règlement négocié à mon réveil, dans trente minutes.

Elle regarda le groupe, sachant que, d'une manière ou d'une autre, la plupart de ceux qui en faisaient partie seraient révoqués ou démis de leurs fonctions dans les vingt heures qui suivaient. Quoi qu'il arrive, c'était sa dernière journée en tant que Présidente.

– La séance est ajournée, dit-elle en souriant.

Elle se distransporta sans plus attendre dans ses appartements privés pour y faire un somme.

43

Leigh Hunt n'avait jamais vu agoniser personne avant cela. Le dernier jour et la dernière nuit qu'il passa au chevet de Keats – pour lui, c'était toujours Joseph Severn, mais il avait acquis la certitude que le mourant se prenait vraiment pour John Keats – comptèrent parmi les plus pénibles de son existence. Les hémorragies se succédaient de plus en plus rapidement. Entre deux spasmes, Hunt entendait les râles stertoreux qui montaient dans la poitrine et la gorge du petit homme en train de lutter pour s'accrocher à la vie.

Assis à côté du lit dans la chambre exiguë de la *Piazza di Spagna,* Hunt écouta le poète qui délirait tandis que l'aube se transformait en matin, puis en début d'après-midi. Keats était brûlant de fièvre. Il ne cessait de perdre puis de reprendre conscience, mais insistait pour que Hunt écoute et note tout ce qu'il disait. Ils avaient trouvé de l'encre, un porte-plume et du papier ministre dans l'autre chambre, et Hunt faisait ce qui lui était demandé, écrivant à toute vitesse pendant que le cybride agonisant délirait sur la métasphère et les divinités perdues, la responsabilité des poètes, la chute des dieux ou les guerres miltoniennes qui ravageaient le TechnoCentre.

Hunt avait alors relevé la tête pour demander, en saisissant la main brûlante de Keats :

– Où se trouve le Centre, Sev... Keats? Dites-moi où il se trouve!

Le mourant s'était mis à transpirer à grosses gouttes et avait détourné le visage.

– Ne soufflez pas sur moi. Votre haleine est comme de la glace.

– Le Centre, répéta Hunt en se penchant en arrière et en refoulant des larmes de pitié et de frustration. Où est le TechnoCentre, Keats ?

Le poète sourit. Sa tête ne cessait d'aller d'avant en arrière sous l'effet de la souffrance. Les efforts qu'il faisait pour respirer évoquaient le bruit de l'air à travers un soufflet percé.

– Comme des araignées dans leur toile, murmura-t-il, des araignées dans leurs rets... dans le Retz que nous avons tissé pour elles... et qui nous paralysent pour nous vider de notre sang... comme des mouches capturées par des araignées au milieu de leur toile...

Hunt cessa d'écrire pour écouter ces mots apparemment incohérents. Mais il comprit subitement.

– Mon Dieu ! chuchota-t-il. Ils sont à l'intérieur du réseau distrans !

Keats essaya de se redresser, agrippant le bras de Hunt avec une force terrible.

– Dites-le à Gladstone, Hunt. Qu'elle déchire les toiles. Qu'elle les nettoie. Les araignées dans la toile. Le dieu humain et le dieu des machines... doivent s'unir. Mais pas moi ! Non, pas moi !

Il laissa sa tête retomber en arrière sur l'oreiller, et se mit à pleurer sans bruit. Il s'endormit bientôt, pour ne se réveiller que partiellement tout au long de l'après-midi. Hunt savait qu'il était plus près de la mort que du sommeil. Le moindre bruit le faisait tressaillir, et il avait alors du mal à respirer. Vers la fin de l'après-midi, il était trop faible pour expectorer, et Hunt devait l'aider en lui penchant la tête vers la cuvette pour que la simple gravité le libère des mucosités sanglantes qui l'encombraient.

À plusieurs reprises, pendant que Keats dormait d'un sommeil agité, Hunt se leva pour regarder par la fenêtre. Il descendit même, une fois, jusqu'à la porte d'entrée, pour scruter la *piazza*. Dans l'ombre des maisons, près du grand escalier, se dessinait une ombre haute, plus noire que le reste, hérissée de piquants.

Dans la soirée, Hunt s'assoupit sur sa chaise au chevet de Keats. Il rêva qu'il tombait d'une hauteur vertigineuse et mit les mains en avant pour se protéger, puis se réveilla en sursaut et s'aperçut que Keats avait les yeux ouverts et le regardait.

– Avez-vous déjà vu quelqu'un mourir ? lui demanda le poète entre deux râles sans force.

– Non.

Le regard de Keats était étrange, comme s'il voyait quelqu'un d'autre à la place de Hunt.

– J'ai pitié de vous, lui dit le poète. Dans quels tracas et dangers ne vous êtes-vous pas mis pour moi! Vous devez garder votre sang-froid, cela ne durera pas longtemps.

Hunt était frappé, non seulement par le courage plein de sollicitude que dénotait cette remarque, mais aussi par le soudain changement d'idiome, car Keats était passé de la langue standard du Retz à un dialecte beaucoup plus ancien et mélodieux.

– Ne dites pas de bêtises, fit Hunt avec une énergie et un enthousiasme qu'il était loin de ressentir. Nous serons partis d'ici avant l'aube. Je sortirai dès la nuit tombée pour me mettre à la recherche d'une porte distrans.

Keats secoua la tête.

– Le gritche vous prendra. Il ne permettra à personne de me venir en aide. Son rôle est de veiller à ce que je n'échappe à moi-même que par moi-même.

Il ferma les paupières, et sa respiration devint encore plus saccadée.

– Je ne comprends pas, murmura Leigh Hunt en lui prenant la main.

Il supposait qu'il délirait encore sous l'effet de la fièvre, mais c'était l'un des rares moments, depuis deux jours, où Keats semblait totalement conscient, et Hunt pensait que cela valait la peine de faire un effort pour communiquer.

– Que voulez-vous dire par n'échapper à vous-même que par vous-même? demanda-t-il.

Les yeux de Keats se rouvrirent. Ses pupilles couleur noisette étaient bien trop brillantes.

– Ummon et les autres essaient de me faire échapper à moi-même en acceptant la divinité, Hunt. Ils veulent me faire servir d'appât pour la capture de la baleine blanche, ou de miel pour attirer la mouche ultime. Leur Empathie en fuite se réfugierait en moi... en moi, Mister John Keats, pas plus haut que cinq pieds, afin que la réconciliation se fasse, vous saisissez?

– Quelle réconciliation?

Hunt se pencha plus près, en essayant de ne pas diriger son haleine vers lui. Keats semblait s'être ratatiné sous les couvertures en désordre, mais la chaleur qu'il irradiait emplissait toute la chambre. Son visage formait un ovale très pâle dans la lumière mourante. Hunt avait vaguement conscience de la présence d'un faible rayon de clarté dorée qui se déplaçait juste à la jonction du mur et du plafond, mais les yeux de Keats ne quittaient pas cette dernière tache de soleil.

– La réconciliation de l'homme et de la machine, du créateur et de la créature.

Keats s'interrompit pour tousser, et ne se calma que lorsqu'il eut craché un long filet de mucosités sanguinolentes dans la cuvette que tenait Hunt. Il laissa retomber sa tête en arrière sur l'oreiller, pour reprendre son souffle, et continua, au bout d'un moment, d'une voix à peine audible.

– La réconciliation de l'humanité avec les races qu'elle a cherché à exterminer. La réconciliation du TechnoCentre avec l'humanité qu'il a voulu anéantir. La réconciliation du Dieu de l'Espace qui Lie avec ses ancêtres qui ont essayé de l'évincer.

Cessant d'écrire, Hunt secoua la tête.

– Je n'y comprends rien. Vous pourriez devenir ce... messie... rien qu'en quittant votre lit de mort ?

L'ovale blême du visage de Keats se déplaça d'avant en arrière, sur l'oreiller, en un mouvement qui aurait pu passer pour un ersatz de rire.

– Nous aurions tous pu devenir ce messie, Hunt. C'est la plus grande folie et la plus grande fierté de l'humanité. Nous acceptons nos souffrances. Nous frayons la voie à nos enfants. Cela nous a donné le droit de devenir le Dieu dont nous avions rêvé.

Baissant la tête, Hunt s'aperçut que son propre poing était crispé de frustration.

– Si vraiment vous pouvez le faire... Si vous pouvez devenir cette... entité, faites-le. Sortez-nous de ce pétrin où nous nous trouvons !

Keats ferma de nouveau les yeux.

– Je ne peux pas. Je ne suis pas Celui Qui Vient, mais Celui Qui Précède. Je ne suis pas le baptisé, mais le baptiste. Merde, quoi, je suis athée, Hunt ! Severn lui-même n'a pas pu me convaincre de faire de telles choses lorsque je sombrais dans la mort.

Il agrippa la manche de chemise de Hunt avec une violence qui effraya celui-ci.

– Écrivez ! dit-il.

Hunt reprit le porte-plume et le papier, puis écrivit

fébrilement, pour ne perdre aucune des paroles que Keats lui dictait à voix basse.

Une leçon merveilleuse sur ton visage silencieux :
Un énorme savoir me transforme en dieu.
Noms, exploits, grises légendes, événements sinistres,
rébellions,
Majestés, voix souveraines, tortures,
Créations et anéantissements, tous ensemble
Se viennent en foule loger au creux de ma cervelle,
Me défiant, comme si quelque vin joyeux
Que j'eusse bu, ou quelque éclatant et incomparable
élixir
M'avait rendu immortel.

Keats vécut encore trois heures de souffrances, tel un nageur remontant de temps à autre à la surface de son agonie pour respirer ou murmurer quelque parole aussi urgente qu'insensée. À un moment, bien après la tombée de la nuit, il tira Hunt par la manche pour chuchoter d'une voix relativement claire :

— Quand je serai mort, le gritche vous laissera tranquille. C'est moi qu'il attend. Je ne sais pas si vous pourrez rentrer chez vous, mais il ne vous fera rien pendant que vous essaierez.

De nouveau, juste au moment où Hunt se penchait pour écouter si la respiration bulleuse du poète se faisait toujours, Keats se remit à parler, et ne s'arrêta, à l'exception de quelques spasmes, que lorsqu'il eut donné à Hunt des instructions précises sur l'endroit où il désirait être enterré, dans le cimetière protestant de Rome, près de la Pyramide de Caïus Cestius.

— Il ne faut pas parler ainsi, il ne faut pas parler ainsi, grommelait Hunt comme si c'était un mantra, en serrant dans les siennes la main brûlante du jeune poète.

— Des fleurs, chuchota Keats quelques instants plus tard, peu après que Hunt eut allumé une lampe sur le bureau. Des fleurs...

Les yeux du mourant étaient élargis tandis qu'il contemplait un endroit du plafond avec un regard d'extase comparable à celui d'un enfant. Hunt leva les yeux, et vit que le plafond était décoré de roses jaunes délavées entourées de carrés bleus.

— Des fleurs... sur ma tombe, répéta Keats entre deux efforts pour respirer.

Hunt était à la fenêtre, scrutant les ténèbres qui entouraient l'escalier de la place, lorsque la respiration sifflante de Keats marqua un moment d'arrêt et que le poète appela d'une voix rauque :

– Severn... Soulevez-moi ! Je meurs...

Hunt s'assit au bord du lit et lui souleva la tête. Le corps ratatiné pesait moins qu'une plume et dégageait une chaleur incroyable, comme si toute sa substance avait brûlé.

– N'ayez pas peur, dit-il à Hunt. Restez calme. Grâce à Dieu, elle vient enfin !

Les terribles râles se calmèrent un peu. Hunt l'aida à trouver une position un peu plus confortable dans le lit. Puis il alla changer l'eau de la cuvette, et mouiller légèrement une serviette.

Lorsqu'il revint, Keats était mort.

Un peu plus tard, juste après le lever du soleil, Hunt souleva le corps, l'enveloppa d'un drap propre, et sortit dans la cité déserte.

La tempête s'était calmée lorsque Brawne Lamia atteignit l'extrémité de la vallée. En passant devant les Trois Caveaux, elle avait aperçu la même lueur irréelle que celle qui était émise par les autres tombeaux, mais avec, en plus, des bruits horribles, comme si des milliers d'âmes se lamentaient en même temps, leurs cris montant des profondeurs de la terre. Elle pressa le pas avec un frisson.

Le ciel était dégagé lorsqu'elle arriva devant le Palais du gritche. L'édifice méritait bien son nom. Le demi-dôme s'incurvait vers le haut et vers l'extérieur exactement comme la carapace du monstre. Ses structures de soutien s'incurvaient vers le bas comme des lames fichées dans le sol de la vallée tandis que les autres arcs-boutants étaient hérissés vers l'extérieur comme les épines du gritche. Les parois étaient devenues translucides. La lumière intérieure s'était accrue, et tout le bâtiment brillait maintenant telle une citrouille de Halloween réduite à l'épaisseur d'une feuille de papier à cigarette, la partie supérieure étant aussi écarlate que les yeux du gritche.

Retenant sa respiration, Brawne se toucha l'abdomen. Elle était enceinte. Elle le savait déjà avant de quitter Lusus. N'avait-elle pas plus de devoirs envers son fils ou sa fille à naître qu'envers le vieux poète obscène empalé dans les branches de l'arbre du gritche? Elle savait que la réponse était oui et qu'elle n'en tiendrait pourtant pas compte. Expirant lentement, elle se rapprocha du Palais du gritche.

De l'extérieur, l'édifice ne faisait pas plus de vingt mètres de long. Lorsqu'ils avaient exploré la vallée, les autres pèlerins et elle n'avaient vu l'intérieur que comme un espace unique, entièrement vide à l'exception des supports en forme de lame qui s'entrecroisaient sous le dôme luminescent. À présent, tandis que Brawne se tenait à l'entrée, elle voyait l'intérieur comme une étendue plus vaste que la vallée elle-même. Une douzaine de gradins de pierre blanche s'étageaient à perte de vue. Sur chaque niveau, des corps humains gisaient, accoutrés de différentes manières, mais tous reliés au type de câble de dérivation parasite à moitié organique que ses amis lui avaient décrit pour l'avoir vu sur elle. Seuls ces cordons ombilicaux métalliques mais translucides émettaient une lumière rouge. Ils pulsaient régulièrement, comme s'ils transportaient du sang qui était recyclé dans le crâne des corps inanimés.

Elle eut un mouvement de recul, causé à la fois par les marées anentropiques et par le spectacle qu'elle avait sous les yeux. Elle recula d'une dizaine de mètres. Vu de l'extérieur, le bâtiment avait toujours la même taille. Elle ne prétendait pas essayer de comprendre comment tous les kilomètres de l'intérieur pouvaient entrer dans une si modeste coquille. Les Tombeaux du Temps étaient en train de s'ouvrir. Celui-ci, pour autant qu'elle pût le savoir, pouvait coexister en des temps différents. Ce qu'elle comprenait, en tout cas, c'était que, lorsqu'elle avait repris conscience, après avoir accompli ses propres voyages sous dérivation, elle avait vu l'arbre aux épines, et que celui-ci était relié par des tuyaux et des lianes d'énergie normalement invisibles, mais qui conduisaient, de toute évidence, au Palais du gritche.

Elle se rapprocha de l'entrée.

Le gritche attendait à l'intérieur. Sa carapace, habituellement luisante, paraissait maintenant d'un noir intense sur lequel la lumière ne se reflétait pas.

Brawne sentit une montée d'adrénaline. Elle eut l'impulsion de faire volte-face et de se mettre à courir, mais continua cependant d'avancer.

L'entrée, derrière elle, sembla disparaître presque totalement. Elle ne demeurait plus visible que sous la forme d'une zone floue au milieu de la lumière uniforme émise par la paroi. Le gritche était immobile. Ses yeux rubis brillaient dans les orbites caves de son crâne.

Brawne s'avança. Ses talons ne faisaient aucun bruit sur le sol de pierre. Le gritche se tenait à une dizaine de mètres sur sa droite, là où commençaient les gradins, comme des étals obscènes étagés dans la lumière des hauteurs.

Elle ne se faisait aucune illusion. Si le gritche sautait sur elle, elle n'aurait jamais le temps de retourner jusqu'à la porte. Mais la créature ne bougeait pas.

L'air était imprégné d'une odeur d'ozone à laquelle se mêlaient des effluves douceâtres. Elle continua d'avancer de côté, le dos au mur, scrutant les rangées de corps pour essayer de reconnaître un visage. Chaque pas l'éloignait de l'entrée et donnait plus de chances au gritche de lui barrer toute retraite. La créature se tenait toujours immobile comme une sculpture noire au milieu d'un océan de lumière.

Les gradins, vus de près, s'étalaient vraiment sur des kilomètres. Des marches de pierre de près d'un mètre de haut chacune rompaient l'alignement horizontal des corps. Après avoir marché durant plusieurs minutes, Brawne gravit environ le tiers de l'un de ces escaliers. Elle put ainsi toucher le corps le plus proche du deuxième gradin, et fut soulagée de sentir sous sa main une chair tiède, et une poitrine qui se soulevait régulièrement. Mais ce n'était pas Martin Silenus.

Elle continua, en s'attendant presque à trouver Duré ou Sol Weintraub, ou même son propre corps, parmi ces morts-vivants. Mais, au lieu de cela, elle reconnut un visage qu'elle avait vu sculpté sur la face d'une montagne. C'était celui du roi Billy le Triste, qui gisait, inerte, sur la pierre blanche du cinquième gradin. Ses vêtements royaux étaient maculés et noircis. Le visage morose était – comme celui de tous les autres – crispé sous l'effet d'horribles souffrances intérieures. Trois rangées de corps plus bas se trouvait Martin Silenus.

Brawne s'agenouilla près du poète, en regardant, par-dessus son épaule, la tache noire du gritche, toujours immobile au pied des rangées de corps. Comme les autres, Silenus paraissait vivant, en proie à une agonie silencieuse, relié par un orifice crânien à un cordon ombilical qui se fondait, un peu plus loin, dans la pierre blanche de la contremarche suivante.

Haletante de terreur, Brawne toucha le crâne de Silenus, à l'endroit où le plastique et l'os faisaient jonction. Elle suivit le cordon ombilical sans trouver aucune saillie jusqu'à l'endroit où il se perdait dans la pierre. Elle sentait des fluides pulser sous ses doigts.

– Merde! murmura-t-elle.

Elle se retourna soudain, prise de panique à l'idée que le gritche était peut-être venu sans bruit derrière elle et s'apprêtait à la frapper. Mais la silhouette noire était toujours à l'autre bout de la très vaste salle.

Elle n'avait absolument rien dans les poches. Ni arme ni outil. Il faudrait qu'elle retourne jusqu'au Sphinx pour trouver dans ses affaires quelque chose qui coupe, puis qu'elle ait assez de courage pour revenir ici.

Mais elle savait qu'elle ne pourrait jamais se résoudre, si elle sortait, à franchir de nouveau la porte.

Elle prit une profonde inspiration, leva le bras et abattit le tranchant de sa main, de toutes ses forces, sur le cordon. Le matériau, qui ressemblait à du plastique souple, était en réalité aussi dur que l'acier. Son bras vibra douloureusement jusqu'à l'épaule.

Elle tourna la tête. Le gritche s'avançait vers elle, pas à pas, lentement, comme un vieillard qui se promène tranquillement.

Elle laissa échapper un cri. Puis elle frappa de nouveau, la paume rigide, le pouce à angle droit.

Brawne Lamia avait grandi sur Lusus, sous une gravité de 1,3 *g* standard, et elle avait des muscles d'athlète, même par rapport aux autres Lusiens. Dès l'âge de neuf ans, elle rêvait d'être détective, et elle avait tout fait pour réaliser ce rêve. Son obsession l'avait poussée à pratiquer les arts martiaux. Elle émit un grognement sourd, leva de nouveau le bras et frappa, en se concentrant pour que sa main soit le tranchant d'une hache, en *voyant* dans sa tête le coup victorieux qui allait sectionner le câble.

Le tuyau se rétracta imperceptiblement sous son coup, pulsant comme une créature vivante. Il sembla se rétracter encore plus avant même qu'elle donne le coup suivant.

Des pas devinrent audibles derrière elle, plus bas. Elle faillit laisser échapper un rire nerveux. Le gritche n'avait pas besoin de marcher pour se déplacer, ni de faire du bruit. Il devait prendre plaisir à effrayer sa proie. Mais Brawne n'avait pas peur. Elle était trop occupée.

266

Elle leva de nouveau le bras et abattit la main sur le câble. L'effet était le même que si elle heurtait la pierre. Elle sentit un petit os se briser. La douleur était semblable à un bruit lointain, semblable au frottement qu'elle percevait derrière elle, sur le gradin inférieur.

T'est-il venu à l'idée, se disait-elle, *qu'il te tuera presque sûrement si tu réussis vraiment à sectionner ce truc-là?*

Elle frappa une nouvelle fois. Les pas s'arrêtèrent à la base du gradin où elle se trouvait.

Brawne haletait sous l'effort. La sueur ruisselait sur son front, puis dégoulinait sur ses joues et sur le poète inanimé.

Je n'ai même pas de sympathie pour toi, pensa-t-elle à l'adresse de Martin Silenus tout en abattant une fois encore le tranchant de sa main. C'était comme si elle essayait de sectionner la patte d'un éléphant de métal.

Le gritche commença à gravir l'escalier du gradin où elle se tenait.

Elle se redressa, presque debout, et mit tout le poids de son corps dans un coup qui faillit lui disloquer l'épaule et qui lui cassa le poignet, en brisant plusieurs petits os de la main.

Le cordon ombilical fut tranché.

Un fluide rouge, pas assez visqueux pour être du sang, jaillit contre ses jambes, et forma une flaque sur la pierre blanche. Le câble sectionné, toujours noyé dans la pierre, fut agité de spasmes et de soubresauts, comme un tentacule vivant, avant de retomber mollement pour être aspiré entièrement, tel un serpent sanglant blessé à mort, dans le trou de la pierre, qui redevint lisse dès que l'opération fut terminée. La partie du cordon reliée à la dérivation crânienne de Silenus se ratatina en quelques secondes, comme une méduse que l'on sort de l'eau. Le visage et les épaules du poète étaient baignés de fluide rouge, mais la couleur de celui-ci vira rapidement au bleu sous le regard de Brawne.

Les yeux de Martin Silenus tressaillirent comme ceux d'une chouette, puis s'ouvrirent.

– Hé! fit-il. Vous savez que ce putain de gritche est juste derrière vous?

Gladstone se distransporta dans ses appartements privés et se dirigea aussitôt vers la niche mégatrans où deux messages l'attendaient.

Le premier venait de l'espace d'Hypérion. Elle écouta, en battant des paupières, la voix douce du gouverneur général Théo Lane qui lui donnait un résumé succinct de l'entretien avec le tribunal extro. Elle s'assit dans le fauteuil de cuir en portant les deux mains à ses joues tandis que Lane exposait le démenti catégorique des Extros quant à l'invasion du Retz. La transmission s'acheva sur une brève description de l'essaim. L'opinion de Lane était que les Extros disaient la vérité. Il ajoutait que le sort du consul était incertain, et demandait des instructions.

— Réponse? demanda l'ordinateur mégatrans.

— Accusez réception du message. Et transmettez... « Tenez bon » en code diplomatique monopasse.

Puis elle prit connaissance du deuxième message.

L'amiral William Ajunta Lee apparut sous la forme d'une image projetée en deux dimensions. De toute évidence, le système mégatrans de son vaisseau fonctionnait déjà sur énergie réduite. Elle nota, d'après les colonnes de données périphériques, que la salve avait été chiffrée parmi les transmissions télémétriques standard du vaisseau. Les techniciens de la Force finiraient par s'apercevoir d'une anomalie dans la somme de contrôle, mais cela pouvait prendre des heures, voire des jours.

Le visage de Lee était couvert de sang. Derrière lui, la fumée empêchait de voir quoi que ce fût. Tout ce que l'image floue en noir et blanc apprenait à Gladstone, c'était que le jeune amiral transmettait à partir d'un compartiment d'amarrage de son croiseur, et qu'un corps était étendu derrière lui sur une table métallique.

— ... un commando de *marines* a réussi à prendre pied à bord d'un de leurs prétendus lanciers, haletait Lee. Les occupants de ces engins sont au nombre de cinq, et ils ressemblent à des Extros, mais voyez ce que cela donne à l'autopsie.

L'angle de vue bascula, et Gladstone se rendit compte que Lee se servait d'un imageur à main raccordé au système mégatrans du vaisseau. On ne voyait plus l'amiral. L'image montrait le visage blême et déformé d'un Extro. D'après le sang autour des yeux et des oreilles, il n'était pas difficile de deviner qu'il était mort des suites d'une décompression brutale.

La main de Lee apparut dans le champ, reconnaissable

à la ganse qui ornait la manche de son uniforme d'amiral. Elle tenait un scalpel laser. Il ne se donna pas la peine de retirer les vêtements du mort, et pratiqua une incision verticale à partir du sternum.

La main qui tenait le scalpel s'écarta vivement, et la caméra se stabilisa tandis que quelque chose d'étrange se passait sur le corps de l'Extro. De larges plaques commencèrent à se consumer sur la poitrine du mort, comme si le laser avait mis le feu aux vêtements. L'uniforme brûla entièrement, et il devint apparent que la poitrine de l'homme fondait par sections, laissant des creux irréguliers, de plus en plus grands. De chacun de ces creux sortait une lumière si intense que l'imageur portable dut abaisser son seuil de réceptivité. Le crâne fut rapidement atteint à son tour, laissant des images rémanentes sur la projection mégatrans et sur la rétine de Gladstone.

La caméra s'était éloignée avant que le corps eût fini de se consumer, comme pour échapper à la chaleur trop grande. Le visage de Lee revint dans le champ.

— Il s'est passé la même chose avec tous les morts que nous avons trouvés, dit-il. Nous n'avons pu capturer aucun Extro vivant. Nous n'avons pas encore découvert le centre de l'essaim. Nous n'avons vu, jusqu'à présent, que des vaisseaux, et je crois bien que...

L'image disparut, et la colonne de données indiqua que la salve avait été interrompue en cours de transmission.

— Réponse?

Gladstone secoua la tête et fit disparaître la niche dans le mur. Elle regarda avec envie le canapé de son bureau, puis s'assit derrière sa table de travail, sachant que si elle fermait les yeux une seule seconde elle s'endormirait. Sedeptra l'appela alors sur leur fréquence persoc privée pour lui dire que le général Morpurgo voulait la voir de toute urgence.

Le Lusien, aussitôt entré, commença à faire nerveusement les cent pas.

— H. Présidente, dit-il, je crois comprendre les raisons pour lesquelles vous avez autorisé l'emploi du bâton de la mort, mais mon devoir est de protester vigoureusement.

— Pourquoi donc, Arthur? demanda-t-elle en l'appelant par son prénom pour la première fois depuis des semaines.

— Parce que nous ne connaissons pas assez bien les effets de ce foutu truc. C'est beaucoup trop dangereux, et... immoral.

Elle haussa un sourcil.

– La perte de milliards de citoyens dans une guerre d'usure prolongée serait morale, mais l'utilisation de cette arme pour en tuer quelques millions serait immorale ? C'est là la position de la Force, Arthur ?

– C'est la mienne, H. Présidente.

Elle hocha la tête.

– J'en prends note. Mais la décision est prise, et sera mise en œuvre.

Elle vit son vieil ami se raidir. Avant qu'il pût ouvrir la bouche pour protester ou, plus vraisemblablement, donner sa démission, elle ajouta :

– Voulez-vous vous promener quelques instants avec moi, Arthur ?

Le général de la Force ouvrit de grands yeux.

– Nous promener ? Maintenant ? Pourquoi ?

– Nous avons besoin de prendre un peu d'air.

Sans attendre sa réponse, elle marcha jusqu'à sa porte distrans privée, programma la destination à la main et passa de l'autre côté.

Morpurgo ne tarda pas à traverser à son tour la porte miroitante. Il baissa les yeux pour regarder l'herbe dorée qui lui montait aux genoux et s'étalait à perte de vue jusqu'à l'horizon lointain. Puis il leva la tête vers un ciel safran où des cumulus d'airain de dressaient en spires effilochées. Derrière lui, la porte disparut. Son emplacement n'était plus indiqué que par une colonne de commande d'un mètre de haut, qui était le seul objet fabriqué visible dans l'immensité herbeuse.

– Où diable sommes-nous ? demanda-t-il.

Elle cueillit un brin d'herbe et le mâchonna tranquillement.

– Kastrop-Rauxel, répondit-elle. Pas d'infosphère, pas de corps en orbite, pas d'habitations humaines ni méca, rien du tout.

Il renifla.

– Cet endroit n'est sans doute pas plus sûr que tous ceux où Byron Lamia nous conduisait dans l'espoir échapper à la surveillance du Centre, Meina.

– C'est possible, dit-elle. Écoutez ça, Arthur.

Elle lui passa l'enregistrement persoc des deux communications mégatrans qu'elle venait de recevoir. Lorsque ce fut fini et que le visage de Lee eut laissé la place à un miroitement vide, Morpurgo fit quelques pas au milieu des herbes hautes.

– Eh bien? demanda Gladstone en le rattrapant.

– Les corps des Extros s'autodétruisent de la même manière que des cybrides. Mais qu'est-ce que ça prouve? Vous croyez que cet enregistrement suffira à convaincre la Pangermie ou le Sénat que le TechnoCentre est derrière l'invasion?

Elle soupira. L'herbe avait un aspect tentant et moelleux. Elle s'imagina en train de s'y endormir d'un sommeil d'où elle n'aurait plus jamais besoin de remonter.

– C'est une preuve suffisante pour nous, pour notre groupe, dit-elle.

Elle n'avait pas besoin de s'expliquer davantage. Depuis l'époque où elle débutait au Sénat, ils s'étaient fait part de leurs soupçons concernant le Centre, et de leurs espoirs d'échapper un jour à la domination des IA. C'était le sénateur Byron Lamia qui leur servait alors de chef de file, mais beaucoup de choses étaient arrivées depuis ce temps-là.

Morpurgo contempla la steppe dorée que le vent faisait ondoyer. Une curieuse sorte de foudre en boule jouait dans les nuages à l'horizon.

– Et alors? À quoi cela peut-il nous servir, si nous ne savons pas où frapper l'ennemi?

– Nous avons encore trois heures.

Morpurgo consulta son persoc.

– Deux heures et quarante-deux minutes. Difficile de s'attendre à un miracle en un temps si court, Meina.

– Difficile d'espérer autre chose, Arthur, répliqua-t-elle sans sourire.

Elle toucha la colonne de programmation, et la porte s'activa en bourdonnant.

– Que pouvons-nous faire? demanda Morpurgo. Les techniciens du Centre sont, en ce moment même, en train d'initier nos spécialistes au maniement de ce bâton de la mort. Le vaisseau-torche sera prêt à partir dans une heure.

– Nous le ferons exploser là où ses effets ne feront de mal à personne.

Le général s'arrêta net pour la regarder avec de grands yeux.

– De quel putain d'endroit voulez-vous parler? Ce salaud de Nansen prétend que les effets de l'engin s'exercent jusqu'à trois années-lumière, mais comment lui faire confiance? Qui nous dit qu'en le faisant exploser près d'Hypérion, ou n'importe où ailleurs, nous ne condamnons pas toute la race humaine?

— J'ai une petite idée, mais j'aimerais la ruminer d'abord en dormant.

— En dormant? grogna Morpurgo.

— J'ai besoin de faire un petit somme. Je vous suggère d'ailleurs de m'imiter, Arthur, fit Gladstone avant de franchir la porte.

Morpurgo grommela une obscénité, rajusta sa casquette, et la suivit, la tête haute, le dos raide, le regard braqué devant lui, comme un soldat qui prend sa place devant le peloton d'exécution.

Sur la plus haute terrasse d'une montagne en mouvement dans l'espace à dix minutes-lumière d'Hypérion, le consul, entouré de dix-sept Extros, était assis à l'intérieur d'un cercle de pierres plates elles-mêmes entourées d'un cercle plus large de rochers dressés. L'objet des débats était de déterminer si le diplomate continuerait de vivre ou non.

— Vous avez perdu votre femme et votre enfant sur Bressia, déclara Librom Ghenga. C'était pendant la guerre entre ce monde et le clan Moseman?

— Oui, répondit le consul. L'Hégémonie croyait que tout l'essaim participait à l'attaque. Je n'ai rien dit pour les détromper.

— Mais votre femme et votre enfant ont été tués.

Le consul laissa errer son regard au-delà du cercle de pierres, dans la direction du sommet sur lequel la nuit tombait déjà.

— Finissons-en, dit-il. Je ne demande aucune pitié ni faveur à ce tribunal. Je ne revendique aucune circonstance atténuante. J'ai *assassiné* votre Librom Andil et les trois techniciens qui l'accompagnaient. Je les ai tués avec malveillance et préméditation, dans le seul but d'activer la machine destinée à ouvrir les Tombeaux du Temps. Tout cela n'a rien à voir avec ma femme et mon enfant!

Un Extro barbu qui avait été présenté sous le nom de Nanscok Amnion s'avança dans le cercle intérieur.

— La machine ne servait à rien, dit-il. Elle n'a eu aucun effet.

Le consul pivota, ouvrit la bouche, puis la referma sans rien dire.

272

– C'était juste un test, fit Librom Ghenga.

D'une voix presque inaudible, le consul balbutia :

– Mais... les Tombeaux du Temps... se sont ouverts...

– Nous savions exactement à quel moment ils s'ouvriraient, déclara Centrab Minmum. Nous connaissions le coefficient de détérioration des champs anentropiques. La machine n'était qu'un test.

– Votre femme et votre enfant ont été tués par des Extros, ajouta Librom Ghenga. L'Hégémonie a violé votre planète d'Alliance-Maui. Vos actions étaient prévisibles compte tenu de certains paramètres. Gladstone tablait là-dessus, mais nous aussi. Il fallait que nous connaissions ces paramètres.

Le consul fit trois pas, le dos tourné aux autres.

– Tout ça pour rien, murmura-t-il.

– Pardon ? demanda Librom Ghenga.

Le crâne nu de la grande femme luisait à la lumière des étoiles et à la lueur du soleil que reflétait une agricomète qui passait. Le consul se mit à rire doucement.

– Tout ça pour rien du tout, répéta-t-il. Même mes trahisons n'ont servi à rien. Tout ce que j'ai fait a été inutile.

Centrab Minmum se leva en rajustant ses robes.

– Le tribunal a rendu sa sentence, dit-il.

Les seize autres Extros hochèrent la tête. Le consul se tourna brusquement vers eux. Il y avait quelque chose comme de la joie impatiente dans ses traits usés.

– Qu'est-ce que vous attendez ? demanda-t-il. Pour l'amour du ciel, finissons-en une bonne fois pour toutes.

Librom Ghenga se dressa pour lui faire face.

– Vous êtes condamné à vivre. Condamné à réparer une partie du mal que vous avez fait.

Le consul tituba, comme s'il avait été giflé.

– Non... Vous ne pouvez pas... Vous n'avez pas le droit de...

– Le tribunal vous condamne à traverser la période de chaos qui s'annonce, lui dit Nanscok Amnion, et à nous aider à trouver un point de fusionnement entre les familles séparées de l'humanité.

Le consul leva les bras devant son visage comme pour se protéger d'un coup qu'on voulait lui donner.

– Je ne peux pas... ne veux pas... trop coupable...

Librom Ghenga fit trois pas en avant et le saisit par le devant de sa veste d'apparat. Puis elle le secoua sans cérémonie.

– Vous êtes coupable. Et c'est précisément pour cette raison que vous devez aider à soulager le monde du chaos à venir. Vous avez contribué à libérer le gritche. Vous devez maintenant veiller à ce qu'il retourne dans sa cage. La longue réconciliation pourra alors commencer à se faire.

Elle avait lâché le vêtement du consul, mais celui-ci avait toujours les épaules qui tremblaient. À ce moment, les montagnes se tournèrent vers le soleil, et des larmes brillèrent dans les yeux du consul.

– C'est impossible, murmura-t-il.

Librom Ghenga lissa la veste froissée du diplomate, puis fit glisser ses longs doigts jusqu'à son épaule.

– Nous avons nos prophètes, nous aussi, dit-elle. Les Templiers nous aideront à réensemencer la galaxie. Peu à peu, tous ceux qui ont vécu dans la fiction nommée Hégémonie émergeront des ruines de leurs mondes asservis par le TechnoCentre pour se joindre à nous dans la vraie exploration... non seulement de l'univers, mais aussi du royaume encore plus grand qui se trouve à l'intérieur de chacun de nous.

Le consul ne donnait pas l'impression d'avoir entendu ce qu'elle disait. Il se détourna brusquement.

– Le Centre vous détruira, dit-il sans faire face à aucun des Extros. Il vous détruira comme il a détruit l'Hégémonie.

– Oublieriez-vous que votre monde natal a été fondé sur la base d'une solennelle alliance de vie? lui demanda Centrab Minmum.

Le consul se tourna vers lui.

– C'est une alliance du même genre qui gouverne nos existences et toutes nos actions, poursuivit Minmum. Notre but n'est pas seulement de préserver un certain nombre d'espèces de l'Ancienne Terre. Il est également de trouver l'unité dans la diversité, et de répandre la semence de l'humanité dans d'autres mondes, dans d'autres environnements, tout en respectant comme sacrée la diversité de vie que nous trouverons ailleurs.

Le visage de Librom Ghenga brillait au soleil tandis qu'elle ajoutait d'une voix douce :

– L'unité offerte par le Centre reposait sur un esclavage abêtissant. La fausse sécurité n'était que stagnation. Quelles grandes idées ont fait évoluer la pensée et la culture humaines depuis l'hégire?

– Vous avez été terraformés en une pâle imitation de l'Ancienne Terre, renchérit Centrab Minmum. Notre nouvelle ère d'expansion humaine ne prétendra pas terraformer quoi que ce soit. Nous ne rechignerons pas devant les difficultés, et nous saluerons les différences. Nous n'obligerons pas l'univers à s'adapter, c'est nous qui nous adapterons.

Nanscok Amnion fit un grand geste en direction des étoiles.

– Si l'humanité survit à cette épreuve, notre avenir se trouvera dans les espaces noirs intermédiaires aussi bien que sur les planètes éclairées par les soleils.

Le consul soupira.

– J'ai des amis sur Hypérion, dit-il. Puis-je retourner là-bas pour les aider ?

– Vous le pouvez, déclara Librom Ghenga.

– Et pour affronter le gritche ? demanda le consul.

– Pour l'affronter, fit Centrab Minmum.

– Et pour survivre dans l'ère de chaos qui s'annonce ?

– C'est votre devoir, murmura Nanscok Amnion.

Le consul soupira de nouveau. Il s'écarta avec les autres tandis qu'une grosse libellule aux ailes formées de capteurs solaires et de peau diaphane insensibles au vide et au rayonnement cosmiques descendait se poser à proximité du cercle de Stonehenge et ouvrait ses panneaux ventraux pour accueillir le consul.

Dans la salle d'hôpital de la Maison du Gouvernement de Tau Ceti Central, le père Paul Duré dormait d'un sommeil superficiel provoqué par les médicaments qu'on lui avait administrés. Il rêvait de flammes et de mondes à l'agonie.

À part la brève visite de la Présidente Gladstone et celle, encore plus brève, de l'évêque Édouard, il était resté seul toute la journée, émergeant continuellement d'une brume de douleur pour y retomber aussitôt. Les médecins avaient demandé qu'on ne le transporte pas ailleurs pendant encore douze heures, et le Collège des cardinaux, sur Pacem, avait fait savoir qu'il acceptait et qu'il souhaitait au patient une prompte guérison. Les préparatifs de la cérémonie, qui devait avoir lieu dans vingt-quatre heures, étaient en cours. Après cette cérémonie, le prêtre jésuite Paul Duré, de Villefranche-sur-Saône, serait le pape Teilhard I, quatre cent quatre-vingt-septième évêque de Rome, successeur direct du disciple Pierre.

Guérissant à toute vitesse, ses chairs se régénérant sous l'impulsion d'un million de directeurs ARN, ses nerfs se reconstituant grâce aux miracles de la médecine moderne (pas assez miraculeuse, cependant, pour m'épargner d'horribles démangeaisons, se disait-il), le jésuite, dans son lit, songeait à Hypérion, au gritche, à sa longue existence et à l'état de confusion dans lequel étaient plongées les affaires de Dieu en ce bas monde. Il finit par se rendormir, et vit en rêve le Bosquet de Dieu dévoré par les flammes tandis que la Voix Authentique de l'Arbre-monde le poussait vers la porte distrans. Il rêva également de sa mère, et d'une femme nommée Semfa, maintenant morte, qui travaillait à la plantation de Perecebo, aux confins des Confins, dans la zone de culture des fibro-plastes, à l'est de Port-Romance.

Dans ses rêves, d'une tristesse fondamentale, Duré eut soudain conscience d'une autre présence. Et ce n'était pas d'une autre présence *dans son rêve* qu'il s'agissait, mais d'un autre *rêveur*.

Il marchait aux côtés de quelqu'un. L'air était frais, le ciel était d'un bleu émouvant. Au détour d'un virage, un lac apparut devant eux, bordé d'arbres élégants, sur un fond de montagnes et de nuages bas qui donnaient à la scène une échelle et une intensité dramatiques. Au milieu des eaux calmes comme un miroir, une île semblait flotter.

– Le lac Windermere, fit le compagnon de Duré.

Le jésuite se tourna lentement, le cœur battant d'angoisse à l'idée de ce qu'il allait découvrir. Mais la vue du jeune homme qui venait de parler ne lui inspira aucune crainte.

Il était de petite taille et portait une veste démodée avec des boutons de cuir, une large ceinture de cuir, de grosses chaussures, un vieux bonnet de fourrure, un sac à dos usé et un pantalon à la coupe bizarre, rapiécé en plusieurs endroits. Il avait une grande couverture sur l'épaule gauche et un solide bâton de pèlerin à la main droite.

Duré s'arrêta, et l'autre l'imita aussitôt, comme si cette pause était la bienvenue.

– La colline de Furness et les monts Cumbrian, fit le jeune homme en désignant, avec son bâton, la région située au-delà du lac.

Duré remarqua les boucles auburn qui dépassaient du vieux bonnet, ainsi que les grands yeux noisette et la petite taille de cet homme. Il se disait qu'il devait rêver, tout en pensant : *Je ne rêve pas, c'est réel.*

– Qui êtes...

Il ne put achever sa question, tant son cœur battait fort dans sa poitrine.

– Je m'appelle John, lui dit son compagnon, et le calme raisonnable de sa voix écarta, dans une certaine mesure, les craintes de Duré.

– Je pense que nous pourrons passer la nuit à Bowness, reprit le jeune homme. Brown me dit qu'il y a une splendide auberge juste au bord du lac.

Duré hocha la tête. Mais il n'avait pas la moindre idée de ce dont il parlait.

Le petit homme se pencha en avant et serra le bras du jésuite d'une poigne douce mais insistante.

– Quelqu'un viendra après moi, dit-il. Ce ne sera ni l'alpha ni l'oméga, mais ce sera essentiel pour nous montrer la voie.

Duré hocha stupidement la tête. Une petite brise faisait maintenant ondoyer le lac, et leur apportait des senteurs de végétation venues des collines.

– Ce quelqu'un sera né très loin d'ici, poursuivit John. Plus loin que tout ce que notre race a connu depuis des siècles. Et votre mission sera la même que la mienne en ce moment : préparer la voie. Vous ne vivrez pas suffisamment longtemps pour assister à l'enseignement donné par cette personne, mais votre successeur, oui.

– Oui, fit Paul Duré en écho.

C'était tout ce qu'il pouvait dire, car il n'avait plus du tout de salive dans la bouche.

Le jeune homme ôta son bonnet, le passa à sa ceinture, et se baissa pour ramasser un galet. Il la lança loin à la surface du lac. Des ondes concentriques se formèrent lentement.

– Zut, je voulais le faire ricocher, dit John.

Il se tourna vers Duré.

– Quittez cet hôpital et retournez sur Pacem le plus vite possible, vous m'avez bien compris ?

Duré battit des paupières. Cette réplique ne semblait pas appartenir à son rêve.

– Pourquoi ? demanda-t-il.

– Peu importe. Faites ce que je vous dis. Ne vous laissez retarder par rien. Si vous ne vous mettez pas en route tout de suite, vous n'aurez plus d'autre occasion par la suite.

Duré regarda derrière lui, désorienté, comme s'il envisageait de regagner son lit d'hôpital à pied. Il jeta un coup d'œil, par-dessus son épaule, au jeune homme frêle qui se tenait sur les galets de la rive.

– Et vous?

John ramassa une deuxième pierre, la lança et fit la grimace en voyant qu'elle ne ricochait qu'une seule fois avant de disparaître sous le miroir de l'eau.

– Je suis heureux ici pour le moment, dit-il, plus pour lui-même que pour Duré. J'étais vraiment heureux quand j'ai fait ce voyage, ajouta-t-il.

Puis il sembla faire un effort pour sortir de sa rêverie, et sourit à Duré.

– Qu'est-ce que vous attendez? Magnez-vous le train, Votre Sainteté.

Choqué, amusé et irrité en même temps, Duré ouvrit la bouche pour répliquer, mais se retrouva dans son lit d'hôpital à la Maison du Gouvernement. Les soignants avaient baissé la lumière pour qu'il puisse dormir. Des pastilles de surveillance étaient fixées à sa peau.

Il demeura sans bouger une minute ou deux, souffrant des démangeaisons occasionnées par ses tissus en train de guérir de leurs brûlures au troisième degré. Il pensa au rêve qu'il venait de faire, en se disant que ce n'était qu'un songe et qu'il pouvait dormir encore quelques heures avant que Monsignore – ou plutôt l'*évêque* Édouard – et les autres n'arrivent pour l'escorter. Il ferma les yeux, et se souvint du visage masculin mais très doux, des yeux noisette et du dialecte archaïque.

Le père Paul Duré, de la Compagnie de Jésus, se redressa alors, descendit péniblement de son lit, chercha ses vêtements, mais ne trouva rien d'autre à porter que le pyjama de papier qu'on lui avait mis à l'hôpital. Il s'entoura les épaules d'une couverture, arracha les pastilles de surveillance, et s'éloigna pieds nus avant que les soignants ne soient alertés.

Il y avait au bout du couloir une porte distrans réservée au corps médical. S'il ne pouvait pas l'utiliser, il en trouverait bien une autre.

Leigh Hunt porta le corps de Keats au soleil, au milieu de la *Piazza di Spagna*. Il croyait y trouver le gritche en train de l'attendre. Au lieu de cela, il y avait un cheval. Hunt n'était pas très connaisseur en matière de chevaux, car l'espèce avait totalement disparu à son époque, mais l'animal semblait être le même que celui qui les avait amenés à Rome. Et il était d'autant plus facile à reconnaître qu'il était attelé à la même calèche, que Keats appelait *vettura*.

Hunt déposa le corps sur le siège, en le drapant soigneusement dans son linceul. Il marcha à côté de la calèche, la main toujours posée sur le drap, tandis que le cheval commençait à avancer lentement. Avant de mourir, Keats avait demandé à être enterré dans le cimetière protestant qui se trouvait près de la Pyramide de Caïus Cestius. Hunt se rappelait vaguement qu'ils avaient franchi, en arrivant dans leur singulier équipage, le mur d'Aurélien, mais il aurait été incapable de retrouver son chemin, même si sa vie ou le bon déroulement de l'enterrement de Keats en dépendaient. De toute manière, le cheval semblait savoir parfaitement où il allait.

Tout en marchant lentement à côté de la calèche, conscient de la pureté de l'air par cette belle journée de printemps et d'une odeur sous-jacente de végétation pourrie, Hunt se demanda tout à coup si le corps n'était pas déjà en train de se décomposer. Il n'était pas très au courant des phénomènes qui accompagnaient la mort, et ne désirait d'ailleurs pas en savoir plus. Il donna une tape sur la croupe du cheval pour le faire aller plus vite, mais l'animal s'arrêta, tourna lentement la tête pour lui jeter un regard de reproche, et se remit à marcher à la même allure.

Ce fut plutôt un léger éclat de lumière aperçu du coin de l'œil qu'un quelconque bruit qui l'alerta. Lorsqu'il se retourna, le gritche était là. Il suivait la calèche à une quinzaine de mètres, réglant son pas sur celui du cheval, avec une démarche solennelle mais quelque peu comique, levant haut à chaque pas ses genoux hérissés de piquants tandis que le soleil faisait jeter des éclats à sa carapace, à ses dents de métal et aux lames de son corps.

La première impulsion de Hunt fut de tout lâcher et de se mettre à courir, mais le sens du devoir et celui, plus fort encore, de son impuissance l'en empêchèrent. Où aurait-il pu fuir ? La *Piazza di Spagna* était le seul endroit qu'il connaissait, et le gritche lui barrait la route.

Acceptant le monstre comme compagnon de deuil de cet insensé convoi funéraire, Hunt lui tourna le dos et continua de marcher à côté de la calèche, en agrippant la cheville du mort à travers le drap.

Du coin de l'œil, pendant tout ce temps, il guettait le moindre signe de présence d'une porte distrans ou d'une quelconque trace de présence humaine ou de technologie postérieure au XIXe siècle. Mais il ne voyait rien. L'illusion qu'il avait de traverser une Rome abandonnée par cette matinée quasi printanière de février 1821 était parfaite.

Après avoir gravi une colline distante d'un pâté de maisons de l'escalier de la *piazza,* le cheval prit une large avenue puis tourna plusieurs fois dans des ruelles, passant devant les ruines circulaires du Colisée, que Hunt n'eut pas de mal à reconnaître.

Lorsque la calèche s'arrêta enfin, Hunt sortit de l'état de semi-assoupissement dans lequel la lente marche l'avait plongé pour regarder autour de lui. Ils se trouvaient de l'autre côté d'un monticule de pierres, envahi par la végétation, qu'il supposait être le mur d'Aurélien, et il y avait effectivement une pyramide basse en vue, mais le cimetière protestant, si c'était bien lui, ressemblait davantage à un pré qu'à un cimetière. Des moutons broutaient à l'ombre de quelques cyprès, leurs clochettes tintant étrangement dans l'atmosphère épaisse en train de se réchauffer. Partout, l'herbe croissait à hauteur des genoux au moins. Plissant les yeux, il aperçut quelques pierres tombales disséminées, à moitié invisibles dans l'herbe. Plus près de lui, à quelques centimètres du cou baissé du cheval, s'ouvrait une fosse fraîchement creusée.

Le gritche restait derrière, à une dizaine de mètres de lui, sous les branches des cyprès agitées par la brise. Ses yeux rouges étaient fixés sur la tombe.

Hunt contourna le cheval qui paissait tranquillement pour se rapprocher de la fosse. Il n'y avait pas de cercueil. Le trou faisait environ un mètre vingt de profondeur, et le tas de terre dégageait une odeur d'humus et de fraîcheur moite. Une pelle au long manche était plantée comme si les fossoyeurs venaient de s'en aller. Une pierre tombale était dressée, mais elle ne portait aucune inscription. Il vit quelque chose briller et se précipita pour trouver le premier objet moderne qu'il eût vu depuis son arrivée sur l'Ancienne Terre : un petit stylet laser, du genre de ceux qu'utilisaient les artistes ou les marbriers pour graver des dessins ou des lettres sur les matériaux les plus durs.

Tenant le stylet à la main, il se retourna. Il se sentait armé, mais l'idée que ce minuscule outil pût arrêter le gritche lui semblait ridicule. Il le mit dans la poche de sa chemise et s'occupa d'enterrer Keats.

Quelques instants plus tard, la pelle à la main, contemplant la fosse béante où reposait le corps menu entouré de son seul linceul, il essaya de trouver quelque chose à dire. Il avait assisté à d'innombrables funérailles officielles, il avait même écrit quelques-uns des panégyriques prononcés par Gladstone en ces occasions, et les mots n'avaient jamais été pour lui un problème. Mais rien ne venait. Sa seule audience était le gritche silencieux, toujours dans l'ombre des cyprès, et les moutons dont les clochettes tintaient nerveusement tandis qu'ils s'éloignaient du monstre pour se rapprocher de la tombe tel un groupe arrivé en retard à la cérémonie.

Hunt se disait que quelques vers du défunt auraient peut-être été de circonstance, mais il n'était qu'un homme politique, peu enclin à lire et encore moins à mémoriser des pages de poésie ancienne. Il se souvint, trop tard, qu'il avait écrit quelques vers que lui avait dictés son ami la veille, mais il avait laissé son carnet sur la table de l'appartement de la *Piazza di Spagna*. Il y était question de devenir un dieu, ou comme un dieu, et du flot trop important des connaissances... Quelque chose de ce genre, sans grande signification. Hunt avait une excellente mémoire, mais il était incapable de se rappeler le premier vers de ces élucubrations archaïques.

Finalement, il se contenta de quelques instants de silence, la tête baissée et les yeux fermés à l'exception de quelques regards obliques en direction du gritche, qui se tenait toujours à distance. Puis il jeta la première pelletée dans la fosse. L'opération lui prit plus longtemps qu'il ne l'aurait cru. Lorsqu'il eut fini de tasser la surface, la terre offrait une légère concavité, comme si le corps du poète était trop insignifiant pour former un monticule.

Les moutons frôlèrent les jambes de Hunt pour aller brouter l'herbe haute, les pâquerettes et les violettes qui poussaient autour de la tombe. Si Hunt avait oublié les vers du poète, il n'avait aucun mal, par contre, à se rappeler la teneur de l'épitaphe que son ami avait souhaité avoir sur sa pierre tombale. Sortant le stylet, il l'essaya en traçant un sillon de trois mètres de long dans la terre et les hautes herbes. Il dut piétiner en hâte le petit incendie qu'il venait de provoquer. L'épitaphe l'avait intrigué quand il l'avait entendue pour la première fois, murmurée avec effort par le poète à la respiration courte et sifflante. Mais ce n'était pas à lui de discuter avec un mourant. Il ne lui restait plus, à présent, qu'à graver l'inscription dans la pierre et à s'en aller, en évitant le gritche, pour essayer de trouver un moyen de rentrer chez lui.

Le stylet pénétrait un peu trop facilement la pierre, et il dut s'entraîner un bon moment sur l'autre face de la stèle avant de trouver le bon angle et la bonne profondeur. L'effet final était tout de même quelque peu artisanal et irrégulier lorsqu'il reposa le stylet, vingt minutes plus tard, après avoir terminé.

Il y avait d'abord le dessin sommaire que Keats lui avait montré en traçant de sa main tremblante plusieurs esquisses sur du papier ministre. Cela représentait une lyre grecque dont quatre cordes sur huit étaient cassées. Hunt, qui était encore moins doué en dessin qu'en poésie, n'était pas très satisfait du résultat. Mais c'était sans doute reconnaissable, à condition, naturellement, de savoir déjà ce qu'était une lyre grecque. La légende reproduisait fidèlement les paroles dictées par Keats :

Ci-gît Celui
Dont le nom
Était écrit dans l'eau

Il n'y avait rien d'autre. Aucune date, ni de naissance ni de mort. Pas même le nom du poète. Hunt recula d'un pas pour étudier son œuvre, secoua la tête, désactiva le stylet, mais le conserva dans la main avant de reprendre le chemin de la cité, non sans faire un large détour pour éviter le monstre encore dans l'ombre des cyprès.

Arrivé à hauteur du tunnel qui franchissait le mur d'Aurélien, il s'arrêta pour regarder derrière lui. Le cheval, toujours attelé à la calèche, s'était déplacé jusqu'au bas de la longue pente pour brouter l'herbe plus tendre au bord d'un mince cours d'eau. Les moutons erraient au milieu des fleurs, laissant leurs empreintes dans la terre meuble de la tombe. Le gritche était immobile, toujours au même endroit, à peine visible sous les branches de cyprès. Hunt était presque sûr qu'il avait toujours les yeux fixés sur la tombe.

L'après-midi était déjà bien avancé lorsqu'il trouva la porte distrans, sous la forme d'un rectangle miroitant de couleur bleu foncé, bourdonnant juste au centre du Colisée en ruine. Il n'y avait ni plaque ni colonne de commande. L'ouverture était opaque et invitait à passer de l'autre côté.

Mais il n'y eut rien à faire.

Hunt essaya cinquante fois. La surface miroitante était aussi dure que de la pierre. Il essaya de passer un doigt, la tête, de se jeter dessus ou d'y lancer des pierres. Rien n'y fit. Il essaya des deux côtés, et même sur la tranche. Ses épaules et ses avant-bras étaient tout endoloris.

Il était sûr qu'il s'agissait bien d'une porte distrans, mais elle refusait de lui livrer passage.

Il fouilla les ruines du Colisée de fond en comble. Il explora les souterrains aux parois suintantes, au sol couvert de déjections de chauves-souris. Mais il ne trouva aucune autre porte. Il fouilla les rues et les immeubles voisins. Il alla de basilique en cathédrale, de taudis en appartement de luxe, de ruelle sordide en avenue somptueuse, sans résultat. Il retourna finalement sur la *Piazza di Spagna,* où il prit un repas rapide à la *trattoria* de l'immeuble avant de monter récupérer son carnet. Puis il ressortit pour continuer ses recherches.

La seule porte se trouvait au Colisée, et il y retourna finalement. Lorsque la nuit tomba, ses doigts étaient en sang à force d'essayer de la forcer à s'ouvrir. Elle avait bien l'aspect d'une porte, elle faisait le même bruit, elle avait le même toucher, mais elle lui refusait obstinément le passage.

Une lune, qui n'était pas la même que sur la Terre, à en juger par les tempêtes de sable ou de poussière et par les nuages visibles à sa surface, brillait au-dessus de la courbe noire du mur du Colisée. Hunt s'assit parmi les cailloux qui jonchaient le centre de l'arène et fixa des yeux, le front plissé, la porte qui émettait une lueur bleue. Derrière lui, il entendit les froissements d'ailes de pigeons apeurés et le bruit d'une petite pierre qui roulait.

Il se leva lourdement, sortit le stylet laser de sa poche et attendit, les pieds légèrement écartés, scrutant les ténèbres encore plus opaques sous les cyprès et sous les arches et les multiples recoins du Colisée. Mais rien ne semblait bouger.

Un bruit soudain, juste derrière lui, le fit sursauter. Il faillit balayer sans le vouloir la surface de la porte distrans avec le mince pinceau du stylet. Un bras apparut au milieu de la porte, puis une jambe. Une personne émergea, suivie bientôt d'une autre.

Le Colisée retentit alors tout entier des hurlements qu'il poussa.

Meina Gladstone savait que, malgré l'état d'épuisement dans lequel elle se trouvait, ce serait de la folie que de s'endormir, ne fût-ce que pour une demi-heure. Mais, presque depuis l'enfance, elle s'était entraînée à faire des sommes de cinq à dix minutes pour chasser les toxines de fatigue en donnant un répit à ses pensées.

Épuisée au-delà de tout ce qu'elle avait jamais connu, sous le coup de la confusion vertigineuse qui avait marqué les dernières quarante-huit heures, elle s'abandonna quelques minutes au confort moelleux du canapé de son bureau, vidant son esprit de tout ce qui était redondant ou superflu, laissant son subconscient retrouver son chemin à travers la jungle des pensées et des événements. Elle s'endormit, et, durant son bref sommeil, elle rêva.

Elle se redressa brusquement, écartant la couverture afghane ajourée, activant son persoc avant même d'ouvrir les yeux.

– Sedeptra! Faites venir le général Morpurgo et l'amiral Singh dans mon bureau d'ici trois minutes!

Elle passa dans la salle d'eau contiguë, prit une douche et un sonique puis s'habilla. Elle mit, pour la circonstance, son tailleur le plus austère en velours noir de whipcord, avec une écharpe sénatoriale rouge et or maintenue en place par une broche dorée représentant le symbole géodésique de l'Hégémonie. Elle porta aussi ses boucles d'oreilles datant de l'Ancienne Terre d'avant la Grande Erreur, et le bracelet en topaze avec persoc incorporé que lui avait offert le sénateur Byron Lamia avant son mariage. Puis elle retourna dans le bureau juste à temps pour accueillir les deux officiers de la Force.

– H. Présidente, cette convocation représente pour nous un contretemps fâcheux, commença l'amiral Singh. Nous étions en train d'analyser les dernières données en provenance de Mare Infinitus, et de discuter des mouvements de la flotte en vue d'assurer la défense d'Asquith.

Gladstone fit apparaître sa porte distrans privée et demanda d'un signe aux deux hommes de la suivre de l'autre côté.

Singh regarda autour de lui tout en s'avançant dans les herbes dorées sous un ciel d'airain menaçant.

– Kastrop-Rauxel, murmura-t-il. Le bruit courait, à une certaine époque, que le gouvernement avait fait construire ici en secret un terminal distrans privé.

– C'est sous le Président Yevtchenski que cela s'est passé, lui dit Gladstone en faisant disparaître d'un geste la porte distrans. Il pensait que le chef de l'exécutif devait avoir la possibilité de se retirer dans un endroit où le TechnoCentre aurait peu de chances d'épier ses faits et gestes.

Morpurgo se tourna, mal à l'aise, vers un rideau de nuages qui bouchait l'horizon où la foudre en boule s'en donnait à cœur joie.

– Je ne sais pas s'il existe un tel endroit, dit-il. J'ai fait part de nos suspicions à l'amiral Singh, et...

– Ce ne sont pas des suspicions, interrompit Gladstone. Ce sont des faits. Et je sais maintenant où se trouve le TechnoCentre.

Les deux officiers réagirent comme si la foudre en boule venait de les frapper.

– Où? demandèrent-ils presque à l'unisson.

Gladstone se mit à faire les cent pas. Ses cheveux gris coupés court semblaient briller d'une lumière propre dans l'atmosphère chargée d'électricité.

– Entre les portes, dit-elle. Les IA vivent dans le pseudo-monde des singularités comme des araignées sur une toile noire. Et c'est nous qui leur avons tissé cette toile.

Morpurgo fut le premier à retrouver sa capacité de parler.

– Mon Dieu! murmura-t-il. Qu'est-ce que nous allons faire, maintenant? Dans moins de trois heures, le vaisseau-torche, avec à son bord l'engin du TechnoCentre, se distransportera dans l'espace d'Hypérion.

Gladstone lui expliqua de manière précise ce qu'il convenait de faire.

– Impossible, fit Singh en tiraillant machinalement sa courte barbe. C'est tout simplement impossible.

– Peut-être pas, fit Morpurgo. Il nous reste suffisamment de temps. Cela devrait marcher. Les mouvements de la flotte ont été suffisamment désordonnés et aberrants au cours de ces deux derniers jours pour que...

L'amiral secoua la tête.

– Logistiquement parlant, c'est peut-être possible, mais rationnellement et éthiquement parlant, non, on ne peut pas...

Meina Gladstone se rapprocha de lui.

– Kushwant, fit-elle en l'appelant par son prénom pour la première fois depuis l'époque où elle était sénateur de fraîche date et lui capitaine de frégate de la Force spatiale, vous souvenez-vous du jour où le sénateur Lamia nous a fait entrer en contact avec les Stables? Avec une IA dénommée Ummon? Elle nous avait alors prédit deux avenirs possibles, le premier fait de chaos et l'autre ne recelant que l'extinction certaine de l'humanité.

Singh détourna les yeux.

– Ma loyauté est acquise à la Force et à l'Hégémonie.

– Votre loyauté n'est pas différente de la mienne, fit sèchement Gladstone. Vous la devez tout entière à la race humaine.

Les poings de l'amiral se dressèrent, comme s'il se préparait à combattre quelque adversaire invisible mais puissant.

– Nous ne sommes sûrs de rien! D'où tenez-vous vos informations?

– De Severn. Le cybride.

– Cybride? fit le général en reniflant avec mépris. Vous voulez dire ce peintre? Ce minable qui se prend pour un artiste?

– Un cybride, répéta la Présidente.

Elle donna rapidement quelques explications.

– Une personnalité récupérée... grommela Morpurgo d'une voix sceptique. Et vous l'avez retrouvé?

– C'est lui qui m'a contactée. Dans un rêve. Il a réussi à communiquer, de je ne sais quel endroit où il se trouve. C'était son rôle, comprenez-moi bien tous les deux. C'est pour cela qu'Ummon l'a envoyé dans le Retz.

– Un rêve... ironisa l'amiral Singh. Et ce... cybride vous a dit... en rêve... que le Centre se dissimulait dans l'espace intersticiel du Retz...

– Oui, fit Gladstone d'une voix ferme. Et il ne nous reste plus beaucoup de temps pour agir.

– Mais... murmura Morpurgo... faire ce que vous suggérez, c'est...

– C'est vouer à leur perte des millions, sans doute des milliards de gens, acheva Singh à sa place. Toute notre économie s'effondrerait. Des mondes comme TC^2, le vecteur Renaissance, la Nouvelle-Terre, les Deneb, la Nouvelle-Mecque, Lusus, également, Arthur, et des dizaines d'autres dépendent d'autres mondes pour se nourrir. Les planètes urbaines sont incapables de survivre toutes seules.

– Pas sous leur forme actuelle, peut-être, admit Gladstone, mais elles peuvent apprendre à produire leurs propres ressources alimentaires jusqu'à ce que le commerce interstellaire puisse reprendre.

– Pff... soupira Singh. C'est tout ce que j'entends en ce moment. Jusqu'à la fin des hostilités. Jusqu'à ce que le gouvernement se ressaisisse. Jusqu'à ce que les gens cessent de mourir par millions de famine, de panique, de manque d'équipement et de soins, de l'absence de l'infosphère...

– J'ai déjà songé à tout cela, fit Gladstone d'une voix que Morpurgo avait rarement entendue aussi ferme. Je serai désignée comme la plus grande criminelle de l'histoire. Plus grande que Hitler, que Tsê-Hou, que Glennon-Height. Mais la seule chose qui soit pire, c'est de continuer ce que nous faisons en ce moment. Auquel cas nous deviendrons, vous et moi, messieurs, les plus grands traîtres envers l'humanité que l'univers ait jamais connus.

– Nous ne pouvons pas en avoir la certitude, grogna Kushwant Singh, comme si chaque mot lui était extorqué au prix d'un coup de poing dans le ventre.

– Nous l'avons, affirma Gladstone. Le TechnoCentre n'a que faire du Retz, à présent. Les Volages et les Ultimistes se contenteront désormais d'exploiter quelques millions d'esclaves parqués sous terre dans les neuf mondes labyrinthiens, en utilisant uniquement leurs synapses pour les besoins qu'ils ont encore en ordinateurs.

– C'est ridicule, fit Singh. Un humain ainsi utilisé mourrait rapidement.

Meina Gladstone soupira et secoua la tête.

– Le TechnoCentre a mis au point un parasite. C'est un dispositif organique appelé cruciforme, qui... ressuscite les morts. Au bout de plusieurs résurrections, le porteur humain devient complètement abruti, sans conscience ni réactions personnelles, mais parfaitement adapté à l'usage auquel le destine le Centre.

Singh leur tourna le dos une nouvelle fois. Sa petite silhouette se découpa contre un mur de clarté tandis que la tempête se rapprochait dans un bouillonnement de nuages d'airain déchaînés.

— C'est en rêve, également, que vous avez appris cela, Meina ?

— Oui.

— Et qu'est-ce que vos rêves vous ont appris d'autre ? lança sèchement l'amiral.

— Que le TechnoCentre n'a plus besoin du Retz. Pas de la partie humaine du Retz, en tout cas. Ils continueront d'y résider, comme des rats dans les murs, mais ils n'ont plus besoin des habitants. L'Intelligence Ultime des IA prendra la relève en ce qui concerne les tâches principales de traitement des informations.

Singh se tourna subitement vers elle.

— Vous êtes folle, Meina. Complètement folle.

Gladstone lui saisit vivement le bras avant qu'il pût activer la porte distrans.

— Je vous en supplie, Kushwant. Écoutez-moi lorsque je vous dis que...

Singh sortit un pistolet à fléchettes de son uniforme d'apparat et le colla contre le ventre de Gladstone.

— Désolé, H. Présidente, mais je suis au service de l'Hégémonie, et...

Gladstone fit un pas en arrière, en portant la main devant sa bouche. L'amiral Kushwant Singh avait cessé brusquement de parler, le regard fixé dans le vague durant deux ou trois secondes. Puis il s'était affaissé dans l'herbe, laissant rouler le pistolet à fléchettes.

Morpurgo s'avança pour ramasser l'arme. Il la passa à sa ceinture avant de remettre en place le bâton de la mort qu'il tenait encore dans l'autre main.

— Vous l'avez tué, fit Gladstone. J'avais prévu de l'abandonner ici, sur Kastrop-Rauxel, en cas de refus de coopérer.

— Trop dangereux, fit Morpurgo en traînant le corps à l'écart de la porte distrans. Nous ne pouvions pas prendre ce risque. Ce qui va se passer dans les prochaines heures est trop important.

Gladstone se tourna vers son vieil ami.

— Vous êtes prêt à aller jusqu'au bout ?

— Il le faut. C'est notre dernière chance de nous débarrasser du joug qui pèse sur nous. Je vais donner immédiatement les ordres de redéploiement. Ils seront remis sous scellés en main propre. La plus grande partie de la flotte va être impliquée dans l'opération.

– Mon Dieu... fit Meina Gladstone en regardant le corps de l'amiral Singh. Dire que je fais tout cela sur la seule foi d'un rêve...

– Parfois, lui dit le général Morpurgo en lui prenant la main, les rêves sont la seule chose qui nous sépare des machines.

44

La mort n'est pas, je viens de m'en apercevoir, une expérience agréable. Quitter l'appartement familier de la *Piazza di Spagna* et le corps qui y refroidit rapidement est une expérience analogue à celle qui consiste à être chassé dans la nuit hors de la chaleur familière de sa maison par l'incendie ou l'inondation. Le choc du dépaysement est sévère. Précipité la tête la première dans la métasphère, j'éprouve le même sentiment de honte et de révélation soudaine et embarrassante que dans le rêve que nous avons tous fait un jour d'avoir oublié de s'habiller et d'être sorti tout nu dans la rue ou dans un endroit où il y avait du monde.

Tout nu. C'est bien l'expression qui me convient en ce moment tandis que je m'efforce de maintenir l'intégrité de ma personnalité analogique déchirée. Il faut que je me concentre suffisamment pour donner au nuage électronique presque aléatoire de souvenirs et d'associations qui caractérisent cette personnalité la forme d'un simulacre acceptable de l'être humain que j'ai été, ou, du moins, de l'être humain dont j'ai partagé les pensées.

Mister John Keats, haut de cinq pieds.

La métasphère n'est pas moins effrayante qu'avant. Un peu plus, au contraire, maintenant que je n'ai plus d'abri humain où me réfugier. De vastes ombres se déplacent derrière des horizons noirs. Des bruits résonnent dans l'Espace qui Lie comme des pas sur les dalles d'un château abandonné. Sous tout cela et derrière tout cela, il y a une rumeur continuelle et exaspérante, semblable à celle que produiraient les roues d'un chariot sur une chaussée pavée d'ardoise.

Pauvre Hunt. Je suis tenté de retourner à ses côtés, surgissant comme le fantôme de Marley pour le rassurer sur mon état réel. Mais l'Ancienne Terre est pour moi un endroit trop dangereux. La présence du gritche brûle dans l'infoplan de la métasphère comme une flamme sur un fond de velours noir.

Le Centre m'appelle avec une force encore plus grande, mais le danger n'est pas moindre. Je n'ai pas oublié la manière dont Ummon a détruit l'autre Keats devant Brawne Lamia, en serrant contre lui la personnalité analogique jusqu'à ce qu'elle se dissolve purement et simplement et que sa mémoire de base se ratatine comme une limace trempée dans le sel.

Très peu pour moi.

J'ai choisi la mort plutôt que la divinité. Mais j'ai des choses à accomplir avant de m'endormir du dernier sommeil.

La métasphère me fait peur. Le Centre me fait peur. Les noirs tunnels des singularités de l'infosphère que je dois traverser me terrifient jusqu'aux analogues de mes os. Mais il n'y a rien à y faire.

J'entre dans le premier cône noir, en tourbillonnant comme une feuille métaphorique dans un maelström qui, lui, n'est que trop réel. J'émerge dans l'infoplan voulu, mais j'ai la tête qui tourne et je suis trop désorienté pour faire autre chose que rester là, à la vue de n'importe quelle IA du Centre qui voudrait accéder aux ganglions de mémoire morte ou aux routines de phages résidant dans les crevasses mauves de toutes ces chaînes de montagnes de données. Mais c'est précisément le chaos du TechnoCentre qui me sauve ici. Les personnalités importantes du Centre sont trop occupées à faire le siège de leurs cités de Troie personnelles pour prêter attention à ce qui se passe dans la cour de derrière de leur propre maison.

Je trouve les codes d'accès à l'infosphère que je voulais, et les cordons synaptiques dont j'avais besoin. C'est l'affaire d'une microseconde que de suivre les anciens chemins qui mènent à Tau Ceti Central, à la Maison du Gouvernement, à l'hôpital et aux rêves induits par les drogues de Paul Duré.

Une chose que ma personnalité sait faire particulièrement bien, c'est rêver. Je découvre, tout à fait par hasard, que les souvenirs de mon voyage en Écosse représentent un cadre approprié pour convaincre le prêtre de prendre la fuite. En ma qualité de libre penseur britannique, j'étais jadis opposé à tout ce qui évoquait, de près ou de loin, l'Église papale. Mais il faut dire une chose en faveur des jésuites. On leur enseigne l'obéissance avant la logique, et, pour une fois, cela rend service à l'humanité tout entière. Duré ne me demande pas pourquoi lorsque je lui dis où il faut qu'il aille. Il se réveille comme un gentil petit garçon, il s'enveloppe dans une couverture, et il y va.

Meina Gladstone me prend pour Joseph Severn, mais elle accepte mon message comme si c'était Dieu qui le lui avait communiqué. Je voudrais la détromper, lui dire que je ne suis pas Celui-là, que je ne suis que Celui Qui Précède, mais le message est la chose, aussi je me contente de transmettre et de me retirer.

En passant par le TechnoCentre sur le chemin de la métasphère d'Hypérion, je capte l'odeur de métal brûlé de la guerre civile, et j'aperçois une grande lumière qui pourrait être Ummon en train de subir une procédure d'extinction. Le vieux Maître, si c'est bien lui, ne récite pas de koans au moment de sa mort, mais hurle de douleur aussi sincèrement que n'importe quelle entité consciente que l'on s'apprête à envoyer aux fours crématoires.

Je me dépêche.

La connexion distrans avec Hypérion est pour le moins ténue. Une seule porte, militaire, et un seul vaisseau portier, endommagé, dans un espace qui ne cesse de se rétrécir et qui est encombré de carcasses de bâtiments de guerre de l'Hégémonie. La sphère de confinement de la singularité ne peut maintenant être protégée des attaques des Extros durant plus de quelques minutes. Le vaisseau-torche de l'Hégémonie qui transporte à son bord le super-bâton de la mort du TechnoCentre se prépare à se dis-translater dans le système au moment même où j'émerge, cherchant à m'orienter dans les niveaux limités de l'infosphère qui peuvent servir de poste d'observation. Je m'installe tranquillement pour attendre la suite.

— Seigneur! annonça Melio Arundez. Meina Gladstone est en train d'émettre une salve superprioritaire!

Théo Lane le rejoignit devant la fosse holo pour contempler les données prioritaires qui formaient un cylindre de brume. Le consul descendit de la cabine où il s'était retiré par l'escalier de métal en spirale.

– Pas de message de TC^2? demanda-t-il sèchement.

– Pas de message qui nous soit spécifiquement adressé, lui dit Théo en lisant les codes rouges qui se dissolvaient aussitôt après s'être formés. Il s'agit d'une mégatransmission prioritaire, qui s'adresse à tout le monde, partout.

Arundez s'enfonça un peu plus dans les coussins qui entouraient la fosse.

– Ce n'est pas normal, dit-il. Est-ce qu'il est déjà arrivé à la Présidente de diffuser un message toutes fréquences sur bande large?

– Jamais, fit Théo Lane. L'énergie nécessaire pour coder une telle salve serait monstrueuse.

Le consul se rapprocha des codes en train d'apparaître et de disparaître pour les montrer du doigt.

– Il ne s'agit pas d'une salve, dit-il. Regardez bien. C'est une transmission en temps réel.

Théo secoua la tête.

– La puissance d'une telle transmission équivaudrait à plusieurs centaines de millions de giga-électrons-volts.

Arundez émit un sifflement.

– Même s'il ne s'agissait que de cent millions de GeV, il faudrait que la teneur du message soit exceptionnelle.

– Une reddition générale, murmura Théo. C'est la seule chose qui puisse justifier une diffusion générale en temps réel. En même temps qu'aux mondes du Retz, Gladstone s'adresse à ceux des Confins, aux Extros et à toutes les planètes qu'ils occupent. Toutes les fréquences com doivent porter le message à l'heure qu'il est. Même la TVHD et les canaux de l'infosphère doivent le recevoir. Il ne peut s'agir que d'une reddition.

– Taisez-vous, fit le consul d'une voix rendue pâteuse par l'alcool.

Il s'était mis à boire dès que le tribunal l'avait laissé repartir, et son humeur, qui avait été massacrante même lorsque Théo et Arundez lui avaient donné de grandes tapes dans le dos pour célébrer sa survie, ne s'était guère améliorée après le décollage, lorsqu'ils avaient reçu l'autorisation de s'éloigner de l'essaim, ni durant les deux heures qu'il avait passées seul à se soûler tandis que le vaisseau accélérait sa course vers Hypérion.

– Meina Gladstone... ne se rendra... jamais..., bredouilla-t-il, la bouteille de scotch encore à la main. Vous n'avez qu'à... regarder, et vous verrez bien...

À bord du vaisseau-torche *Stephen Hawking,* vingt-troisième bâtiment spatial de l'Hégémonie à porter le nom de l'illustre savant, le général Arthur Morpurgo leva les yeux de son tableau C3 et fit taire les deux officiers du poste. En temps normal, un vaisseau-torche de cette classe emportait un équipage de soixante-quinze hommes. Aujourd'hui, avec le bâton de la mort du TechnoCentre dans ses soutes, le bâtiment n'était occupé que par cinq volontaires, dont Morpurgo lui-même. Les écrans et les voix discrètes des ordinateurs annonçaient que le *Stephen Hawking* était bien sur la trajectoire prévue, dans les limites de temps prévues, et qu'il accélérait normalement sa course, à des vitesses quasi quantiques, en direction de la porte distrans militaire du Point 3 La Grange, situé entre Madhya et son énorme lune. La porte de Madhya donnait directement sur celle, âprement défendue, du système d'Hypérion.

– Objectif de translation à une minute dix-huit secondes, annonça le jeune officier Salumun Morpurgo, le fils du général.

Ce dernier hocha la tête, et verrouilla le système de transmission sur large bande. Les projections du poste de commandement étant saturées de données spécifiques à la mission, il régla la transmission de la Présidente sur mode audio seul. Malgré lui, un sourire apparut sur ses lèvres. Que dirait Meina si elle savait qu'il était à la barre du *Stephen Hawking*? Mieux valait qu'elle l'ignore. Pour sa part, il avait fait tout ce qu'il pouvait. Et il aimait autant ne pas voir le résultat des ordres précis, écrits de sa propre main, qu'il avait distribués au cours des deux dernières heures.

Il regarda son fils aîné avec un sentiment de fierté si aigu qu'il confinait à la douleur. Le nombre d'hommes et de femmes qualifiés pour faire partie de l'équipage d'un vaisseau-torche qu'il avait pu contacter pour cette mission était limité, et son fils avait été le premier volontaire. Cet enthousiasme de la famille Morpurgo aurait dû suffire à apaiser d'éventuels soupçons du TechnoCentre.

– Mes chers concitoyens, déclara Gladstone, ceci est le dernier message que je vous adresse en tant que chef du pouvoir exécutif. Comme vous le savez, la responsabilité de la terrible guerre qui a déjà dévasté trois planètes et menace actuellement une quatrième a été attribuée aux essaims extros. Mais il s'agissait d'un mensonge.

Les canaux de communication se mirent subitement à rugir sous les interférences, puis se turent complètement.

– Passez en mégatrans, ordonna le général Morpurgo.

– Point de distranslation à une minute trois secondes, annonça son fils.

La voix de Gladstone revint, filtrée et légèrement déformée par le cryptage et le décryptage mégatrans.

– ... nous rendre compte que nos ancêtres – et nous-mêmes – avions signé un pacte faustien avec des puissances que le sort de l'humanité indiffère totalement.

« C'est le TechnoCentre qui est responsable de l'invasion actuelle. C'est à lui que nous devons la longue période de ténèbres rassurantes que nous venons de traverser. C'est lui qui s'est fixé pour objectif la destruction de l'humanité, et son remplacement dans l'univers par un dieu mécanique de sa propre conception.

Salumun Morpurgo ne quittait pas des yeux ses rangées d'instruments.

– Point de distranslation à trente-huit secondes.

Morpurgo hocha la tête. Les deux autres membres de l'équipage qui se trouvaient au poste C3 avaient la figure luisante de transpiration. Le général se rendit compte que son propre visage était mouillé aussi.

– ... ont prouvé que le TechnoCentre réside – et qu'il a toujours résidé – dans les espaces obscurs situés entre les portes distrans. Il se croit maître de nos destinées. Tant que le Retz existe, tant que la cohésion de notre bien-aimée Hégémonie repose sur ses liaisons distrans, le TechnoCentre a raison. Il est notre maître.

Morpurgo jeta un coup d'œil à son chronomètre de mission. *Vingt-huit secondes.* La translation vers le système d'Hypérion serait – pour les sens limités des humains – instantanée. Le général était certain que le bâton de la mort était réglé pour s'activer automatiquement dès qu'ils pénétreraient dans l'espace d'Hypérion. L'onde de mort mettrait moins de deux secondes pour toucher la surface de la planète. Elle atteindrait les éléments les plus éloignés de l'essaim extro en moins de dix minutes.

– C'est pourquoi, poursuivit Meina Gladstone d'une voix qui trahissait son émotion pour la première fois, en ma qualité de Présidente du Sénat de l'Hégémonie humaine, j'ai ordonné à notre Force spatiale de procéder à la destruction de toutes les sphères de confinement de singularité et de toutes les portes distrans actuellement en service à notre connaissance.

« Cette destruction – ou *cautérisation* – commencera dans dix secondes.

« Que Dieu sauve l'Hégémonie.

« Que Dieu nous pardonne à tous.

Salumun Morpurgo annonça tranquillement :

– Translation dans cinq secondes.

Le général regarda son fils, de l'autre côté du poste de commandement, dans les yeux. Les projections, derrière le jeune officier, montraient la porte qui grossissait, grossissait autour d'eux.

– Je t'aime, murmura le général.

Deux cent soixante-trois sphères de confinement de singularité reliant plus de soixante-douze millions de portes distrans furent détruites à des intervalles n'excédant pas 2,6 secondes l'une de l'autre. Les unités de la flotte déployées par Morpurgo conformément aux ordres présidentiels décachetèrent leurs enveloppes moins de trois minutes avant l'exécution et, réagissant avec leur discipline et leur célérité habituelles, détruisirent les fragiles sphères au moyen de missiles, de rayons lasers et d'explosifs au plasma.

Trois secondes plus tard, alors que les nuages de débris étaient encore en expansion, les centaines de vaisseaux spatiaux de la Force impliqués dans l'opération se retrouvèrent isolés, séparés les uns des autres et séparés des systèmes voisins par des semaines, voire des mois de propulsion Hawking, avec des déficits de temps de plusieurs années.

Des milliers de gens se firent prendre en cours de distranslation. Nombreux furent ceux qui moururent instantanément, les membres arrachés ou le corps sectionné. Quelques-uns se retrouvèrent de l'autre côté avec un bras ou une jambe en moins, mais certains disparurent purement et simplement.

Tel fut le sort du *Stephen Hawking,* exactement comme il avait été prévu. L'entrée et la sortie distrans furent expertement détruites dans la nanoseconde que dura la distranslation du vaisseau. Aucune partie du vaisseau-torche ne subsista dans l'espace réel. Plus tard, des études démontrèrent que l'engin appelé bâton de la mort s'était activé au milieu de ce qui tenait lieu d'espace-temps dans l'étrange géographie du TechnoCentre entre les portes.

Ses effets ne purent jamais être connus.

Les effets sur le Retz et sur ses habitants, par contre, furent aussitôt évidents.

Après sept siècles d'existence, dont au moins quatre où peu de citoyens purent vivre normalement sans elle, l'infosphère, y compris la Pangermie et tous les canaux de communication et d'accès, cessa tout simplement d'être. Des centaines de milliers de citoyens perdirent alors la raison, plongés dans un état de catatonie profonde par la disparition de sens qui étaient devenus pour eux plus importants que la vue ou l'ouïe.

Des centaines de milliers d'opérateurs de l'infosphère, parmi lesquels plusieurs « cyberpunks » et « cow-boys de système » disparurent également, leurs personnalités analogiques broyées dans l'effondrement de l'infosphère ou leurs cerveaux brûlés par la surcharge de dérivation neurale et par un effet connu plus tard sous le nom de « rétroaction double zéro ».

Des millions de personnes moururent dans des endroits accessibles uniquement par porte distrans, qui devinrent subitement pour eux des pièges mortels.

L'évêque de l'Église de l'Expiation Finale, le chef du culte gritchtèque, s'était soigneusement ménagé, pour assister aux Jours de la Fin, un abri confortable et abondamment pourvu en biens matériels au centre d'une montagne de la chaîne du Corbeau, dans l'hémisphère nord de Nevermore. Les portes distrans étaient le seul moyen d'y entrer et d'en sortir. Il y mourut peu de temps après les quelques milliers d'acolytes, assesseurs et huissiers qui essayaient, avec leurs ongles, de forcer la porte du sanctuaire où il s'était enfermé, pour partager les derniers mètres cubes d'air avec Son Éminence.

La richissime éditrice Tyrena Wingreen-Feif, âgée de quatre-vingt-dix-sept années standard, mais en piste depuis plus de trois cents ans grâce au miracle des traitements Poulsen et de la cryogénie, avait commis l'erreur de vouloir passer cette journée fatidique dans son bureau, accessible uniquement par distrans et situé au quatre cent trente-cinquième étage de la spire Transverse, dans le secteur de Babel de la cité 5 de Tau Ceti Central. Après avoir refusé pendant quinze heures de croire que le service distrans était interrompu pour un bon moment, elle céda aux exhortations de ses employés et annula le champ de confinement qui l'isolait de l'extérieur par la façade pour permettre à un VEM de venir la chercher.

Mais elle n'avait pas prêté suffisamment d'attention aux instructions qui lui étaient données. L'explosion due à la décompression brutale la fit jaillir du haut du quatre cent trente-cinquième étage comme le bouchon d'une bouteille de champagne trop rudement secouée. Les employés et les membres des équipes de sauvetage qui attendaient à bord du VEM jurèrent, par la suite, que la vieille dame n'avait pas cessé de jurer comme un charretier pendant les quatre minutes que dura sa chute.

Sur la plupart des mondes, le mot chaos avait acquis une nouvelle dimension.

La majeure partie de l'économie du Retz disparut avec l'infosphère locale et la mégasphère. Des millions de millions de marks durement ou illicitement gagnés s'évanouirent en fumée. Les cartes universelles cessèrent d'être reconnues. Toute la machinerie de la vie quotidienne s'arrêta en crachotant. Durant les semaines, les mois ou les années à venir, selon la planète, il serait impossible de payer les achats quotidiens, les déplacements dans les transports en commun, les dettes personnelles ou les services les plus simples sans avoir recours aux billets et aux pièces du marché parallèle.

Mais, pour la plupart des gens, la dépression qui s'abattait sur le Retz comme une tornade n'était qu'un détail mineur, sur lequel on pourrait se pencher plus tard. Les préoccupations des familles étaient beaucoup plus personnelles et immédiates.

Papa ou maman, par exemple, avait quitté Deneb Vier pour aller travailler, comme d'habitude, sur Renaissance V. Mais, au lieu de rentrer le soir à la maison avec une heure de retard, il lui faudrait maintenant onze ans, et encore à condition de trouver immédiatement de la place à bord de l'un des rares vaisseaux de spin Hawking qui faisaient le voyage interstellaire traditionnel.

Les membres des familles aisées qui écoutaient le discours de Gladstone dans leur élégante résidence multi-planétaire eurent à peine le temps de se regarder, d'une pièce à l'autre, à travers les portes qui séparaient des différentes sections de leur maison multiplanétaire. Une seconde plus tard, ils étaient éloignés les uns des autres de plusieurs années-lumière, et la porte distrans ne s'ouvrait plus sur rien.

Des enfants qui étaient à quelques minutes de chez eux, à l'école, à la crèche, au stade ou au jardin, ne reverraient plus leurs parents avant d'atteindre l'âge adulte.

Le Quartier Marchand, déjà touché par le souffle de la guerre, fut tout d'un coup précipité dans l'oubli, et sa superbe ceinture de boutiques de luxe et de restaurants prestigieux fut tronçonnée en segments d'un clinquant pathétique qui ne devaient plus jamais être réunis.

Le fleuve Téthys cessa de couler au moment où les portes géantes devinrent opaques et disparurent. L'eau se répandait, s'évapora et laissa mourir les poissons sous deux cents soleils différents.

Il y eut des émeutes. Lusus se déchira comme un loup dévorant ses propres entrailles. La Nouvelle-Mecque connut les spasmes du martyre. Tsingtao-Hsishuang Panna, après voir célébré sa libération des hordes extros, pendit haut et court plusieurs milliers d'anciens bureaucrates de l'Hégémonie.

Alliance-Maui connut également des déchaînements, mais de liesse. Les centaines de milliers de descendants des Premières Familles envahirent les îles mobiles pour en chasser les étrangers qui avaient pris le contrôle d'une si grande partie de leur planète. Plus tard des millions de propriétaires de résidences de vacances qui ne savaient plus ce qui leur arrivait furent mis au travail, pour les démanteler, sur les milliers de stations pétrolières et de centres touristiques qui avaient poussé comme des verrues dans tout l'archipel Équatorial.

Sur le vecteur Renaissance, il y eut une brève flambée de violence, suivie d'une restructuration sociale efficace et d'un sérieux effort pour parvenir à nourrir un monde essentiellement urbain qui n'avait pratiquement pas de production agricole.

Sur Nordholm, les villes se vidèrent peu à peu tandis que leurs occupants retournaient sur la côte et sur l'océan froid à bord de leurs barques de pêche ancestrales.

Sur Parvati régnèrent la guerre civile et la confusion.

Sur Sol Draconi Septem triomphèrent l'allégresse, suivie de la révolution, suivie d'une recrudescence des maladies à rétrovirus.

Sur Fuji, la résignation philosophique n'empêcha pas la construction immédiate de plusieurs chantiers orbitaux dédiés à la création d'une flotte marchande de vaisseaux de spin à propulsion Hawking.

Sur Asquith, il y eut une brève chasse aux sorcières, suivie par la victoire du Parti des Travailleurs Socialistes au Parlement Mondial.

Sur Pacem, les prières succédèrent aux prières. Le nouveau pape, Sa Sainteté Teilhard I, convoqua un grand concile appelé Vatican XXXIX, annonça l'avènement d'une ère nouvelle dans la vie de l'Église et conféra au concile le pouvoir de former des missionnaires pour de longs voyages. Beaucoup de missionnaires, et beaucoup de voyages. Le pape Teilhard déclara également que ces missionnaires ne seraient pas chargés de répandre le prosélytisme, mais qu'ils seraient avant tout des chercheurs. L'Église, comme tant d'espèces habituées à vivre au bord de l'extinction, endurait et s'adaptait.

Sur Tempe, on assista à des émeutes, à des massacres et à l'avènement des démagogues.

Sur Mars, le Commandement Militaire d'Olympus demeura quelque temps en contact mégatrans avec ses forces éparpillées. Ce fut Olympus qui confirma que les « vagues d'invasion extros », partout sauf dans le système d'Hypérion, avaient simplement cessé d'être. Les vaisseaux du Centre interceptés étaient vides et non programmés. L'invasion avait pris fin.

Sur Metaxas, il y eut des émeutes suivies de représailles.

Sur Qom-Riyad, un ayatollah intégriste chiite autopromu et surgi du désert rallia cent mille partisans et balaya en l'espace de quelques heures le Conseil intérieur sunnite qui gouvernait la planète. Le nouveau gouvernement révolutionnaire restitua le pouvoir aux mollahs, reculant les montres de deux mille ans. La foule manifesta sa joie par des émeutes.

Sur Armaghast, situé à la périphérie de l'ancien Retz, les choses ne changèrent pas tellement, à l'exception du manque de touristes, d'archéologues en herbe et autres produits de luxe importés. Armaghast faisait partie des planètes labyrinthiennes. Mais ses labyrinthes étaient restés vides.

Sur Hébron, ce fut la panique dans le quartier cosmopolite du centre de la Nouvelle-Jérusalem, mais les sionistes anciens remirent vite de l'ordre dans la ville et sur la planète. Des dispositions furent prises. Les produits d'importation de première nécessité furent rationnés. Le désert fut ensemencé. Les fermes se développèrent, on planta des arbres. Les gens se plaignirent les uns aux autres, remercièrent Dieu de les avoir délivrés, discutèrent avec Lui de l'amertume de cette délivrance, puis retournèrent à leurs activités.

Sur le Bosquet de Dieu, des continents entiers brûlaient encore, et le ciel était recouvert d'un épais manteau de fumée. Peu après le passage de l'« essaim », des dizaines de vaisseaux-arbres prirent leur essor au milieu des nuages, poussés par leurs propulseurs à fusion et abrités par leurs champs de confinement générés par des ergs. Une fois passé le puits gravifique, la plupart de ces vaisseaux-arbres choisirent des directions différentes le long du plan galactique de l'écliptique et entamèrent la longue gyration préalable au saut quantique. Des salves mégatrans partirent en direction des essaims en attente. Le réensemencement avait commencé.

Sur Tau Ceti Central, le siège du pouvoir, de la richesse, des affaires et du gouvernement, les survivants affamés quittèrent les spires devenues dangereuses, les cités désormais inutiles et les habitats en orbite qui ne servaient plus à rien pour aller à la recherche de quelqu'un qu'ils puissent accuser. Quelqu'un qu'ils puissent punir pour tous leurs malheurs.

Ils n'eurent pas à aller bien loin.

Le général Van Zeidt s'était trouvé dans la Maison du Gouvernement au moment où les portes avaient cessé de fonctionner. Il était maintenant à la tête des deux cents marines et des soixante-huit membres de la sécurité qui restaient pour garder le complexe. L'ex-Présidente Meina Gladstone commandait toujours la garde prétorienne de six hommes que Kolchev lui avait laissée quand il avait été évacué, avec les autres sénateurs les plus importants, sur le premier et le dernier vaisseau de descente de la Force qui avait pu passer. La foule, d'une manière ou d'une autre, s'était procuré des missiles et des lasers spatiaux, et aucun des trois mille autres employés de la Maison du Gouvernement n'irait nulle part tant que le siège ne serait pas levé ou que les défenses ne tomberaient pas.

Gladstone, du poste d'observation avancé où elle se tenait, contemplait le massacre. La foule déchaînée avait saccagé la plus grande partie du Parc aux Daims et des jardins à la française avant d'être arrêtée par les lignes d'interdiction et les champs de confinement. Il y avait là au moins trois millions d'individus en colère qui se pressaient contre les barrières, et leur nombre augmentait à chaque minute.

– Pouvez-vous supprimer les champs d'interdiction et les rétablir cinquante mètres en arrière, avant que la foule ne puisse parcourir la distance ? demanda Gladstone au général.

La fumée des villes en train de brûler à l'ouest remplissait le ciel. Des milliers d'hommes et de femmes avaient été écrasés contre le champ de confinement miroitant par la pression de la foule. Sur deux mètres à partir de la base, le mur d'énergie semblait avoir été badigeonné avec de la confiture de fraises. Des dizaines de milliers d'autres malheureux étaient plaqués contre la barrière malgré la douleur permanente qui devait leur ronger les nerfs et les os.

– C'est faisable, H. Présidente, répondit Van Zeidt. Mais pour quelle raison ?

– Je vais sortir leur parler.

La voix de Gladstone semblait au bord de l'épuisement. Le *marine* la regarda comme si elle avait voulu faire une mauvaise plaisanterie.

– H. Présidente, dans un mois, ils seront tous prêts à écouter vos paroles... ou celles de n'importe lequel d'entre nous... à la radio, à la TVHD... Dans un an, peut-être deux, lorsque l'ordre aura été rétabli et que chacun disposera de rations suffisantes, ils vous pardonneront peut-être. Mais il leur faudra au moins une génération pour comprendre ce que vous avez fait pour eux... pour comprendre que vous nous avez tous sauvés.

– Je veux leur parler, répéta Meina Gladstone. J'ai quelque chose à leur donner.

Van Zeidt secoua la tête et se tourna vers le petit cercle des officiers de la Force qui observaient la foule à travers les meurtrières du bunker et qui regardaient maintenant Gladstone avec la même expression d'incrédulité et d'horreur.

– Il faut que je consulte le Président Kolchev, murmura Van Zeidt.

– Non, fit Meina Gladstone avec lassitude. Il règne sur un empire qui n'existe plus. Je gouverne toujours le monde que j'ai détruit.

Elle fit un signe de tête à sa garde prétorienne, et des bâtons de la mort sortirent des uniformes à rayures noires et orangées. Aucun officier de la Force ne bougea. Le général Van Zeidt prit une voix suppliante pour dire :

– Le prochain vaisseau d'évacuation réussira à passer, Meina.

Elle hocha la tête comme si elle avait perdu la raison.

– Dans les jardins intérieurs, ce serait le mieux. La foule ne saura plus ce qui se passe pendant quelques instants. La disparition de l'enceinte extérieure va la déséquilibrer.

Elle regarda autour d'elle comme si elle avait peur d'oublier quelque chose, puis tendit la main à Van Zeidt.

– Adieu, Mark. Merci. Occupez-vous des miens, s'il vous plaît.

Van Zeidt lui serra la main et la regarda resserrer son foulard et toucher distraitement son bracelet persoc, comme pour qu'il lui porte chance. Elle sortit alors, accompagnée de quatre de ses prétoriens. Le petit groupe traversa les jardins piétinés et se dirigea lentement vers les champs de confinement. La foule, de l'autre côté, sembla réagir comme un organisme unique privé de cervelle. Elle se pressa contre le mur d'interdiction pourpre en hurlant avec la voix d'un monstre fou.

Gladstone se tourna vers ses quatre gardes, leva la main comme pour leur dire adieu, et leur fit signe de s'en aller. Ils retournèrent sur leurs pas en courant.

– Allez-y, fit le plus ancien des prétoriens restés dans le bunker en pointant son bâton de la mort vers la commande à distance du champ de confinement.

– Allez vous faire foutre, articula Van Zeidt.

Lui vivant, personne ne s'approcherait de ce tableau de commande.

Il avait oublié que Gladstone avait toujours accès aux codes et aux liaisons tactiques sur faisceau étroit. Il la vit lever son persoc, mais ne réagit pas assez vite. Les voyants du tableau de télécommande devinrent rouges, puis verts. Les champs de confinement se désactivèrent pour se reformer cinquante mètres en arrière. L'espace d'une seconde, Meina Gladstone se trouva seule face à ces millions de gens en colère, séparée d'eux uniquement par quelques mètres de pelouse et d'innombrables cadavres soudains rendus aux lois de la pesanteur par la disparition des murs d'énergie.

Gladstone leva les deux bras comme pour étreindre la foule. Le silence et l'immobilité se prolongèrent durant trois interminables secondes, puis un rugissement de bête fauve s'éleva et des milliers de bras se tendirent, armés de bâtons, de cailloux, de couteaux et de goulots de bouteille.

Un instant, Van Zeidt eut l'impression que Gladstone se tenait comme un roc invincible au milieu de la vague humaine qui déferlait sur elle. Il voyait son tailleur foncé et son écharpe brillante, ses bras encore dressés, mais la vague continua de se refermer sur elle, et il la perdit de vue.

Les gardes prétoriens abaissèrent leurs armes et furent immédiatement mis aux arrêts par les *marines*.

– Opacifiez les champs de confinement, ordonna Van Zeidt. Dites aux vaisseaux de descente de se poser dans les jardins intérieurs par intervalles de cinq minutes. Dépêchez-vous !

Il détourna les yeux.

– Bon Dieu ! s'exclama Théo Lane tandis que les informations continuaient d'arriver par fragments sur le système mégatrans.

Il y avait tant de salves simultanées de l'ordre de la milliseconde que l'ordinateur avait de la peine à les séparer. Le résultat confinait au désordre et à la folie.

– Repassez la destruction de la sphère de confinement de singularité, demanda le consul.

– Bien, monsieur.

Le vaisseau interrompit ses messages mégatrans pour repasser l'image du soudain éclat blanc suivi d'une brève explosion de débris, puis de l'affaissement de la singularité, qui se dévora elle-même et dévora tout ce qui se trouvait dans un rayon de six mille kilomètres. Les instruments montrèrent les effets des courants de gravité, faciles à cerner à cette distance, mais qui firent des ravages parmi les vaisseaux de l'Hégémonie et les bâtiments extros qui s'affrontaient encore dans la région d'Hypérion.

– Très bien, fit le consul.

Les messages mégatrans continuèrent de défiler.

– Il n'y a aucun doute possible? demanda Melio Arundez.

– Aucun, lui dit le consul. Hypérion est redevenu un monde des Confins. Mais il n'y a plus de Retz pour définir les Confins.

– C'est vraiment difficile à croire, fit Théo Lane.

L'ex-gouverneur général était assis dans un fauteuil, en train de boire un scotch. C'était la première fois que le consul voyait son ex-adjoint avoir recours à l'alcool. Théo se versa encore quatre doigts avant de murmurer :

– Plus de Retz... Cinq cents ans d'expansion balayés d'un seul coup.

– Il ne faut pas dire cela, fit le consul en posant son verre, encore à moitié plein, sur la table. Nos mondes sont toujours là. Des cultures séparées se développeront, mais nous aurons toujours la propulsion Hawking, la seule technologie avancée que nous nous soyons donnée au lieu de l'emprunter au TechnoCentre.

Melio Arundez se pencha en avant, les mains jointes comme pour prier.

– Vous croyez que le Centre a vraiment disparu? Qu'il a vraiment été détruit?

Le consul écouta quelques instants le brouhaha des voix, des cris, des supplications, des rapports militaires et des appels au secours qui venaient des canaux audios.

– Complètement détruit, peut-être pas, dit-il. Mais isolé, certainement.

Théo acheva son verre et le posa avec précaution. Ses yeux verts avaient pris une expression placide, presque vitreuse.

– Vous croyez qu'il y a... d'autres toiles d'araignée qu'ils pourraient utiliser? D'autres systèmes distrans? Des TechnoCentres de rechange?

Le consul fit un geste vague.

– Nous savons que le TechnoCentre a réussi à créer son Intelligence Ultime. C'est peut-être cette IU qui a rendu possible ce... nettoyage du Centre. Qui sait si elle ne garde pas pour elle quelques IA en activité... réduite, un peu comme les quelques milliards d'humains diminués que le Centre avait prévu d'exploiter à ses propres fins?

Soudain, le babillage mégatrans s'interrompit, comme tranché par une lame.

– Pilote? demanda le consul, qui soupçonnait une panne de système.

– Tous les messages mégatrans ont cessé, pour la plupart en cours de transmission, répondit le vaisseau.

Le consul sentit son cœur bondir tandis qu'il pensait au bâton de la mort. Mais il était impossible que tous les mondes soient touchés en même temps. Même si des centaines d'engins s'activaient au même moment, il y aurait nécessairement un déphasage dû au fait que les vaisseaux de la Force et les autres sources de transmission éloignées ne pouvaient pas cesser toutes les émissions en même temps. Que s'était-il passé alors?

– Les messages semblent avoir été coupés par une défaillance du support de transmission lui-même, déclara le vaisseau. Ce qui est, à ma connaissance, impossible.

Le consul se leva. *Une défaillance du support de transmission?* Le support mégatrans, tel que les humains le comprenaient, du moins, était constitué par la topographie même de l'espace-temps de Planck, avec ses hypercordes infinies. Ce que les IA désignaient mystérieusement sous le nom d'*Espace qui Lie*. Un tel support ne pouvait pas connaître de défaillance.

Soudain, le vaisseau annonça :

– Message mégatrans en cours de transmission. Source : partout; base cryptographique : infinie; fréquence de salve : temps réel.

Le consul ouvrait la bouche pour dire au vaisseau de cesser de débiter des absurdités lorsque l'air au-dessus de la fosse holo s'embruma, laissant transparaître quelque chose qui n'était ni une image ni une colonne de données. Une voix se fit entendre.

– IL NE DEVRA PLUS Y AVOIR DE NOUVELLE UTILISATION ABUSIVE DE CE CANAL. VOUS GÊNEZ CEUX QUI L'UTILISENT POUR DES MOTIFS SÉRIEUX. L'AUTORISATION D'ACCÈS VOUS SERA RESTITUÉE QUAND VOUS AUREZ COMPRIS À QUOI IL SERT. SALUTATIONS.

Les trois hommes demeurèrent dans un silence que seul rompaient le bourdonnement rassurant d'un ventilateur et les multiples bruits d'un vaisseau en marche. Finalement, le consul déclara :

– Pilote, veuillez transmettre une salve mégatrans standard d'identification spatio-temporelle, non cryptée. Ajoutez la mention : « Prière à toutes les stations réceptrices de répondre. »

Il y eut une pause de plusieurs secondes, étonnante pour un ordinateur de classe quasi IA comme celui du bord.

– Je regrette, mais c'est impossible, déclara finalement la voix du vaisseau.

– Et pourquoi? demanda le consul.

– Les transmissions mégatrans ne sont plus... autorisées. Le support hypercorde n'est plus réceptif à la modulation.

– Il n'y a rien sur mégatrans? demanda Théo.

Il contemplait l'espace vide au-dessus de la fosse holo comme si quelqu'un avait interrompu un holofilm au moment le plus intéressant.

De nouveau, le vaisseau sembla marquer un temps de réflexion.

– En tout état de cause, H. Lane, nous ne savons même plus si le système mégatrans existe encore ou non.

– Jésus a versé des larmes, murmura le consul.

Il acheva son verre d'un seul coup et se leva pour aller jusqu'au bar s'en servir un autre.

– C'est la vieille malédiction chinoise, grommela-t-il.

– Vous disiez? demanda Melio Arundez en relevant la tête.

Le consul but une longue rasade.

– Vieille malédiction chinoise, répéta-t-il. « Puissiez-vous vivre dans des temps intéressants. »

Comme pour compenser la perte du mégatrans, le vaisseau passa sur le canal audio du récepteur et intercepta un babillage sur faisceau étroit au moment où il projetait une vue en temps réel de la sphère bleu et blanc d'Hypérion qui tournait et grossissait tandis qu'ils descendaient vers elle sous deux cents gravités de décélération.

45

J'échappe à l'infosphère du Retz juste au moment où l'option de s'échapper va cesser d'exister.

C'est incroyable et étrangement troublant, le spectacle de la mégasphère en train de se dévorer elle-même. La vision qu'avait Brawne Lamia de la mégasphère en tant qu'entité organique semisentiente, plus proche d'un écosystème que d'une métropole, était fondamentalement correcte. Maintenant que les liaisons mégatrans cessent d'exister et que le monde *à l'intérieur* de ces avenues se replie sur lui-même et s'effondre, maintenant que l'infosphère extérieure s'effondre elle aussi comme un chapiteau en flammes soudain privé de ses haubans, de ses étais et de ses fixations, la mégasphère vivante s'autodévore comme un prédateur pris de folie qui s'arrache la queue et se déchire les entrailles, les pattes, le cœur, jusqu'à ce qu'il ne reste que des mâchoires sans cervelle, qui claquent à vide.

La métasphère subsiste. Mais elle est plus désolée que jamais.

Des forêts noires dans un espace et un temps inconnus.

Des bruits dans la nuit.

Des lions.

Et des tigres.

Et des ours.

Lorsque l'Espace qui Lie se convulse et envoie son message unique, banal, à l'univers humain, c'est comme si un tremblement de terre faisait vibrer la roche massive. Filant au-dessus de la métasphère changeante au-dessus d'Hypérion, je ne peux pas m'empêcher de sourire. C'est comme si le Dieu-analogue venait d'en avoir assez des fourmis qui écrivent des graffiti sur son gros orteil.

Je ne vois aucun Dieu – ni l'un ni l'autre – dans la métasphère. Et je n'essaie même pas. J'ai suffisamment de problèmes comme ça.

Les maelströms noirs du Retz et des entrées du TechnoCentre ont maintenant disparu. Ils sont effacés du temps et de l'espace comme des verrues réséquées. Ils se sont envolés aussi sûrement que les rides de l'eau après le passage de la tempête.

Je suis coincé ici, à moins que je ne veuille braver la métasphère.

Ce que je ne souhaite pas faire. Pas pour le moment.

C'est pourtant ici que je désire être. Ici, dans le système d'Hypérion, où l'infosphère a presque complètement disparu, à l'exception de quelques restes pitoyables, à la surface de la planète et dans les vestiges de la flotte hégémonienne, qui sèchent comme autant de trous d'eau au soleil. Les Tombeaux du Temps, eux, brillent dans la métasphère comme des balises au milieu de ténèbres grandissantes. Alors que les liaisons distrans ressemblaient tout à l'heure à des maelströms noirs, les tombeaux sont maintenant des trous blancs d'où jaillit une lumière en expansion.

Je me dirige vers eux. Jusqu'à présent, en ma qualité de Celui Qui Précède, tout ce que j'ai accompli a consisté à figurer dans les rêves des autres. Il est temps que j'*accomplisse* quelque chose.

Sol attendait.

Cela faisait plusieurs heures qu'il avait remis son unique enfant au gritche. Cela faisait plusieurs jours qu'il n'avait ni mangé ni dormi. Autour de lui, la tempête s'était déchaînée, puis calmée. Les tombeaux avaient pulsé et grondé comme des réacteurs en folie, et les marées du temps l'avaient secoué avec la force d'un ouragan. Mais il s'était accroché aux marches de pierre du Sphinx, et il avait attendu que cela passe. Il attendait toujours.

À demi conscient, brisé par la fatigue et par l'angoisse concernant le sort de sa fille, Sol Weintraub pouvait cependant constater que son cerveau d'érudit continuait de fonctionner à toute vitesse.

Durant la plus grande partie de sa vie et de sa carrière, en tant qu'historien et philosophe classique, il s'était intéressé de très près à l'éthique du comportement religieux humain. L'éthique et la religion n'ont pas toujours été – ont, en fait, rarement été – compatibles. Les exigences de l'absolutisme ou de l'extrémisme religieux, de même que celles du relativisme délirant, ont souvent été le reflet des pires aspects de la culture et des préjugés contemporains plutôt que celui d'un système dans lequel Dieu et les hommes puissent coexister avec un sentiment mutuel de justice véritable. Le livre le plus célèbre de Sol, finalement intitulé *Le Dilemme d'Abraham* lorsqu'il avait été publié dans une collection grand public et que les tirages avaient atteint des sommets dont il n'aurait jamais rêvé en visant un public universitaire, avait été écrit alors que Rachel était rongée par la maladie de Merlin, et il traitait, en bonne logique, de la difficulté du choix d'Abraham, qui devait décider s'il devait obéir ou non au commandement divin de sacrifier son fils.

Sol avait écrit qu'à une époque primitive correspondait un type d'obéissance primitif, et que les dernières générations en étaient arrivées au point où c'étaient les parents qui s'offraient en sacrifice, comme aux temps noirs des fours qui ternissaient l'histoire de l'Ancienne Terre. Il ajoutait que les générations présentes devaient refuser tout commandement les exhortant au sacrifice, quelle que soit la nouvelle forme que Dieu pouvait revêtir dans la conscience humaine. Que cette nouvelle forme soit une simple manifestation du subconscient, dans tout ce qu'elle avait de plus revanchard, ou bien qu'elle représente une tentative plus consciente d'évolution dans les domaines de la philosophie et de l'éthique, l'humanité ne pouvait plus accepter d'offrir des sacrifices au nom de Dieu. Le sacrifice et l'*acceptation* du sacrifice n'avaient que trop contribué à écrire l'histoire humaine dans le sang.

Pourtant, quelques heures plus tôt, ou une éternité plus tôt, Sol Weintraub avait offert son unique enfant à une créature de mort.

Des années durant, la voix qui troublait ses rêves lui avait ordonné de le faire. Des années durant, il avait refusé. Il n'avait accepté, finalement, que lorsque le temps s'était épuisé et que tout autre espoir avait complètement disparu. Il s'était rendu compte, alors, que la voix de ses rêves et de ceux de Saraï, toutes ces années, n'était pas celle de Dieu, ni celle de quelque ténébreuse puissance alliée du gritche. C'était la voix de leur fille.

Avec une soudaine clarté qui transcendait le caractère immédiat de sa douleur ou de son chagrin, Sol Weintraub comprenait soudain parfaitement pourquoi Abraham avait accepté de sacrifier Isaac, son fils, lorsque le Créateur lui avait ordonné de le faire.

Ce n'était pas un acte d'obéissance.

Ce n'était même pas mettre l'amour de Dieu au-dessus de l'amour de son fils.

Abraham avait voulu mettre Dieu à l'épreuve.

En refusant le sacrifice au dernier moment, en arrêtant la main qui tenait le couteau, Dieu avait gagné le droit aux yeux d'Abraham et dans les cœurs de ses descendants – de devenir le Dieu d'Abraham. Sol frissonna à la pensée que le moindre simulacre de la part de celui-ci, la moindre falsification dans sa volonté de sacrifier son fils auraient eu pour effet d'interdire l'alliance entre l'humanité et la puissance divine. Il fallait qu'Abraham ait la certitude, dans le fond de son cœur, qu'il tuerait son fils. La divinité, quelle que soit la forme qu'elle revêtait alors, devait être certaine de la détermination d'Abraham. Elle devait *ressentir* sa douleur et son engagement de tuer ce qu'il avait de plus précieux au monde. Abraham n'était pas venu pour offrir un sacrifice. Il était venu s'assurer, une fois pour toutes, si ce Dieu était digne de confiance et d'obéissance. Et aucune autre épreuve n'aurait pu lui donner la réponse qu'il cherchait.

Pourquoi, alors, se disait-il, agrippé à la marche de pierre du Sphinx qui semblait ballotté comme un bouchon à la surface de l'océan du temps, pourquoi cette terrible épreuve devait-elle être répétée? Quelles formidables révélations attendaient l'humanité?

C'est alors qu'il comprit. D'après le peu que lui avait révélé Brawne, d'après les récits qu'ils avaient échangés pendant le pèlerinage, d'après ses révélations personnelles de ces dernières semaines, il comprenait que les efforts de la machine appelée Intelligence Ultime, quelle que puisse être sa foutue nature, pour éliminer l'entité en fuite, appelée Empathie, de la divinité humaine, étaient vains. Sol n'apercevait plus l'arbre aux épines, au sommet de la falaise, avec ses branches de métal et son humanité torturée. Mais il voyait clairement, à présent, que cette chose était, tout comme le gritche, une machine organique, un instrument dont le but était de diffuser la souffrance à travers tout l'univers, aux seules fins d'obliger la partie humaine de la divinité incomplète à réagir et à se montrer.

Si Dieu suivait une évolution – et Sol était certain qu'il en suivait une –, elle se faisait nécessairement vers l'empathie, vers un sentiment de souffrance partagée, plutôt que vers la puissance et la domination. Mais l'arbre obscène que les pèlerins avaient aperçu, et dont le malheureux Silenus avait été la victime, n'était pas forcément la meilleure manière d'invoquer la puissance disparue.

Sol se rendait compte, à présent, que le dieu des machines, quelle que fût la forme sous laquelle il se présentait, était doué de suffisamment d'intuition pour voir que l'empathie n'était qu'une réaction face à la souffrance d'autrui. Cette même IU, néanmoins, était trop stupide pour comprendre que l'empathie – aussi bien du point de vue des humains que de celui de leur IU – était beaucoup plus que tout cela. Empathie et amour étaient inséparables et inexplicables. L'IU des machines ne comprendrait jamais ces choses, pas même suffisamment pour les utiliser comme un leurre capable d'attirer la partie de l'IU humaine qui en avait assez de la guerre située dans un lointain avenir.

L'amour, cette chose banale entre toutes, cette motivation religieuse ultrastéréotypée, possédait plus de puissance, Sol le savait maintenant, que les interactions fortes, les interactions faibles, l'électromagnétisme ou la gravité. L'amour *était* toutes ces forces, et d'autres encore. L'amour n'était rien de moins que l'Espace qui Lie, cette impossibilité subquantique transportant les informations de photon à photon.

Mais l'amour, le simple amour banal, pouvait-il expliquer le principe dit anthropique sur lequel les savants hochaient collectivement la tête depuis plus de sept siècles? Pouvait-il expliquer la série presque infinie de coïncidences qui avaient abouti à un univers doté du nombre voulu de dimensions, avec un électron aux normes, une gravité adéquate, des étoiles de l'âge voulu et des processus prébiologiques capables de créer exactement les virus qu'il fallait pour donner un ADN utilisable? Cela représentait, en bref, une série de coïncidences si absurdes d'exactitude et de précision qu'elles défiaient la logique, la compréhension et même l'interprétation religieuse.

L'amour?

Depuis sept siècles, l'existence des théories de la Grande Unification et de la physique post-quantique des supercordes, ainsi que les connaissances inculquées par le TechnoCentre sur un univers à la fois sans limites et contenu dans lui-même, sans singularités du type « Big Bang » ni points limites correspondants, avaient pratiquement éliminé tout rôle de Dieu, que ce soit sous sa forme primitive anthropomorphique, sous celle, beaucoup plus sophistiquée, de l'époque post-einsteinienne, ou même, encore, sous celle d'un simple gardien ou façonneur de règles d'avant la Création. L'univers moderne, tel que la machine et l'homme en étaient arrivés à le comprendre, n'avait pas besoin de Créateur. Il n'avait pas de place, en réalité, pour un Créateur. Ses règles de fonctionnement n'autorisaient que très peu de bricolage, et ne souffraient aucune révision majeure. Il n'avait jamais eu de début, et n'aurait jamais de fin. Il ne connaissait que des cycles d'expansion et de contraction, aussi suivis et aussi bien réglés que les saisons de l'Ancienne Terre. Il n'y avait pas de place, dans tout cela, pour l'amour.

Tout se passait comme si Abraham s'était proposé d'assassiner son fils pour mettre à l'épreuve un fantôme.

Tout se passait comme si Weintraub avait fait parcourir à sa fille mourante des centaines d'années-lumière, en la soumettant à des difficultés sans nombre, en réponse à quelque chose qui n'existait pas.

Maintenant que le Sphinx se dressait devant lui et que la première lueur de l'aube faisait pâlir le ciel d'Hypérion, Sol comprenait que ce qui l'avait fait réagir représentait une force bien plus fondamentale et persuasive que toutes les terreurs et souffrances incarnées par le gritche. S'il était dans le vrai – et il ne pouvait pas en avoir la certitude, mais seulement l'intuition –, l'amour était tout aussi intégré dans la structure de l'univers que les forces de gravité ou que le couple matière-antimatière. Il y avait de la place pour un Dieu d'une espèce ou d'une autre, non pas dans les interstices du Retz, dans les murs ou dans les fissures de singularité de la chaussée, non pas à l'extérieur, avant et au-delà de la sphère de toutes choses, mais dans la texture elle-même, dans le fil et la trame de l'univers. Et ce Dieu évoluait en même temps que l'univers. Il apprenait en même temps que la partie de l'univers qui était susceptible d'apprendre. Et il était tout aussi capable d'aimer que l'humanité elle-même.

Sol se mit à genoux, puis sur ses pieds. La tempête anentropique semblait s'être calmée un peu. Il crut pouvoir essayer, pour la centième fois, d'entrer dans le tombeau.

Une vive lumière jaillissait encore de l'endroit où le gritche avait émergé pour prendre la fille de Sol et disparaître avec elle. Mais les étoiles étaient maintenant en train de s'estomper dans le ciel, que la lumière du matin faisait pâlir.

Sol commença à gravir les marches.

Il se souvenait du jour où, chez lui, sur le monde de Barnard, Rachel, alors à peine âgée de dix ans, avait voulu grimper à l'orme le plus haut de la ville, et était tombée alors qu'elle se trouvait presque au sommet. Sol s'était précipité au centre hospitalier, où il l'avait trouvée baignant dans un liquide nourricier réparateur avec un poumon perforé, une jambe et une côte cassées, la mâchoire fracturée, sans mentionner une multitude de plaies et d'ecchymoses diverses. Mais elle lui avait souri en dressant le pouce sur son poing fermé, et elle lui avait murmuré, malgré sa mâchoire en partie immobilisée :

– La prochaine fois, je suis sûre que j'y arriverai !

Saraï et lui avaient passé toute la nuit à son chevet. Il ne lui avait pas lâché la main jusqu'au matin.

Aujourd'hui, il attendait de la même manière.

Les marées anentropiques issues de l'entrée du Sphinx le repoussaient toujours comme un vent violent, mais il baissait la tête, solide comme un roc, et tenait bon, à cinq mètres de l'entrée, plissant les paupières pour s'abriter de la réverbération.

Il leva les yeux, sans reculer pour autant, lorsqu'il aperçut la flamme de fusion d'un engin spatial qui descendait dans le ciel pâle. Il tourna seulement la tête pour regarder, sans lâcher de terrain, lorsqu'il entendit d'autres bruits et des appels venus du fond de la vallée. Il aperçut une silhouette familière qui en transportait une autre sur son épaule, en s'éloignant du Tombeau de Jade pour se rapprocher de lui.

Aucun de tous ces événements n'était en rapport avec son enfant. Il continua d'attendre Rachel.

Même sans l'infosphère, il est tout à fait possible, pour ma personnalité, de voyager dans la riche soupe primitive de l'Espace qui Lie entourant actuellement Hypérion. Ma première réaction a été de vouloir rendre visite à Celui Qui Sera Plus Tard, mais, bien qu'il domine la métasphère de son éclat, je ne suis pas encore prêt à cela. Je ne suis, après tout, que le petit John Keats, je ne suis pas saint Jean Baptiste.

Le Sphinx, ce tombeau à l'image d'une créature réelle qui ne sera conçue que dans plusieurs siècles par les ingénieurs généticiens, est un maelström d'énergies temporelles. Il existe, en fait, plusieurs Sphinx perceptibles par ma vision élargie. Il y a le tombeau anentropique, qui transporte le gritche en arrière dans le temps comme un conteneur étanche renfermant un bacille mortel, il y a le Sphinx actif et instable qui a contaminé Rachel Weintraub en essayant d'ouvrir une porte à travers le temps, et il y a celui qui s'est ouvert et qui se déplace de nouveau en avant dans le temps. C'est ce Sphinx-là qui se présente maintenant comme une porte de lumière éclatante et qui, ne le cédant en clarté qu'à Celui Qui Sera Plus Tard, éclaire Hypérion de ses flammes métasphériques.

Je descends dans cette lumière ardente juste à temps pour voir Sol Weintraub remettre sa fille au gritche.

Même si j'étais arrivé plus tôt, je n'aurais rien pu faire. Même si j'avais pu faire quelque chose, je m'en serais abstenu. La survie de trop de mondes dépend de cet acte.

J'attends cependant, à l'intérieur du Sphinx, que le gritche passe avec son fragile fardeau. Je vois maintenant l'enfant. Elle n'est âgée que de quelques secondes. Elle est luisante, fripée, pleine de taches violacées. Elle hurle de toute la force de ses poumons de nouveau-né. En bon célibataire et poète philosophe, j'ai du mal à comprendre l'attirance qu'une créature si braillante et si peu esthétique peut exercer sur son père et sur le cosmos en général. Pourtant, la vue de cette chair de bébé dans les serres acérées du gritche remue quelque chose en moi.

Trois pas à l'intérieur du Sphinx ont fait avancer le monstre et l'enfant de plusieurs heures dans la durée. Juste derrière l'entrée, le fleuve du temps accélère son cours. Si je n'interviens pas dans les secondes qui suivent, il sera trop tard. Le gritche aura utilisé ce passage pour emmener sa proie au fond de je ne sais quel trou noir, éloigné dans le temps comme dans l'espace, où il a son repaire.

Malgré moi, je vois défiler des images de monstrueuses araignées drainant leurs victimes de tous leurs fluides, ou de guêpes fouisseuses cachant leurs larves dans le corps paralysé de leur proie, source parfaite de nourriture et d'incubation.

Il me faut agir à tout prix, mais je ne possède pas plus de substance ici que dans le TechnoCentre. Le gritche passe à travers moi comme si j'étais un holo invisible. Ma personnalité analogique n'est ici d'aucune utilité. Elle est aussi impuissante et insubstantielle qu'une émanation de gaz des marais.

Mais le gaz des marais n'a pas de cervelle, et John Keats en avait une.

Le gritche fait encore deux pas, et plusieurs heures s'envolent pour Sol et pour les autres qui attendent dehors. Je vois du sang sur la peau du bébé hurlant, à l'endroit où les scalpels du gritche sont entrés dans la chair.

Au diable tout ça.

Dehors, sur le large parvis de pierre du Sphinx, maintenant soumis au flot d'énergies temporelles qui traversent le tombeau, gisent des sacs à dos, des couvertures, des boîtes de nourriture vides et tous les détritus que Sol et les autres pèlerins ont abandonnés ici.

Y compris le cube de Möbius.

La caisse est scellée par un champ de confinement de catégorie 8 mis en place à bord du vaisseau templier *Yggdrasill* à l'époque où la Voix de l'Arbre Het Masteen se préparait pour son long voyage. Elle contient un erg, petite créature également connue sous le nom de délimiteur, que l'on ne peut sans doute pas considérer comme intelligente par rapport à des critères humains, mais qui s'est développée dans des systèmes stellaires lointains et a acquis la capacité d'exercer un contrôle sur des champs de forces plus puissants que n'importe quelle machine élaborée par l'homme.

Les Templiers et les Extros communiquaient avec ces créatures depuis des générations. Les Templiers les utilisaient comme éléments de redondance de contrôle sur leurs splendides mais vulnérables vaisseaux-arbres.

Het Masteen avait transporté cette caisse sur des centaines d'années-lumière aux seules fins d'honorer l'accord passé entre les Templiers et l'Église de l'Expiation Finale pour faire voler l'arbre aux épines du gritche. Mais, en voyant le monstre à côté de l'arbre aux tourments, Masteen n'avait pas pu remplir son contrat. Il en était mort.

Le cube de Möbius était resté. Je percevais la présence de l'erg sous la forme d'une sphère rouge d'énergie confinée dans le flux du temps.

Au-dehors, à travers un rideau d'obscurité, Sol Weintraub était à peine visible sous la forme d'une silhouette pathétique aux mouvements comiquement accélérés, comme dans les premiers films muets, par l'écoulement subjectif du temps au-delà des chronochamps du Sphinx. Mais le cube de Möbius faisait partie du cercle du Sphinx.

Rachel hurlait toujours de peur, cette peur que même un nouveau-né est capable d'éprouver. Peur de tomber. Peur de la douleur. Peur de la séparation.

Le gritche fit un pas, et ceux de l'extérieur perdirent une heure de plus.

Pour le monstre, je n'avais pas de substance, mais les champs d'énergie sont des choses que même nous, les spectres-analogues du TechnoCentre, nous pouvons toucher. J'annulai le champ de confinement du cube de Möbius. Je libérai l'erg.

Les Templiers peuvent communiquer avec les ergs par l'intermédiaire de radiations magnétiques ou d'impulsions codées qui constituent de simples récompenses d'énergie lorsque la créature s'est montrée docile. Mais ils ont surtout un moyen de contact quasi mystique, uniquement connu de la Fraternité de l'Arbre et de quelques spécialistes extros. Ces derniers le considèrent comme une forme grossière de télépathie. Mais il s'agit bel et bien d'empathie à l'état presque pur.

Le gritche fait un nouveau pas vers l'ouverture qui donne sur le futur. Rachel hurle avec une énergie dont seule peut faire preuve une créature qui vient de naître dans cet univers.

L'erg se dilate. Il comprend. Il fusionne avec ma personnalité. John Keats prend forme et substance.

Je franchis rapidement les cinq pas qui me séparent du gritche. Je lui ôte le bébé des mains, et je recule. Malgré le maelström d'énergie qu'est le Sphinx qui m'entoure, je sens l'odeur du nouveau-né qui monte à mes narines tandis que je serre l'enfant sur ma poitrine et que je colle sa tête humide contre ma joue.

Le gritche, surpris, fait volte-face. Quatre bras se tendent vers moi, des lames s'ouvrent en cliquetant, des yeux rouges se fixent sur moi. Mais le monstre est trop près de la porte. Sans faire un seul mouvement, il s'éloigne, aspiré par le flux temporel qui l'emporte. Ses mâchoires de pelle mécanique s'ouvrent et se referment, ses dents d'acier claquent, mais il est déjà au loin, bientôt moins gros qu'une tête d'épingle.

Je me tourne vers l'entrée. Elle est à une trop grande distance. L'énergie faiblissante de l'erg pourrait, à la rigueur, me porter jusque-là à contre-courant, si j'étais seul, mais pas avec le bébé dans les bras. Lutter contre le flux anentropique pour déplacer deux vies si loin est au-delà de mes forces conjuguées avec celles de l'erg.

Le bébé pleure. Je le berce doucement, en récitant à son oreille brûlante des vers de mirliton.

Si nous ne pouvons plus reculer, et si nous ne pouvons pas avancer, nous nous contenterons d'attendre quelque temps ici. Quelqu'un viendra peut-être.

Les yeux de Martin Silenus s'agrandirent tandis que Brawne Lamia se tournait vivement pour voir le gritche flotter derrière elle dans les airs.

– Sainte merde! murmura-t-elle avec révérence.

Dans le Palais du gritche, des rangées entières de corps humains inanimés se perdaient dans les ténèbres et la distance. Tous étaient, à l'exception de Martin Silenus, encore reliés à l'arbre aux épines, à l'IU des machines, et à Dieu sait quoi encore, par l'intermédiaire de cordons ombilicaux pulsants.

Comme pour bien montrer son pouvoir en ces lieux, le gritche avait cessé de grimper. Ouvrant les bras, il se laissa flotter à trois mètres au-dessus du sol, jusqu'à ce qu'il se trouve à cinq mètres de la corniche de pierre où Brawne était accroupie aux côtés de Martin Silenus.

– Faites quelque chose, chuchota le poète.

Il n'était plus rattaché au cordon de dérivation neurale, mais il était encore trop faible pour garder la tête levée.

– Vous avez une idée? demanda Brawne.

Ce qu'il y avait de bravade dans sa voix était plus ou moins annulé par le tremblement irrépressible de ses lèvres.

– Ayez confiance, fit une voix, un peu plus bas.

Brawne pencha la tête pour regarder vers le sol. Elle vit, bien plus loin qu'elle ne l'aurait cru, la jeune femme qu'elle avait identifiée comme étant Monéta dans le tombeau de Kassad.

– Aidez-nous! lui cria-t-elle.

– Confiance, répéta Monéta.

Puis elle disparut.

Le gritche ne s'était pas laissé distraire. Baissant les mains, il s'avança comme s'il marchait sur une chaussée de pierre et non sur l'air.

– Bordel! murmura Brawne.

– Comme vous dites, fit Silenus d'une voix rauque. C'est ce qui s'appelle retomber directement de la poêle dans le putain de feu.

– Taisez-vous! lança Brawne.

Comme pour elle-même, elle ajouta à voix basse :

– Confiance? En quoi et en qui?

– Confiance au gritche pour qu'il nous tue à petit feu ou qu'il nous embroche sur son putain d'arbre, haleta Silenus, qui avait réussi à se rapprocher suffisamment d'elle pour lui agripper le bras. Je préfère mourir plutôt que retourner sur cet arbre, Brawne!

Elle posa, un bref instant, sa main sur la sienne, puis se leva pour faire face au monstre.

Confiance?

Elle avança le pied, avec précaution, sur le rebord de la corniche, à l'endroit où se trouvait le vide. Puis elle ferma les yeux une seconde, et les rouvrit lorsqu'il lui sembla que le bout de sa chaussure rencontrait une surface dure, comme une marche de pierre. Elle rouvrit les yeux.

Il n'y avait rien d'autre que le vide devant elle.

Confiance?

Elle fit porter tout son poids sur le pied en suspens et s'avança, chancelant un bref instant avant de poser l'autre pied.

Le gritche et elle se faisaient face à dix mètres au-dessus du sol. Le monstre sembla lui sourire en lui ouvrant ses bras. Sa carapace luisait d'un éclat mat dans la pénombre. Ses yeux rouges brillaient plus que jamais.

Confiance?

Elle sentit la montée d'adrénaline au moment où elle s'avançait sur les marches invisibles, gagnant de la hauteur à mesure qu'elle se rapprochait de l'étreinte du gritche.

Elle sentit les lames de ses doigts qui lacéraient le tissu de ses vêtements puis sa peau tandis que la créature l'attirait contre elle, contre la grande lame courbe qui hérissait sa poitrine de métal, contre ses mâchoires ouvertes avec leurs rangées de dents d'acier. Mais, tout en avançant fermement sur l'air, Brawne se pencha en avant et posa sa main intacte à plat sur le torse du monstre. Elle sentit le froid de la carapace, mais elle sentit aussi le flux de chaleur et d'énergie qui coulait d'elle, à travers elle.

Les lames cessèrent de couper. Elles n'avaient jusque-là entamé que la peau. Le gritche se figea comme si le flux d'énergie temporelle qui les entourait avait soudain pris la consistance de l'ambre.

La main toujours posée sur la poitrine du monstre, elle poussa.

Le gritche se figea encore plus. Il sembla devenir fragile et cassant comme du cristal. L'éclat du métal avait fait place à la transparence lumineuse du verre.

Brawne flottait dans les airs, entourée par les bras d'une statue de cristal de trois mètres de haut. Dans la

318

poitrine transparente, à l'endroit où aurait pu se trouver le cœur du monstre, vibrait ce qui ressemblait à un gros papillon noir battant des ailes contre sa prison de verre.

Brawne prit une grande inspiration et poussa une nouvelle fois. Le gritche bascula lentement en arrière sur la plate-forme invisible où elle se tenait avec lui, et tomba. Elle réussit à échapper au cercle de ses bras figés, mais les lames encore tranchantes accrochèrent ses vêtements et faillirent l'entraîner dans la chute. Elle retrouva de justesse son équilibre tandis que le gritche de verre, après avoir fait un tour et demi sur lui-même, se fracassait au sol, dix mètres plus bas, en mille éclats acérés.

Elle fit volte-face, tomba à genoux, tremblante, sur la dalle de pierre invisible, puis retourna en rampant aux côtés de Martin Silenus.

Elle était à cinquante centimètres du bord de la corniche visible lorsque la confiance lui manqua. Le support invisible cessa tout simplement d'exister. Elle tomba lourdement, se tordit la cheville sur le rebord de la corniche, et ne réussit à se rattraper, in extremis, qu'au genou de Martin Silenus.

Proférant un juron à cause de la douleur qui lui transperçait l'épaule, le poignet et la cheville, elle se hissa péniblement sur la corniche.

— Il y a eu, apparemment, quelques changements depuis mon départ de cet endroit de merde, fit Silenus d'une voix rauque. Vous ne voulez pas qu'on foute le camp d'ici? Ou bien préférez-vous nous refaire votre numéro de Moïse marchant sur l'eau?

— Taisez-vous, lui dit Brawne en tremblant.

Mais ces trois syllabes sonnaient presque comme des paroles affectueuses.

Elle se reposa un instant, puis s'avisa que le plus simple, pour transporter le poète encore trop faible en bas des gradins et sur le sol jonché d'éclats de verre du Palais du gritche, était de le hisser en travers de ses épaules. Ils étaient arrivés devant l'entrée lorsque Silenus tambourina sans façons sur le dos de Brawne pour lui demander :

— Et le roi Billy? Et tous les autres?

— Plus tard, haleta Brawne.

Elle émergea dans la lumière précédant l'aube.

Elle avait parcouru les deux tiers de la vallée avec Silenus drapé autour de sa nuque comme un paquet de linge sale lorsque le poète lui demanda :

– Êtes-vous toujours enceinte, Brawne ?

– Oui, dit-elle en espérant que c'était toujours vrai après les efforts qu'elle venait de faire.

– Voulez-vous que je vous porte ?

– Taisez-vous !

Poursuivant son chemin, elle arriva à la hauteur du Tombeau de Jade, qu'elle contourna.

– Regardez, lui dit Silenus en se tordant, presque la tête en bas, sur ses épaules, pour pointer l'index.

Dans la lumière pâle du petit matin, elle vit que le vaisseau d'ébène du consul se dressait maintenant sur les hauteurs qui marquaient l'entrée de la vallée. Mais ce n'était pas cela que désignait le poète.

La silhouette de Sol Weintraub se découpait dans l'éclat de l'entrée du Sphinx. Il avait les deux bras levés.

Quelqu'un ou quelque chose était en train d'émerger de la lumière.

Sol l'aperçut le premier. C'était quelqu'un qui s'avançait dans le torrent de lumière et de temps liquide qui coulait du Sphinx. Une femme. On la voyait nettement dans le rectangle brillant de la porte. Et elle portait quelque chose.

Une femme portant un bébé.

Sa fille Rachel apparut. Rachel telle qu'il l'avait vue pour la dernière fois adulte, prête à rejoindre un monde lointain nommé Hypérion pour y faire des recherches archéologiques en vue de son doctorat. Elle avait alors vingt-cinq ans. Elle en paraissait peut-être un peu plus, maintenant, mais c'était bien Rachel, il ne pouvait y avoir là-dessus aucun doute. C'étaient bien ses cheveux aux reflets cuivrés, coupés court, avec une frange sur le front, ses joues brillantes, comme illuminées d'enthousiasme, son sourire tendre, presque tremblant maintenant, et ses yeux, ses yeux verts démesurés, aux pupilles tachées de petits points bruns à peine visibles. Et son regard était fixé sur Sol.

Rachel portait dans ses bras le bébé Rachel, qui gigotait, la tête enfouie dans l'épaule de la jeune femme, ses petites mains se crispant et se décrispant comme si elle avait du mal à décider si elle allait se mettre à brailler ou non.

Sol était sidéré. Il voulut dire quelque chose, mais les

mots ne montèrent pas dans sa gorge. Il fit une deuxième tentative.

– Rachel...

– Papa! murmura la jeune femme en s'avançant.

Elle passa son bras libre autour des épaules du vieil homme, en se tournant légèrement pour éviter que le bébé ne soit écrasé entre eux.

Sol embrassa sa fille adulte, la retint longuement contre lui, respira le parfum de sa chevelure, son odeur, sa *réalité*. Puis il prit délicatement le bébé et le mit au creux de son cou et de son épaule. Il sentit le nouveau-né frémir en prenant une grande inspiration comme pour se mettre à hurler. La petite Rachel qu'il avait amenée avec lui sur Hypérion était en sécurité dans ses bras, avec son visage cramoisi et fripé, et son regard qu'elle essayait de fixer sur son père. Il lui soutint délicatement la tête du creux de la main, puis la rapprocha de son visage pour l'inspecter de plus près.

– Est-ce qu'elle est...

– Elle grandit normalement, lui dit sa fille.

Elle portait un vêtement à mi-chemin de la robe et de la toge, taillé dans un tissu pelucheux et brun. Sol secoua la tête, aperçut son sourire et remarqua la petite fossette qui se formait au coin gauche de la bouche du bébé qu'il tenait dans ses bras.

Il secoua de nouveau la tête.

– Comment... Comment est-ce possible?

– C'est provisoire, lui dit Rachel.

Il se pencha pour embrasser de nouveau la jeune femme sur la joue. Il s'aperçut qu'il pleurait, mais il n'avait pas de main libre pour essuyer ses larmes. Ce fut la jeune femme qui les essuya pour lui, tendrement, du dos de la main.

Un bruit monta des marches au-dessous d'eux. Sol regarda par-dessus son épaule. Il vit les trois hommes venus du vaisseau, qui levaient la tête, congestionnés d'avoir couru. Il vit aussi Brawne Lamia, qui aidait le poète Silenus à s'asseoir contre la pierre blanche qui servait de parapet.

Le consul et Théo avaient les yeux écarquillés.

– Rachel... commença Melio Arundez, les yeux remplis de larmes.

– Rachel? s'étonna Martin Silenus en plissant le front et en se tournant vers Brawne Lamia.

Celle-ci avait la bouche à moitié ouverte.

— Monéta! murmura-t-elle en la montrant du doigt.

Elle s'aperçut de son geste, puis abaissa la main en répétant :

— Monéta... Vous êtes... la Monéta de Kassad!

Rachel hocha la tête. Son sourire avait disparu.

— Je ne dispose plus que d'une minute ou deux, fit-elle. Et j'ai beaucoup à vous dire.

— Non, protesta Sol en prenant la main de celle qu'il considérait comme sa fille. Tu ne peux pas me quitter. Je veux que tu restes ici avec moi.

Rachel lui sourit de nouveau.

— Je resterai avec toi, papa, dit-elle en avançant doucement la main pour caresser la tête du bébé. Mais comprends qu'une seule de nous deux peut le faire, et... elle a plus besoin de toi que moi.

Elle se tourna vers le petit groupe au bas des marches.

— Écoutez-moi tous, je vous prie, dit-elle.

Le soleil effleurait maintenant de ses rayons les ruines de la Cité des Poètes, le vaisseau du consul, les falaises occidentales et les Tombeaux du Temps, qui dominaient le tout. Rachel leur exposa rapidement l'histoire troublante de la manière dont elle avait été choisie pour grandir dans un futur où la guerre finale faisait rage entre l'IU du TechnoCentre et l'essence humaine. C'était, disait-elle, un avenir rempli de mystères extraordinaires et terrifiants, dans lequel l'humanité occupait toute cette galaxie et avait commencé à explorer l'ailleurs.

— D'autres *galaxies*? demanda Théo Lane.

— D'autres univers, précisa Rachel en souriant.

— Le colonel Kassad vous a connue sous le nom de Monéta, intervint Martin Silenus.

— Il me *connaîtra* en tant que Monéta, fit Rachel, dont les yeux s'embuèrent. J'ai assisté à sa mort, et j'ai accompagné son tombeau jusque dans le passé. Je sais qu'une partie de ma mission consiste à rencontrer ce légendaire guerrier pour le conduire à son combat final, mais notre rencontre n'a pas encore vraiment eu lieu.

Elle baissa les yeux vers la vallée, en direction du Monolithe de Cristal.

— Monéta... murmura-t-elle, songeuse. Cela veut dire « donneuse d'avertissement » en latin. C'est approprié. Mais je le laisserai choisir entre ce nom et *Mnémosyne,* la mémoire.

Sol n'avait pas lâché la main de sa fille. Il s'y refusait encore maintenant.

– Tu voyages en arrière dans le temps avec les tombeaux ? demanda-t-il. Mais comment cela peut-il se faire ? Et pourquoi ?

Elle releva la tête. La lumière réfléchie par les lointaines falaises donnait des couleurs à son visage.

– C'est mon rôle, papa, murmura-t-elle. C'est mon devoir. Ils m'ont donné les moyens de tenir le gritche en échec. Et... il n'y a que moi qu'ils aient ainsi... préparée.

Sol leva le bébé encore plus haut. Dérangée dans son sommeil, la petite Rachel souffla une bulle de salive, puis tourna la tête à la recherche de la chaleur de son père, son petit poing s'agrippant à la chemise de celui-ci.

– Préparée... répéta Sol. Tu veux parler de la maladie de Merlin ?

– Oui.

Il secoua la tête.

– Mais tu n'as pas du tout grandi dans un monde mystérieux du futur. Tu as passé ta jeunesse dans la petite ville universitaire de Crawford, dans la rue Fertig, sur le monde de Barnard, et ton...

Il s'interrompit net.

– *Elle,* elle grandira... là-haut, dit-elle en souriant. Je regrette, papa, mais il faut que je m'en aille, maintenant.

Elle libéra sa main, descendit quelques marches et effleura doucement la joue de Melio Arundez.

– Désolée pour la douleur du souvenir, dit-elle d'une voix tendre à l'archéologue sidéré. Pour moi, c'était, littéralement, un dossier différent.

Arundez battit des paupières en retenant un peu plus la main posée sur sa joue.

– Es-tu marié ? demanda Rachel. As-tu des enfants ?

Il hocha la tête et fit un geste de l'autre main, comme s'il allait sortir de sa poche une photo de sa femme et de ses enfants presque adultes. Mais il se figea, puis hocha lentement la tête.

Rachel sourit. Elle l'embrassa de nouveau sur la joue, rapidement, puis remonta les marches. Le soleil était déjà intense dans le ciel, mais la lumière, à l'entrée du Sphinx, était encore plus forte.

– Papa, je t'aime, murmura-t-elle.

Sol fit un effort pour parler. Il se racla la gorge, puis réussit à dire :

– Comment... Comment puis-je te rejoindre... là-haut?

Elle désigna l'entrée béante du Sphinx.

– Pour certains, ce sera une porte de communication avec l'époque dont j'ai parlé. Mais... cela signifie qu'il faudra m'aider de nouveau à grandir. Passer une troisième fois par tous les stades pénibles de mon enfance. On ne peut pas demander cela, même à un père.

Sol parvint à sourire.

– Aucun père ne refuserait, Rachel.

Il fit passer le poids de l'enfant endormie sur son autre bras. Puis il secoua de nouveau la tête.

– Est-ce que le moment viendra où... toutes les deux...

– Où nous coexisterons comme à présent? acheva-t-elle avec un sourire. Non. Je vais de l'autre côté, maintenant. Tu ne peux pas imaginer les difficultés que j'ai eues avec le Bureau des Paradoxes pour faire approuver cette unique entrevue.

– Le Bureau des Paradoxes? répéta Sol.

Elle prit une grande inspiration. Elle n'avait pas cessé de reculer, de sorte que seules les extrémités de leurs doigts se touchaient encore maintenant, au bout de leurs bras tendus.

– Il faut que je m'en aille, papa.

– Est-ce que... (Il s'interrompit, regardant le bébé.) Est-ce que nous serons tout seuls, une fois là-haut?

Elle se mit à rire. C'était un bruit si familier qu'il étreignit le cœur de Sol comme une main chaleureuse.

– Sûrement pas, dit-elle. Pas tout seuls. Il y a des gens merveilleux là-haut. Il y a des choses magnifiques à faire et à apprendre, des endroits étonnants à visiter. Tu ne seras pas tout seul, papa. Et puis, je serai là, moi aussi, avec mes airs de garçon manqué et d'adolescente qui a trop vite grandi.

Elle recula encore d'un pas, et leurs doigts se séparèrent.

– Attends un peu avant de passer de l'autre côté, papa, cria-t-elle tout en reculant dans le rectangle de lumière. Cela ne te fera aucun mal, mais tu ne pourras plus retourner en arrière quand tu seras là-bas.

– Rachel! Attends!

Elle recula encore, sa longue robe glissant sur la pierre, jusqu'à ce que la lumière l'entoure de toutes parts. Puis elle leva le bras.

– Salut, poilu! lança-t-elle.

Il leva la main à son tour.

– À plus tard... tête de lard!

Rachel adulte disparut dans la lumière.

Le bébé se réveilla et se mit à pleurer.

Plus d'une heure s'écoula avant que Sol et les autres retournent au Sphinx. Ils étaient d'abord allés dans le vaisseau du consul pour soigner les blessures de Brawne et de Silenus, se restaurer et permettre à Sol et à son bébé de s'équiper comme pour un long voyage.

– Je me sens un peu bête de me préparer ainsi, alors qu'il ne s'agit sans doute que de franchir une sorte de porte distrans, leur dit-il. Mais il vaut mieux prendre des précautions. Même si c'est un monde merveilleux qui nous attend, nous serions dans de beaux draps, elle et moi, s'il n'y avait pas de biberons ou de couches jetables.

Le consul lui sourit en tapotant l'énorme sac à dos posé par terre.

– Voilà qui devrait subvenir à vos besoins pendant une quinzaine de jours. S'il n'y a pas de nursery là où vous allez, vous n'aurez qu'à changer d'univers, puisque Rachel nous a dit qu'il y en avait d'autres.

Sol secoua la tête.

– Je ne peux pas croire que tout cela m'arrive réellement, dit-il.

– Pourquoi ne pas rester avec nous quelques jours, le temps d'y voir un peu plus clair? proposa Melio Arundez. Rien ne presse. L'avenir sera toujours là.

Sol Weintraub se gratta la barbe tout en continuant de donner au bébé le biberon préparé par le vaisseau.

– Rien ne nous dit que ce passage restera indéfiniment ouvert, murmura-t-il. De plus, je risque de perdre patience. Je suis bien vieux pour me remettre à élever un enfant. Particulièrement en terre étrangère.

Arundez posa la main sur son épaule.

– Laissez-moi y aller avec vous. Je brûle de curiosité de visiter cet endroit.

Sol eut un large sourire. Il prit la main d'Arundez dans les siennes et la serra chaleureusement.

– Je vous remercie sincèrement, mon ami. Mais vous avez une épouse et des enfants qui attendent votre retour dans le Retz... sur le vecteur Renaissance. Votre place est là-bas.

Arundez hocha lentement la tête en levant les yeux vers le ciel.

– Si toutefois nous pouvons y retourner un jour, dit-il.

– Nous y retournerons, intervint le consul d'une voix ferme. La bonne vieille propulsion Hawking existe toujours comme moyen de voyage interstellaire, même si le Retz est perdu pour nous à jamais. Il y aura quelques années de déficit de temps, Melio, mais vous y arriverez.

L'enfant avait fini son biberon. Sol lui donna une petite tape sur le dos et posa un lange propre en travers de son épaule.

– Chacun de nous a son devoir qui l'appelle, dit-il.

Il serra la main de Martin Silenus. Le poète avait refusé de grimper dans la cuve nutritive de l'infirmerie de bord ou de se faire retirer chirurgicalement son orifice de dérivation neurale.

– Ce n'est pas la première fois que je m'en accommode, avait-il expliqué.

– Continuerez-vous d'écrire votre poème? lui demanda Sol.

Silenus secoua négativement la tête.

– Je l'ai achevé lorsque j'étais dans l'arbre. Et j'ai découvert une chose, Sol.

L'érudit haussa un sourcil.

– J'ai découvert que les poètes ne sont pas Dieu. Mais s'il existe un Dieu... ou quelque chose d'approchant, c'est certainement un poète. Un poète déchu, il va sans dire...

Le bébé fit son rot à ce moment-là. Martin Silenus serra une dernière fois en souriant la main de Sol.

– Faites-les marcher à la baguette, là-haut, Weintraub. Dites-leur que vous êtes leur arrière-arrière-arrière-arrière-arrière-grand-père, et que, s'ils ne filent pas doux, vous leur botterez l'arrière-train.

Sol se rapprocha de Brawne Lamia.

– Je vous ai vue discuter avec le terminal médical du vaisseau, dit-il. Tout va bien en ce qui concerne la santé de l'enfant et la vôtre?

– Tout est parfait, répondit-elle en souriant.

– Garçon ou fille?

– Ce sera une fille.

Il l'embrassa sur la joue. Elle lui effleura la barbe du bout des doigts, et se détourna pour cacher ses larmes, peu dignes de l'ex-détective privée qu'elle était.

– Les filles, c'est ce qu'il y a de plus pénible à élever, dit-il en décollant les petits doigts de Rachel de sa barbe et de la chevelure bouclée de Brawne. Vous devriez échanger la vôtre contre un garçon à la première occasion.

– C'est ce que je ferai, répondit Brawne en reculant d'un pas.

Il serra une dernière fois la main du consul, puis celle de Théo et celle de Melio. Il mit son sac au dos pendant que Brawne lui tenait le bébé.

– Quelle dérision, si je me retrouvais à l'intérieur du Sphinx ! dit-il en reprenant Rachel dans ses bras.

Le consul se tourna vers le rectangle de lumière.

– Cela marchera, affirma-t-il. Ne craignez rien. De quelle manière, cependant, je l'ignore. Je ne pense pas qu'il s'agisse d'une porte distrans ordinaire.

– Chronotrans, peut-être, suggéra Silenus.

Il leva l'avant-bras pour parer le coup de poing que faisait mine de lui donner Brawne. Puis il recula d'un pas, en haussant les épaules.

– Si elle marche encore après votre passage, Sol, j'ai idée que vous ne serez pas longtemps tout seul là-haut. Des milliers de gens iront vous rejoindre.

– Si le Bureau des Paradoxes le permet, ne l'oubliez pas, lui dit Sol.

Il se tirailla la barbe, comme il faisait toujours lorsqu'il avait l'esprit ailleurs. Il cligna plusieurs fois des paupières, changea le sac à dos et le bébé d'épaule, et s'avança. Le champ de force lumineux, cette fois-ci, ne lui opposa pas de résistance.

– Adieu, tout le monde ! s'écria-t-il. Ça en valait la peine, finalement, vous ne trouvez pas ?

Il disparut dans la lumière avec le bébé.

Un silence suivit, durant plusieurs minutes, qui confinait avec le néant. Finalement, le consul murmura, d'une voix presque gênée :

– Si nous montions dans le vaisseau ?

– Faites venir l'ascenseur pour tout le monde, railla

Martin Silenus, excepté pour H. Lamia, qui préfère marcher sur l'air.

Brawne jeta de haut un regard courroucé au poète.

– Vous croyez que c'est Monéta qui a rendu cela possible? demanda Arundez, reprenant une suggestion déjà faite un peu plus tôt par Brawne.

– Je ne vois pas d'autre explication, dit-elle. Sans doute une technologie du futur, ou quelque chose de ce genre.

– Ouais... soupira Silenus. La technologie du futur. Commode pour ceux qui n'osent pas avouer leurs superstitions. Mais il y a une autre explication, ma chère, et c'est que vous avez toujours eu en vous, sans l'exploiter, ce pouvoir de léviter et de transformer les horribles monstres en fragiles gobelins de verre.

– Taisez-vous, lui dit Brawne, sans le moindre soupçon d'affection dans la voix, cette fois-ci. Qui nous dit qu'un autre gritche ne va pas surgir devant nous dans un instant? ajouta-t-elle.

– Qui nous l'affirme, en effet? demanda le consul. J'ai idée que, de toute manière, nous aurons toujours le gritche ou des rumeurs de gritche [1] autour de nous.

Théo Lane, que les dissensions embarrassaient toujours, se racla la gorge avant de murmurer :

– Voyez ce que j'ai découvert parmi les affaires éparpillées autour du Sphinx.

Il leur montra un instrument de musique à trois cordes, au long manche et à la caisse triangulaire ornée de motifs colorés.

– Une guitare? demanda-t-il.

– Une balalaïka, déclara Brawne. Elle appartenait au père Hoyt.

Le consul prit l'instrument et en tira plusieurs accords.

– Connaissez-vous cet air? demanda-t-il en jouant quelques notes.

– Le *Lai au lit des lolos de Léda*? suggéra Silenus.

Le diplomate secoua la tête, sans cesser de jouer.

– Ce doit être quelque chose d'ancien, fit Brawne Lamia.

1. Allusion biblique (Matt., 24, 6,) : « Vous entendrez parler de guerre et de rumeurs de guerre. Mais ne soyez pas troublés, car il faut que cela arrive, et ce n'est pas encore la fin. » (*N.d.T.*)

– *Somewhere over the Rainbow,* suggéra Melio Arundez.

– Cela doit dater d'avant mon époque, déclara Théo Lane en hochant la tête tandis que le consul continuait de jouer.

– Cela date de bien avant l'époque de tout le monde, leur dit ce dernier. Venez. Je vous apprendrai les paroles en cours de route.

Marchant de front sous le soleil brûlant, chantant en chœur d'une voix plus ou moins juste, s'interrompant pour reprendre quand ils perdaient le fil des paroles, ils gravirent la colline jusqu'au vaisseau dressé.

ÉPILOGUE

Cinq mois et demi plus tard, enceinte de sept mois, Brawne Lamia prit à l'aéroport de Keats le dirigeable du matin en partance pour le Nord et pour la Cité des Poètes où le consul donnait sa soirée d'adieux.

La capitale, officiellement rebaptisée Jacktown par les autochtones, et appelée ainsi par les astronautes de la Force comme par les Extros, avait une blancheur pure dans la clarté du petit matin tandis que le dirigeable quittait sa tour d'amarrage pour prendre la direction du fleuve Hoolie, au nord-est.

La plus grande cité d'Hypérion avait beaucoup souffert durant les combats, mais elle avait été presque entièrement reconstruite. La plus grande partie des trois millions de réfugiés venus des plantations de fibroplaste et des petites villes du continent sud avaient préféré s'établir dans la région, malgré le regain d'intérêt porté aux fibroplastes depuis que les Extros commençaient à les acheter. La ville avait donc poussé de manière anarchique, les services vitaux comme l'électricité, l'évacuation des eaux usées ou la TVHD s'étendant à peine jusqu'aux bidonvilles des collines, entre le port spatial et la vieille ville.

Les bâtiments avaient cependant une blancheur spéciale dans la lumière du matin, et l'atmosphère printanière recelait mille promesses tandis que Brawne voyait défiler les péniches et les véhicules de toute sorte sur le fleuve encombré et sur les routes nouvellement construites. Tout cela, pensait-elle, augurait bien de l'avenir d'Hypérion.

Les combats spatiaux n'avaient pas duré longtemps

après l'annonce du démantèlement du Retz. L'occupation de facto du port spatial par les Extros s'était transformée en reconnaissance de la disparition du Retz et en coadministration avec le nouveau Conseil intérieur selon les termes d'un traité initialement préparé par le consul et par l'ex-gouverneur général Théo Lane.

Durant les six mois, ou presque, qui avaient précédé la chute du Retz, les seuls mouvements observés au port spatial avaient été ceux des rares vaisseaux de descente de la Force restés dans le système et ceux des visites un peu plus fréquentes originaires de l'essaim. Le spectacle des hautes silhouettes extros déambulant dans Jackson Square n'était plus rare, pas plus que celui, encore plus exotique, des mêmes Extros buvant un coup dans la nouvelle taverne à l'enseigne de *Chez Cicéron*.

C'était là que Brawne avait pris une chambre pour passer les derniers mois qui venaient de s'écouler. Stan Leweski lui avait donné l'une des meilleures suites dont il disposait au quatrième étage du nouveau bâtiment agrandi qu'il avait fait construire sur l'emplacement de l'ancienne et légendaire taverne détruite par le feu.

— Il ne manquerait plus que ça, que je me fasse aider par une femme enceinte! s'écriait-il de sa voix de stentor chaque fois qu'elle proposait de lui donner un coup de main.

Invariablement, cependant, elle finissait par accomplir une tâche ou une autre tandis qu'il ronchonnait. Elle avait beau être enceinte, elle restait avant tout une Lusienne, et son séjour de quelques mois sur Hypérion n'avait pas encore totalement atrophié ses muscles.

Stan l'avait conduite, au petit matin, à la tour d'amarrage de l'aéroport, en l'aidant à porter ses bagages et le cadeau qu'elle destinait au consul. Puis il lui avait remis un petit paquet pour elle, en grognant :

— Vous allez vous ennuyer pendant le voyage, et quand vous serez dans ce foutu pays de sauvages. J'ai pensé qu'il vous faudrait un peu de lecture.

C'était une reproduction de l'édition de 1817 des Poèmes de John Keats, reliée en cuir par Leweski lui-même.

Elle embrassa le colosse et fit rire tout le monde en le serrant si fort que ses côtes craquèrent.

— Arrêtez! Vous allez me tuer, bon Dieu! gémit-il en se frottant la cage thoracique. Dites au consul que je veux revoir sa sale gueule dans cette taverne avant que je ne m'en débarrasse en la transmettant à mon héritier, c'est compris ? Vous n'oublierez pas ?

Elle avait promis d'un hochement de tête, et s'était éloignée avec les autres passagers en agitant la main en direction de la foule qui était venue les voir partir. Elle avait continué d'agiter la main sur la plate-forme du dirigeable tandis que celui-ci lâchait ses amarres et déchargeait son lest avant de s'élever lourdement au-dessus des toits.

Ils avaient maintenant laissé les faubourgs derrière eux et pris la direction de l'ouest pour suivre le cours du fleuve. Pour la première fois, Brawne aperçut clairement le sommet montagneux, au sud, où le visage boudeur du roi Billy le Triste contemplait la cité. Mais il avait maintenant sur la joue une balafre de dix mètres de long, peu à peu atténuée par l'érosion, à l'endroit où un rayon laser l'avait touché durant les combats.

C'était cependant une autre sculpture, en train de prendre forme sur la face nord-ouest de la montagne, qui attirait maintenant l'attention de Brawne. Malgré les équipements modernes prêtés par la Force, le travail avançait très lentement, et le grand nez aquilin, le front lourd, la bouche large et le regard à la fois triste et vif de Meina Gladstone commençaient à peine à devenir reconnaissables. Plusieurs réfugiés de l'Hégémonie bloqués sur Hypérion avaient émis des objections lorsqu'il avait été question de donner à cette montagne les traits de Meina Gladstone, mais Rithmet Corber III, l'arrière-petit-fils du sculpteur qui avait gravé, un peu plus loin, le visage de Billy le Triste, et qui était, au demeurant, l'actuel propriétaire de la montagne, les avait poliment envoyés se faire voir. Dans un an, deux au maximum, l'ouvrage serait terminé.

Brawne soupira. Frottant son ventre distendu – geste qu'elle avait toujours détesté chez les femmes enceintes mais qu'elle était incapable d'éviter à présent –, elle gagna pesamment une chaise longue sur le pont d'observation en se demandant comment elle serait à terme si elle était déjà aussi énorme à sept mois. Levant les yeux vers la courbe monstrueuse de l'enveloppe de gaz du dirigeable au-dessus de sa tête, elle soupira.

Compte tenu des vents favorables, le voyage ne dura que vingt heures. Brawne sommeilla durant une partie du trajet, mais elle passa le plus clair de son temps à contempler le paysage qui défilait sous elle.

Vers le milieu de la matinée, tandis qu'ils survolaient les écluses de Karla, elle avait souri en tapotant le paquet qu'elle avait apporté pour le consul. Vers la fin de l'après-midi, alors que le port de Naïade était en vue, elle aperçut, du haut des mille mètres où le dirigeable évoluait, une vieille barge tirée par des mantas reconnaissables à leur sillage en V. Elle se demanda s'il pouvait s'agir du *Bénarès*.

Ils franchirent la Bordure au moment où le dîner était servi dans la salle à manger principale. Ils atteignirent la mer des Hautes Herbes juste au moment où le soleil couchant projetait ses feux colorés sur la steppe agitée par la même brise qui poussait l'aérostat. Brawne porta sa tasse de café jusqu'à sa chaise longue préférée dans l'observatoire, ouvrit une fenêtre et contempla la mer des Hautes Herbes qui s'étalait sous elle comme la surface feutrée et sensuelle d'un billard sous la lumière rasante du couchant. Juste avant que les lumières s'allument sur le pont, elle eut la chance de voir un chariot à vent qui filait vers le sud, ses lanternes de proue et de poupe se balançant en cadence. Elle se pencha en avant et entendit nettement la rumeur de la grande roue et le claquement de la toile de foc tandis que le chariot se penchait pour tirer une nouvelle bordée.

Le lit était fait lorsqu'elle se retira dans sa cabine. Elle mit sa robe de chambre et lut quelques poèmes, mais se retrouva finalement sur le pont d'observation jusqu'à l'aube, sommeillant sur sa chaise longue tandis que les senteurs de l'herbe montaient jusqu'à elle.

Ils firent escale au Repos du Pèlerin, le temps de charger des vivres et de l'eau. Elle préféra rester à bord. On apercevait les lumières de la station de téléphérique. Lorsque le dirigeable reprit sa route, il suivit longtemps les câbles qui allaient de pylône à pylône au cœur de la Chaîne Bridée.

Il faisait encore nuit lorsqu'ils franchirent les sommets. Un steward vint fermer toutes les fenêtres en vue de la pressurisation des compartiments. Cela n'empêcha pas Brawne d'apercevoir les cabines du téléphérique qui se croisaient au milieu des nuages, au-dessus des glaciers qui luisaient dans la nuit étoilée.

Ils dépassèrent la forteresse de Chronos un peu après le lever du soleil. Les pierres de la vieille bâtisse étaient plus froides que jamais malgré la lumière rosée. Puis ce fut le désert. La Cité des Poètes brillait, toute blanche, à bâbord, tandis que le dirigeable descendait lentement vers la tour d'amarrage installée à l'extrémité est du nouveau port spatial.

Elle ne s'attendait pas à ce qu'on vienne la chercher. Tout le monde croyait qu'elle allait arriver dans l'après-midi avec Théo Lane, dans son glisseur. Mais elle s'était dit que le voyage en dirigeable lui donnerait le loisir de demeurer un peu seule avec ses pensées, et elle avait eu raison.

Avant même que le câble d'amarrage fût tendu et que la passerelle fût abaissée, elle aperçut cependant le visage familier du consul dans le petit groupe de personnes qui attendaient. À côté de lui se trouvait Silenus, les yeux plissés dans la clarté du matin qui lui était inhabituelle.

– Ça, c'est un coup de Stan, murmura-t-elle entre ses dents.

Elle venait de se rappeler que les relais hyper-fréquences étaient maintenant en place, et que les nouveaux satcoms étaient en orbite.

Le consul la serra dans ses bras. Martin Silenus bâilla à se décrocher la mâchoire, lui serra mollement la main et grommela :

– Vous n'auriez pas pu trouver une autre heure pour arriver ?

La réception avait lieu le soir. Il n'y avait pas que le consul qui faisait ses adieux. La plus grande partie des hommes de la Flotte encore sur Hypérion s'en allaient aussi, et un certain nombre d'Extros de l'essaim les accompagnaient. Une douzaine de vaisseaux de descente encombraient le petit terrain où était posé l'appareil du consul tandis que les Extros rendaient une ultime visite aux Tombeaux du Temps et que les officiers de la Force allaient se recueillir une dernière fois devant la sépulture de Kassad.

La Cité des Poètes elle-même avait maintenant près d'un millier de résidents permanents. Beaucoup d'entre eux étaient des artistes ou des poètes, bien que Silenus les traitât volontiers de poseurs. Ils avaient, par deux fois, essayé de l'élire maire, mais il avait refusé avec force jurons à l'adresse de ses administrés en puissance. Il continuait cependant à s'occuper de pas mal de choses, en particulier de la restauration du palais, des programmes de rénovation des maisons individuelles et du ravitaillement à partir de Jacktown et des autres centres urbains. Il arbitrait aussi certains conflits. Grâce à lui, la Cité des Poètes n'était plus une cité morte.

Il aimait dire, cependant, que le QI collectif était plus élevé à l'époque où l'endroit était désert.

Le banquet se tenait dans le pavillon du palais récemment reconstruit, et la coupole résonnait des rires de l'assistance à qui Martin Silenus lisait des poèmes égrillards tandis que d'autres artistes exécutaient des numéros. Outre le vieux poète et le consul, la table ronde où était Brawne comprenait une demi-douzaine de convives extros, parmi lesquels Librom Ghenga et Centrab Minmum. Il y avait aussi Rithmet Corber III, vêtu de fourrure en patchwork et d'un long chapeau en forme de cône. Théo Lane arriva en retard, en s'excusant, échangea avec les convives les dernières blagues qui circulaient à Jacktown, puis rejoignit la table du consul au moment du dessert. Lane avait été récemment cité comme le favori des masses aux élections municipales qui devaient se tenir dans la capitale le Quatrième Mois prochain. Les autochtones, comme les Extros, semblaient apprécier son style. Jusqu'à présent, il n'avait pas donné l'impression de vouloir décliner l'honneur qui pourrait lui être fait.

Après force libations, le consul invita discrètement quelques convives à se retirer avec lui dans son vaisseau pour écouter un peu de musique assortie d'une ou deux nouvelles bouteilles de vin. Brawne, Martin et Théo se retrouvèrent sur le balcon du vaisseau tandis que le consul leur jouait, sobrement et avec émotion, du Gershwin, du Studeri, du Brahms, du Luser et du Beatles. Puis il revint à Gershwin, et termina par le *Concerto pour piano n° 2 en ut mineur* de Rachmaninov, d'une beauté à couper le souffle.

Assis dans l'ombre, admirant le spectacle de la cité et de la vallée, sirotant paisiblement leur vin, ils discutèrent jusqu'à une heure avancée de la nuit.

— Qu'est-ce que vous vous attendez à trouver dans le Retz? demanda Théo. Anarchie? Émeutes? Retour à l'âge de pierre?

Le consul lui sourit, en faisant tournoyer son vin dans son verre.

– Un peu de tout cela. Plus, sans doute. Mais n'exagérons rien. Nous avons reçu suffisamment de salves avant l'extinction du mégatrans pour savoir que, malgré les réels problèmes qui se posent, la plus grande partie des vieux mondes du Retz se tireront d'affaire.

Théo Lane regarda le verre de vin qu'il avait apporté intact du banquet.

– À votre avis, pourquoi le mégatrans ne fonctionne-t-il plus ?

Martin Silenus s'esclaffa.

– Dieu en a eu marre de nous voir gribouiller des graffiti sur les murs de ses chiottes, dit-il.

Ils parlèrent ensuite de quelques-uns de leurs vieux amis. Ils se demandèrent comment le père Duré s'en sortait. L'une des dernières salves qu'ils avaient reçues leur avait appris la nouvelle de sa promotion. Et ils évoquèrent aussi le souvenir de Lénar Hoyt.

– Vous croyez que c'est lui qui deviendra pape à la mort de Duré ? demanda le consul.

– Cela m'étonnerait fort, lui dit Théo. Mais il aura peut-être une vie excédentaire, si le deuxième cruciforme que porte Duré sur la poitrine fonctionne toujours.

– Je me demande s'il viendra chercher sa balalaïka, fit Silenus en grattant quelques cordes de l'instrument.

Dans la pénombre, le vieux poète ressemblait plus que jamais à un satyre, se disait Brawne.

Ils parlèrent de Sol et de Rachel. Au cours des six derniers mois, parmi les centaines de personnes qui avaient essayé de pénétrer dans le Sphinx, une seule avait réussi. Il s'agissait d'un Extro aux manières tranquilles nommé Mizenspec Ammenyet.

Les spécialistes extros avaient passé plusieurs mois à étudier les tombeaux et les effets des courants anentropiques encore décelables. Sur certains murs, ils avaient retrouvé des hiéroglyphes et des symboles cunéiformes d'allure curieusement familière, ce qui les avait amenés à émettre, faute de mieux, des hypothèses savantes sur les différentes fonctions possibles des Tombeaux du Temps.

Le Sphinx était une porte à sens unique donnant sur le futur dont Monéta/Rachel avait parlé. Personne ne savait de quelle manière cette porte sélectionnait ceux qu'elle laissait passer, mais la mode, pour les touristes, était d'essayer. Aucun indice sur le sort de Sol et de son bébé ne leur était jamais parvenu. Brawne y pensait souvent.

Cette nuit-là, le consul et ses compagnons portèrent un toast à Sol et à Rachel.

Le Tombeau de Jade, d'après les experts, semblait avoir un rapport avec certaines géantes gazeuses. Personne n'avait jamais réussi à franchir cette porte-là, mais les Extros spécialisés, entraînés à vivre dans les habitats jupitériens, se succédaient chaque jour devant le monument pour essayer d'en forcer l'entrée. De toute manière, ils s'accordaient à dire, avec les experts de la Force, que les tombeaux n'avaient rien à voir avec des terminaux distrans, mais qu'ils représentaient une forme de liaison cosmique entièrement différente. Ce qui laissait les touristes totalement indifférents.

L'Obélisque, lui aussi, représentait un mystère impénétrable. Il émettait toujours de la lumière, mais il n'avait plus de porte. Les Extros suggéraient que des armées de gritches attendaient à l'intérieur. Pour Martin Silenus, ce n'était qu'un symbole phallique planté par caprice dans le décor de la vallée. D'autres pensaient qu'il avait peut-être un rapport avec les Templiers.

Le consul et ses compagnons portèrent un toast à la Voix de l'Arbre Authentique Het Masteen.

Le Monolithe de Cristal, qui s'était refermé, était le tombeau du colonel Fedmahn Kassad. Des symboles gravés dans la pierre et décodés évoquaient une grande bataille cosmique et un grand guerrier venu du passé, qui semblait avoir contribué à vaincre le Seigneur de la Douleur. Les jeunes recrues descendues des vaisseaux-torches et des gros porteurs de combat s'en repaissaient. La légende de Kassad se répandrait à mesure que chaque vaisseau s'en retournerait dans les différents mondes du vieux Retz.

Le consul et ses compagnons portèrent un toast à Fedmahn Kassad.

Le premier et le deuxième des Trois Caveaux ne semblaient mener nulle part. Le troisième, cependant, paraissait s'ouvrir sur des labyrinthes situés dans différents mondes. À la suite de la disparition de plusieurs chercheurs, les autorités extros durent rappeler aux touristes que les labyrinthes se situaient dans des temps différents – peut-être à des centaines de milliers d'années dans le passé ou dans l'avenir en même temps que dans des espaces différents. L'accès au troisième caveau fut finalement interdit à toute personne non autorisée à y faire des recherches.

Le consul et ses compagnons portèrent un toast à Paul Duré et à Lénar Hoyt.

Le Palais du gritche demeurait un mystère. Les rangées de corps avaient disparu lorsque Brawne et les autres y étaient retournés quelques heures plus tard. L'intérieur du tombeau avait la même taille que précédemment, mais un rectangle de lumière brillait, isolé, en son centre. Tous ceux qui avaient essayé de passer au travers avaient disparu. On ne les avait plus jamais revus.

Les experts avaient interdit l'entrée à tout le monde pendant qu'une équipe travaillait à déchiffrer les caractères gravés dans la pierre et sérieusement érodés par le temps. Jusqu'à présent, ils n'étaient sûrs que de trois mots, tous en latin de l'Ancienne Terre, qui pouvaient se traduire par : *Colisée, Rome* et *repeupler*. La légende disait déjà que cette porte donnait sur l'Ancienne Terre disparue et que les victimes de l'arbre aux épines avaient toutes été transportées là-bas. Des centaines de personnes attendaient de pouvoir les imiter.

– Vous voyez, fit Martin Silenus en s'adressant à Brawne. Si vous n'aviez pas eu cette fichue idée de venir me sauver, j'aurais pu, moi aussi, rentrer à la maison.

Théo Lane se pencha en avant.

– Vous auriez vraiment fait le choix de retourner sur l'Ancienne Terre ?

Martin lui adressa son sourire de satyre le plus sucré.

– Pas pour tout l'or de ce putain de monde pourri. Je m'y suis toujours emmerdé comme pas possible quand j'y étais, et il n'y a pas de raison que ça change. C'est *ici* que ça se passe vraiment.

Le vieux poète leva son verre à sa propre santé.

En un sens, se disait Lamia, il avait raison. Hypérion était le point de rencontre entre les Extros et les ex-citoyens de l'Hégémonie. Les Tombeaux du Temps, à eux seuls, représentaient l'assurance d'une source de commerce et de tourisme pour l'avenir, de plus en plus grande à mesure que l'univers humain s'adapterait à l'absence de réseau distrans. Elle essaya d'imaginer le futur tel que le voyaient les Extros, avec d'énormes flottes élargissant les horizons humains, avec des astronautes génétiquement modifiés colonisant des géantes gazeuses, des astéroïdes et des mondes auprès desquels Mars ou Hébron, terraformés avec tant de peine, faisaient figure de petits paradis. Elle avait du mal à imaginer l'existence que son enfant, ou peut-être ses petits-enfants, pourraient être amenés à vivre sur ces mondes.

– À quoi pensez-vous, Brawne? lui demanda le consul au bout d'un long moment de silence général.

– À l'avenir, répondit-elle avec un sourire. Et à mon Johnny.

– C'est vrai, murmura Silenus. Le poète qui renonça à être Dieu.

– Qu'est-il arrivé à la seconde personnalité Keats, à votre avis? demanda Brawne au consul.

Il fit un geste vague.

– Je ne vois guère comment il aurait pu survivre à la mort du TechnoCentre. Et vous?

– J'avoue que je suis un peu jalouse, dit-elle en secouant la tête. Il semble que pas mal de gens l'ont vu, finalement. Même Melio Arundez dit qu'il l'a rencontré à Jacktown.

Ils portèrent un toast à Melio, qui les avait quittés cinq mois plus tôt à bord du premier vaisseau de spin de la Force en partance pour le Retz.

– Tout le monde l'a vu à part moi, répéta-t-elle d'une voix pâteuse.

Elle fronça les sourcils en contemplant son verre de brandy. Elle aurait besoin d'une autre pilule prénatale anti-alcool avant d'aller se coucher. Elle se rendait compte qu'elle était un peu ivre. Cela ne pouvait pas faire de mal au bébé si elle prenait ces pilules, mais l'effet sur elle-même était indéniable.

– Je rentre, annonça-t-elle en se levant pour embrasser le consul. Je veux avoir l'esprit clair, à l'aube, pour assister à votre décollage.

– Vous êtes sûre que vous ne voulez pas passer le reste de la nuit à bord? La chambre d'ami a une vue magnifique sur la vallée.

Elle secoua la tête.

– J'ai laissé toutes mes affaires au palais.

– Je viendrai vous dire adieu avant de partir, fit le consul en détournant les yeux pour ne pas voir les larmes qui coulaient sur sa joue.

Martin Silenus la raccompagna jusqu'à la Cité des Poètes. Ils s'arrêtèrent un instant dans la galerie illuminée qui conduisait aux résidences.

— Est-ce que vous étiez réellement dans cet arbre, ou bien s'agissait-il d'une stimsim pendant que vous dormiez dans le Palais du gritche? demanda-t-elle.

Sans sourire, le poète porta la main à sa poitrine, à l'endroit où l'épine d'acier l'avait transpercé.

— Étais-je un philosophe chinois en train de rêver qu'il était un papillon, ou bien un papillon en train de rêver qu'il était un philosophe chinois? C'est bien cela que vous me demandez, ma chère enfant?

— Oui.

— Vous avez raison, murmura Silenus. Oui, je crois que j'étais les deux en même temps. Et tous les deux étaient réels. Et ils avaient mal. Oui, je vous adorerai et je vous chérirai à jamais, Brawne, pour être venue me sauver. Pour moi, vous resterez toujours celle qui peut marcher sur l'air.

Il lui prit la main pour la porter à ses lèvres, puis demanda :

— Vous rentrez tout de suite?

— Non. Je pense que je vais rester quelques instants dans le jardin.

Le poète parut hésiter.

— Il n'y a aucun risque, je pense. Il y a des patrouilles partout, aussi bien humaines que mécas, et notre gritche-Grendel ne s'est pas encore manifesté dans les parages. Mais soyez prudente quand même, d'accord?

— Vous oubliez, lui dit-elle, que je suis la tueuse de monstre, que je marche sur l'air, et que je suis capable de transformer tous les Grendel en fragiles gobelins de verre.

— Je sais, mais ne vous aventurez pas trop quand même, d'accord?

— D'accord, fit-elle en se touchant le ventre. Nous vous le promettons.

Il l'attendait dans le jardin, à un endroit où la lumière ne parvenait pas tout à fait et que les caméras de surveillance ne couvraient pas très bien.

— Johnny! s'écria-t-elle en faisant un pas en avant hors de l'allée de dalles.

– Non, dit-il en secouant la tête d'un mouvement peut-être empreint de tristesse.

Il ressemblait tout à fait à Johnny. Il avait ses cheveux brun-roux, ses yeux noisette, son menton ferme, ses pommettes hautes et son sourire tout en douceur. Il portait de curieux vêtements : épais blouson de cuir, ceinture large et grosses chaussures. Il tenait une canne à la main, et ôta son bonnet de fourrure lorsqu'elle se rapprocha de lui pour s'arrêter à moins d'un mètre de l'endroit où il se tenait dans l'ombre.

– Je comprends, dit-elle dans ce qui n'était guère plus qu'un souffle.

Elle avança la main pour le toucher. Son bras passa à travers. L'image n'avait cependant pas le scintillement ni le flou des holos habituels.

– Cet endroit est toujours porteur dans les champs de la métasphère, dit-il.

– Ouais, murmura-t-elle, sans avoir la moindre idée de ce dont il parlait. Vous êtes l'autre Keats, le jumeau de Johnny.

Le petit homme sourit, en tendant le bras comme pour lui toucher le ventre.

– Je suis son oncle, pour ainsi dire, n'est-ce pas, Brawne ?

Elle hocha la tête.

– C'est vous qui avez sauvé le bébé... Rachel. C'est bien cela ?

– Vous m'avez vu ?

– Non, fit-elle dans un souffle. Mais j'ai *senti* votre présence.

Elle hésita une seconde avant de demander :

– Ce n'est pas vous... l'Empathie dont parlait Ummon, celle qui faisait partie de l'IU humaine ?

Il secoua la tête. Ses boucles brillaient dans la pénombre.

– J'ai découvert que j'étais Celui qui Précède. Je prépare la voie à Celle qui Enseigne. Mais j'ai bien peur que le seul miracle que j'aie accompli jusqu'à présent n'ait consisté qu'à prendre un bébé dans mes bras en attendant que quelqu'un me l'enlève.

– Ce n'est pas vous qui m'avez aidé... devant le gritche... à marcher sur l'air ?

John Keats se mit à rire.

– Ni moi ni Monéta. C'était vous seule, Brawne.

Elle secoua vigoureusement la tête.

– C'est impossible!

– Pourquoi impossible? murmura-t-il.

Il fit mine, de nouveau, de lui toucher le ventre. Elle imagina qu'elle sentait la pression de sa main tandis qu'il murmurait :

– *Ô toi, vierge encore, épouse du repos, / Enfant nourrie par le silence et les lentes années...*

Il releva les yeux vers elle.

– Je suis sûr que la mère de Celle qui Enseigne a droit à certaines prérogatives, dit-il.

– La mère...

Elle se sentit soudain obligée de s'asseoir, et trouva un banc juste à temps. Elle n'avait jamais été maladroite de toute sa vie. Mais maintenant, enceinte de sept mois, elle ne voyait pas comment elle aurait pu s'asseoir élégamment. Elle songea, sans raison, au dirigeable qui était descendu ce matin vers sa tour d'amarrage.

– Celle qui Enseigne, répéta Keats. Je n'ai pas la moindre idée de ce qu'elle enseignera, mais cela changera la face de l'univers et fera germer des idées qui deviendront vitales dans dix mille ans.

– Mon enfant? réussit-elle à dire en luttant pour retrouver sa respiration. Notre enfant, à Johnny et à moi?

La personnalité Keats se frotta la joue.

– Ce sera la jonction de l'esprit humain et de la logique IA, que le TechnoCentre en général et Ummon en particulier ont cherchée si longtemps. Ummon est mort sans l'avoir compris, ajouta-t-il en faisant un pas en avant. J'aurais tant aimé être là quand elle enseignera ce qu'elle a à enseigner. Pour voir l'effet que cela aura sur le monde. Ce monde-là et les autres.

Les pensées de Brawne tourbillonnaient à vide, mais quelque chose, dans le ton de sa voix, lui avait fait dresser l'oreille.

– Pourquoi dites-vous cela? Où serez-vous? Quelque chose ne va pas?

Keats soupira.

– Le TechnoCentre n'existe plus. L'infosphère d'Hypérion est trop petite pour me contenir, même sous ma forme actuelle réduite. Il ne reste plus pour moi que les IA des vaisseaux de la Force, et je ne pense pas que je m'y plairais. Je n'ai jamais trop aimé recevoir des ordres.

– Il n'y a aucun autre endroit? demanda Brawne.

– La métasphère, répondit le petit homme en jetant un coup d'œil derrière lui. Mais elle est pleine de lions, d'ours et de tigres. Je ne suis pas encore prêt à les affronter.

Brawne ne releva pas l'allusion.

– J'ai une idée, dit-elle.

Elle lui expliqua ce qu'elle avait en tête.

L'image de son ex-amant se pencha, l'entoura de ses bras et murmura :

– Vous êtes un véritable miracle, madame.

Puis l'apparition se fondit de nouveau dans l'ombre.

– Je ne suis qu'une femme enceinte, répliqua Brawne en secouant la tête et en se touchant le ventre à l'endroit où il était le plus rebondi. Celle qui Enseigne, ajouta-t-elle à l'adresse de Keats. Et vous êtes l'archange chargé de l'annoncer. Quel nom voulez-vous que je donne à mon enfant?

Comme elle ne recevait pas de réponse, elle leva les yeux.

Il n'y avait plus personne dans l'ombre.

Brawne arriva au port spatial avant le lever du soleil. Le petit groupe réuni pour faire ses adieux au consul n'était pas particulièrement joyeux. Outre la tristesse du moment, tout le monde avait une sérieuse gueule de bois, la pénurie en pilules du lendemain régnant sur Hypérion depuis un bon moment. Elle était la seule à peu près en forme.

– Ce foutu ordinateur de bord se comporte bizarrement ce matin, grommela le consul.

– Comment expliquez-vous ça? demanda Brawne en souriant malicieusement.

Il la regarda en plissant les yeux.

– Je lui demande d'entamer une procédure de contrôle avant le décollage, et ce crétin d'ordinateur me récite de la poésie!

– De la poésie? demanda Martin Silenus en haussant un sourcil de satyre.

– Parfaitement. Écoutez...

Il régla son persoc. Une voix que Brawne connaissait bien murmura :

Adieu, vous les trois spectres, qui êtes incapables
De soulever ma tête auréolée d'herbe douce et de
fleurs,
Car je ne saurais me nourrir de louanges,
Tel un agneau docile dans une farce sentimentale!
Dissolvez-vous lentement devant mes yeux, et redeve-
nez
Des masques sur les parois de l'urne des rêves.
Adieu! Il me reste encore des visions pour la nuit,
Et les pâles visions du jour ne manquent pas.
Disparaissez, fantômes, de mon esprit oisif,
Regagnez vos nuages et ne revenez plus!

— Une IA défectueuse? demanda Théo Lane. Je croyais que votre vaisseau était équipé de l'une des meilleures intelligences en dehors du TechnoCentre.

— Il l'est, répliqua le consul. Et il fonctionne très bien. J'ai fait une vérification complète de ses fonctions cognitives. Tout est en ordre, mais... voilà le résultat!

Il fit un geste furieux en direction du persoc.

Martin Silenus jeta un regard oblique à Brawne, qui souriait toujours malicieusement, puis se tourna de nouveau vers le consul.

— Il semble que votre ordinateur ait acquis un goût pour la littérature. Il n'y a pas de quoi s'inquiéter. Je suis sûr que vous apprécierez sa compagnie pendant votre long voyage aller et retour.

Dans le silence qui s'ensuivit, Brawne sortit le lourd paquet qu'elle avait apporté.

— Un petit cadeau d'adieu, murmura-t-elle.

Le consul l'ouvrit, lentement, tout d'abord, puis de plus en plus nerveusement, à mesure que le carton déchiré laissait deviner la forme roulée, usée, effilochée, passée, du petit tapis. Il le caressa une fois, leva les yeux et demanda d'une voix étranglée par l'émotion :

— Où... Comment avez-vous fait pour le...

Brawne lui sourit.

— Une réfugiée autochtone l'a trouvé non loin des écluses de Karla. Elle essayait de le vendre sur le marché de Jacktown, mais il y avait pas beaucoup d'amateurs. Je passais par là...

Le consul prit une profonde inspiration, caressant de nouveau la texture du tapis hawking qui avait conduit son grand-père Merin à son rendez-vous fatidique avec sa grand-mère Siri.

– Malheureusement, je crois qu'il ne vole plus, fit Brawne.

– Les filaments ont seulement besoin d'être rechargés. Je ne sais comment vous remercier...

– Inutile, coupa Brawne. C'est pour vous souhaiter bonne chance dans ce voyage.

Le consul secoua la tête, et la prit dans ses bras pour l'embrasser avec émotion. Il serra la main des autres, puis monta dans l'ascenseur du vaisseau. Brawne et ses compagnons regagnèrent le terminal.

Il n'y avait pas un seul nuage dans le ciel lapis-lazuli d'Hypérion. Le soleil éclairait les sommets lointains de la Chaîne Bridée de ses rayons pourpres, annonçant une intense chaleur pour la journée à venir.

Brawne se tourna vers la Cité des Poètes et vers la vallée qui lui faisait suite. On apercevait à peine la partie supérieure des Tombeaux du Temps. L'une des ailes du Sphinx renvoya un éclat de lumière.

Silencieusement, avec à peine un souffle d'air chaud, le vaisseau ébène du consul s'éleva, sur sa flamme bleue, vers le ciel.

Brawne essaya de se rappeler les poèmes qu'elle venait de lire. Les derniers mots de l'œuvre inachevée la plus longue et la plus belle de celui qu'elle avait aimé lui montèrent aux lèvres.

Soudain passa le flamboyant Hypérion;
Ses voiles enflammés à ses talons volaient
En une sourde rumeur, comme fait l'incendie sur la terre,
Effarouchant les timides Heures éthérées
Dont tremblaient les ailes des colombes. Et dans cet embrasement...

Brawne sentit la caresse de la brise tiède sur ses cheveux. Levant la tête vers le ciel, elle agita la main, sans plus essayer de cacher ses larmes ou de les essuyer. Ses deux bras s'agitèrent bientôt frénétiquement pour dire adieu au splendide vaisseau qui grimpait vers l'espace sur sa traîne bleutée, en les saluant d'un *bang* sonique qui, comme un cri lointain, se répercuta sur les dunes du désert et sur les lointains sommets.

Elle s'abandonnait à ses larmes, continuant d'agiter les bras pour dire adieu au consul, au ciel d'Hypérion, à ses amis qu'elle ne reverrait jamais, et à toute une partie de son passé qui disparaissait en même temps que ce vaisseau qui s'élevait vers les cieux telle une flèche d'ébène parfaite tirée du carquois d'un dieu.

Et dans cet embrasement...

NOTE DU TRADUCTEUR

Les nombreuses citations de Keats sont en grande partie empruntées, pour la traduction française, lorsqu'elle existe, aux *Poèmes choisis de John Keats,* traduits par Albert Laffay (éditions Aubier-Flammarion), et aux *Poésies de John Keats* traduites par E. de Clermont-Tonnerre (éditions Émile-Paul frères, 1923).

La traduction de l'extrait du poème de Yeats *A Prayer for my Daughter, Prière pour ma fille,* p. 478, est celle de René Fréchet (éditions Aubier), de même que celle des deux passages de *The Second Coming, La Seconde venue,* pp. 320 et 479.

Le lecteur sera peut être heureux d'apprendre qu'il existe une traduction récente et complète du poème de John Keats, *Hypérion,* due à Paul de Roux (éditions La Dogana, Genève, 1989).